ONE UP ON WALL STREET
Millennium Edition
［新版］

ピーター・リンチの株で勝つ

アマの知恵でプロを出し抜け

ピーター・リンチ／ジョン・ロスチャイルド【著】
三原淳雄／土屋安衛【訳】

ダイヤモンド社

ONE UP ON WALL STREET
by
Peter Lynch

Original English language edition
published by Simon & Schuster,Inc.,U.S.A.
Japanese translation rights arranged
with Simon & Schuster,Inc.,U.S.A.
through Japan UNI Agency,Inc.,Tokyo.

ピーター・リンチの株で勝つ〔新版〕■目次

目　次

ミレニアム版への序章

本書は、個人投資家に基本的な情報と勇気を与えるために書いたものだが、三〇回も増刷を重ね一〇〇万部以上も売れるとは誰も予想していなかった。この最新版が、初版から数えて一一年目ともなると、私とフィデリティ・マゼラン・ファンドの成功を導いた原則が今日の株式投資にも通用することを改めて確信することとなった。

一九八九年に本書「ONE UP ON WALL STREET（三原淳雄・土屋安衛訳『ピーター・リンチの株で勝つ』ダイヤモンド社）」が書店で大ヒットしたその後も、大きな変化があった。私は一九九〇年五月にマゼラン・ファンドのファンドマネジャーの役を離れたが、ほとんどの人たちが、大相場が崩壊する直前のちょうどよいときに辞めたと、転進を賞賛してくれた。当時、米国の主要銀行は資金不足に悩み、そのなかの幾つかは破綻し、悲観論者はスマートに見えたのである。初秋にはイラクで湾岸戦争が始まっている。株式市場は近年にない最悪の下げを記録したが、戦争は勝利に終わり、銀行システムは蘇り、株価は回復した。

その回復は目覚ましく、ダウ平均は一九九〇年一〇月の二四〇〇ドル近辺から一万一〇〇〇ドル台へと四倍以上になり、二〇世紀の株式市場で最高の一〇年間となった。米国の家計の約五〇%が株式か投資信託を保有するようになり、一九八九年の三二%から大幅に増加した。市場全体として二五兆ドルもの新しい富が創出され、どこの市や町にもそれを見ることができた。もしそれが続けば、誰かが〝隣の百万長者〟という本を書いただろう状態であった。

この新しく生まれた富のなかの四兆ドル余りが投資信託に投資されている。ちなみに一九八九年のそれは二七五〇億ドルだった。この投資信託ブームは私にとって結構なことだった。私もファンドを運用していたからである。しかしそれはまた、多くのアマチュアの投資家は自分で行なう株式投資では下手な選択をしていたということでもある。もし彼らがこの上げ相場にそれなりにもっとよい投資をすることができていれば、彼らが行なったように投資信託へ資金を移動させなかったはずである。たぶんこの本に書いてある情報が、迷える投資家がもっと利益をあげるための道しるべとなるだろう。

マゼランを辞めてから、私は個人投資家の仲間入りをした。一方、福祉活動として、市内の子どもたちを宗教にかかわらずボストン・カソリック・スクールに入れるためのファンドをつくった。そのほかにも、ファンドのトラスティー（理事）、若い調査アナリストのアドバイザーやトレーナーとして、今でもフィデリティでパートタイムで働いてはいる。しかし最近の私の自由時間は少なくとも以前の三〇倍にはなり、家族と自宅や海外で過ごす時間が大幅に増えている。

個人的なことはこれくらいにして、私の大好きな課題である株式の話に戻ろう。一九八二年八月にスタートしたこの強気相場は、ダウ平均が一五倍になるという、米国の歴史で最大の株高となった。ピーター・リンチの言葉によれば、それは文字通り〝一五倍《フィフティーンバガー》〟である。私はこれまでも一五倍になった銘柄はたくさん見てきたが、市場全体が一五倍になったのは驚嘆すべきごほうびである。考えてもみたまえ、一九二九年初めから一九八二年までの間にダウ平均はたった四倍になっただけである。二四八ドルから一〇四六ドルになるのに半世紀！　最近、株価は高値になるにつれて速く動くようになった。二五〇〇ドルから五〇〇〇ドルになるまでには八年と三分の一年かかったが、五〇〇〇ドルから一万ドルまでには三年半である。一九九五〜九九年には、前例のない五年連続二〇％以上という利益をもたらした。それまでは、市場が二〇％の利益を二年以上続けてもたらしたことはなかったのである。

ウォール街の最大の上げ相場は、それを信じた者には相応の報酬を、そして疑った者には混迷を、一九七〇年代初頭の無風状態の頃には想像もつかなかったほどの影響を両者にもたらした。その七〇年代の低迷期に私はマゼランの担当となった。当時の底値の頃にあっては、失意の投資家は「株安は永久に続くはずがない」と自分に言い聞かせるしかなく、また、忍耐強い投資家は、自分の持ち株あるいは投資信託をダウその他の平均が一九六〇年代半ばにつけた水準に復帰するまでの一五年を、持ち続けるしかなかった。今日、われわれは、上昇相場は永久には続かないし、忍耐は上下両方の相場について必要であるということを胸に留めておく必要があるだろう。

この本の三二八ページで、私は一九八四年のATTの分割は、当時の株式市場の最大の進歩的な出来事だろうと言っている。今日では、私のところは素通りしているが、それはインターネットである。投資家として成功するためにはとくに流行を追う必要はないことを、経験が教えてくれているからである。事実、偉大な投資家のほとんどは、私が知る限り（ウォーレン・バフェットをはじめ）科学技術恐怖症である。彼らは自分が理解できないものは保有しない。それは私も同様である。ダンキン・ドーナツ、クライスラーなど、私が保有するものは理解できるし、銀行やS&L、それに近い関係にあるファニーメイもそうだ。しかし私はウェブには行かない。私はそこでサーフィンをしたことはないし、そこでチャットをしたこともない。熟練者の助力（たとえば私の妻や子どもたち）なしには、私はウェブを見つけることすらできないだろう。

一九九七年の感謝祭の休日に、私はニューヨークのウェブ好きの友人とエッグノッグを食べた。そのとき妻のキャロラインが友人にドロシー・セイヤーズのミステリーが好きだと話したところ、その友人は近くにあったコンピュータの前に座り、二つばかりキーを叩いて、セイヤーズの著作の全リストと読者向けの書評を取り出し、それと一緒に、一から五までのレーティングを見つけ出した（文学のウェブサイトでは、著者はファンドマネジャーのように等級づけされる）。私はキャロラインのためにセイヤーズの本を四冊とギフト用の包装紙を選んで自宅の住所をタイプし、私のクリスマスの贈り物リストの一つを消した。これが私のアマゾン・ドット・コムとの最初の出会いである。

あとで、私がどのようにして、食事やショッピングによって他のプロフェッショナルたちが見つけだすかなり以前に、最良の株を発見しているかをお読みになるだろう。アマゾンはサイバースペースに存在していたが、郊外のモールにはなかったので、私はそれを見過ごしていた。アマゾンは私の理解の外にあったが、そのビジネスはクリーニング屋のと同じようにわかりやすかった。また一九九七年には将来性に比べて割安だったし、財務の状態もよかった。しかし、私はこのようなニューフェースにチャンスを見出すほどの柔軟性を持ち合わせていなかった。もし私が調査をしていれば、この種のショッピングに大きな市場があり、アマゾンにはそれをものにする能力があることを知ったであろうに。残念ながら私はそれをしなかった。その間アマゾンの株価は、一九九八年の一年間だけで一〇倍になった（ピーター・リンチの言い方では〝一〇倍株《テンバガー》〟）。

少なくとも五〇〇はあるドット・コム株の一つであるアマゾンは、驚異的な上昇を記録した。ハイテク株とドット・コム株のなかには、新規公開した株が、スチーブン・キングがスリラーを一冊書くよりも短い期間に一〇倍になることも珍しくない。この種の投資にはあまり忍耐を必要としない。インターネット以前では、企業は〝一〇億ドルクラブ〟に入れるほどの成長をしなければ一〇倍にはならなかった。しかし、今や彼らは、利益を出すようになる前に一〇億ドルの価値を持つようになるか、場合によっては、何らかの収入を得る以前にそうなるのである。ミスター・マーケット（株式市場全体を指す想像上の呼び名）は新しく生まれたウェブに対して、ウォルマートやホーム・デポが一世代前に求められたような、実体面での実証を求めることはしなかったのである。

今日のインターネット熱に対しては、ファンダメンタルズは古い帽子《オールド・ハット》（時代遅れ）である（古い帽子《オールド・ハット》という言葉はそれ自体が時代遅れであり、それを持ち出す私自身が時代遅れであることの証明である）。単にドットやコムがついていて、エキサイティングなビジネスモデルがありさえすれば、楽観主義者たちに一〇年分の成長と繁栄の前払いをすることを確信させるに十分だったのである。後に続く買い手は、株価の上昇とともにエスカレートする将来のファンダメンタルズに応じて高値で買っていく。シリコンバレーでのマセラッティの売上げから判断すると、ドット・コム株は、タイミングよく公開する企業家や早期に買ってタイムリーに売り抜ける買い手には大きく報いている。しかし、ここで私は、高値になってから株式を買う人たちに警告をしておきたい。あるかないかすらわからない収益の伸びをすでに織り込んだ価格のドット・コム株に投資することがはたして合理的なのだろうかと。こういうことを言うのは、私の答えが〝ノー〟であることをあなたはすでにご存じだろう。

これらの新規公開株は、公開初日に二倍、三倍、あるいは四倍の初値がつく。あなたの担当セールスマンが公開価格で相応の株数でもくれない限り、公開時に買ったあなたは、たぶん値上がりのほとんどを失ってしまうだろう（インターネット株の割り当てはスーパーボールの入場券以上に入手は難しい）。というのも、ドット・コム株の多くは初値で最高値を出し、その後はその株価に戻ることはないからである。もしあなたがドット・コムの騒ぎから置き去りにされたと感じたら、きわめて少数のドット・コム投資家がほとんどすべての利益を持っていってしまっていることを思い出して欲しい。これらの株の値上がりを、ほとんどの投資家が手に入れることのできない公開価格から計るのは間違いである。株式の割り当てにあずかれるのは、ほんのひと握りの幸運な人たちだと知るべきである。

インスタントな成功談が私を取り巻いているなかで、私は昔ながらの方法で投資を続けている。私の持ち株は、実績が昔のファンダメンタルズに基づいているものである。すなわち、成功している会社が新しい市場に参入し、収益が向上し、株価がそれに続く。あるいは、失敗した会社が立ち直る。ピーター・リンチのポートフォリオの代表的な大勝ち銘柄は（相変わらず敗者も買っているが）、一般的に、結果が出るまでに三年から一〇年以上かかっている。

ドット・コムの世界では利益が出ていないため、ほとんどの企業は通常のPER（株価収益率）のレーティングでは計ることができない。言い換えれば、PERのなかでいちばん肝心な〝E〟がない。PERがないとなれば、投資家はどこにでも手に入る一つのデータ、つまり株価に注目する。私に言わせると、株価は最も役に立たない情報だが、最も広く使われている。一九八九年に本書を書いた頃フィナンシャルニュース・ネットワークの下段には、たった一つティッカー・テープが流れていたものだ。今日では多くのチャンネルでティッカー・テープを見ることができるが、そのほかダウ平均を見せる小さなボックスに、S&P五〇〇なども見ることができる。たびたびチャンネルを切り替える人は、どこの市場が閉まっているかを知らないでは過ごせない。人気のあるインターネットの入り口では、あなたが自分用に設定したポートフォリオをクリックすれば、すべての持ち株の最新の動きを知ることができる。あるいはモバイルやボイスメールなどで株価を知ることもできる。

私に言わせれば、この株価の氾濫は間違ったメッセージを送っている。もし私の選んだインターネット株が三〇ドルをつけ、あなた好みの会社が一〇ドルだとすると、株価を重視する人は、私の会社のほうが優れていると考える。これは危険な錯覚である。ミスター・マーケットが今日あるいは来週につける株価は、その会社が二～三年先にどうなるかを表わしてはいないのである。もしあなたがただ一つのデータに従うとしたら、それは利益にするといい――その会社が利益をあげているとしてだが。この本に書いているように、私は、株式に投資する場合の成否は早かれ遅かれ収益によるという確固たる考えを持っている。株価の今日や明日、または来週の動きは単なる気紛れでしかない。

インターネットを、世界を変えた最初の発明と言うにはほど遠い。鉄道、電話、車、飛行機、そしてTVなどなど、すべて日常生活に革命的な影響をもたらした。少なくとも、世界の人口の上位四分の一の人々には繁栄をもたらしている。これらの発明に関連した新しい産業は新しい企業を無数に生み出したが、そのなかの数社が生き残り、その分野を支配する立場を勝ち取っている。同じことがインターネットの世界でも起きる可能性が強い。マクドナルドがハンバーガーで、シュルンベルジェが石油サービスの分野でといったように、一つか二つの大手がその領域を支配する。その勝者の企業の株主は栄え、のろまだったり、過去はそうだったからそうであるべきだ、といった企業の株主はお金を失った。たぶんあなたには、年に一〇億ドルを稼ぐ企業のための排他的なクラブに入る企業を選ぶ十分な賢さがあるかもしれない。

典型的なドット・コム企業は、収益がまだ出ていなくても、今日の株価が妥当なものであるためには、将来いかほどの収益が必要であるかを知るための簡単な分析をすることはできる。ここで仮説を立ててみよう。あるドット・コム企業の時価総額（マーケット・キャップ）は、現在の株価（一〇〇ドルとする）に上場株式数を掛けることによって得ることができる――つまり一〇〇億ドルである。これがドット・コム企業の時価総額である。

どんな会社に投資をする場合でも、あなたは時価総額が増えることを望んでいるのであり、そしてそれは新しい買い手があなたより高値で買ってくれない限り望めない。このことを念頭に置いて、ドット・コム企業が一〇倍株《テンバガー》になるには、その時価総額も一〇倍、つまり一〇〇億ドルが一〇〇〇億ドルになっていなければならないことがわかる。この目標となる時価総額を算出したら、あなたは、ドット・コム企業が一〇〇〇億ドルの値打ちを持つためにはどれほどの利益を出さなければならないか？　と自問自答しなければならない。そして、誰でも理解できる答えを得るためには、急速に伸びる事業のPERを持ち出すであろう。今の浮かれている市場では、四〇倍ということになろうか。

ここで少し脇道に外れるが、一九三ページで私は、いかに立派な企業でも高値になればリスキーな投資となることについて、マクドナルドを例Aとして示した。一九七二年半ばに、マクドナルド株は五〇倍というPERまで買い上げられた。しかし、こうした過大な期待が到底叶うわけもなく、株価は七五ドルから、現実的にいい買い場だと思われるPER一三倍の二五ドルまで下げたのである。

その次のページで、ロス・ペローが所有するEDS（エレクトリック・データ・システムズ）に株主が払ったPER五〇〇倍という株価について指摘している。五〇〇倍というPERについて、私は「あなたの投資を取り戻すのにはもしEDSの収益が順調でも五〇〇年はかかる」と述べている。インターネットのおかげでPER五〇〇倍という衝撃的な価値は失われ、それとともに五〇倍、あるいはドット・コム企業に対するわれわれの理論価格である四〇倍というところに落ち着いた。

いずれにしても、一〇〇〇億ドル企業になるには、ドット・コム企業はつまるところ一年に二五億ドルの利益をあげなければならない。米国の企業で一九九九年に二五億ドル以上の利益をあげているのは三三社にすぎないから、ドット・コム企業にこれを当てはめると、マイクロソフト社のような企業と一緒に、大勝利を収めた企業たちのプライベートクラブのようなものに入る必要がある。それは本当に非常にまれなことには違いない。

私はこの簡略なインターネット論議を、前向きな話で終えたいと思う。このトレンドのなかで、単なる希望やきわめて過大な時価総額を避けて投資する方法は三つある。第一は、古い〝ピック・アンド・ショベル（ツルハシとシャベル）〝戦略である。ゴールド・ラッシュのとき、ひと山当てようとした人たちのほとんどはお金を失ったが、彼らにツルハシ、シャベル、テント、ブルージーンズ（リーバイ・シュトラウス）などを売った人たちは、よい儲けになった。今日では、探すべきはノン・インターネット企業で、インターネットのビジネスから間接的に利益を受ける会社（品物の配送会社はわかりやすい例）あるいは、そのインターネットの流れを助けるスイッチとかネット関連の仕掛けをつくっている製造業に投資すればよい。

第二は〝フリー・インターネット・プレイ〟と呼ばれるもの。それは、現実に利益と妥当な株価をもたらしているノン・インターネット企業が手掛けるインターネットのビジネスである。私は名前は挙げない。あなたが自分自身で調べられるだろう。ただ、幾つか興味をそそられるフリープレイ企業が私の注意を引いた。典型的な例として、会社全体の価値がたとえば今の市場で八億ドルとして、その会社のインターネット事業が一〇億ドルの価値があると推定され、もしそれが想定どおりとなれば、結果は非常に実り多いものとなる。その事業はスピン・オフ（分社化）されるかもしれない（独立した別会社の株として取引される）。もしインターネットのベンチャーがうまくいかなくても、その分は企業の主流の業務に付随しているので、投資家が損をするリスクは軽減される。

第三は見てわかるメリットで、旧来からの〝煉瓦とモルタル〟事業（オールドエコノミーのこと）であっても、インターネットを使うことによってコストを節減し、作業を能率化し、より効率的になって利益もより上がるようになった会社である。ひと時代前にスーパーマーケットにスキャナーが配備されたが、これによって万引が減り、商品をよりよくコントロールできるようになって、スーパーのチェーンにとって大きな力になったのが好例である。

先へ進もう。インターネットおよびその関連企業は、幾つかの偉大な成功物語を生み出すだろうが、現時点のそれは、われわれの過大な期待と不合理な株価の形成によるものでもある。現在が五億ドルの価値のある会社が成功するかもしれない一方で、一〇〇億ドルの会社が一文にもならないかもしれないのである。現実が期待にとって代わってくるにつれて、勝者は今よりもずっとハッキリしてくるだろう。このことに気づく投資家は、その優位性を働かせる時間がまだあるだろう。

私が見過ごした一〇〇倍株《ハンドレッドバガー》、マイクロソフトに戻ろう。ハイテクの怪物シスコやインテルなどとともに、この会社はほとんど創業当初から爆発的な利益をあげた。一九八六年に一株一五セントで公開され、三年後でも一ドル以下で買えたが、以来、八〇倍もの値上がりを記録している(数回の株式分割をして、原株が実際に一五セントで売買されたことはない。詳細は三二ページの注を参照)。もしあなたがミズーリ気質の〝日和見〟的なアプローチでマイクロソフトがウィンドウズ95に成功するまで待ったとしても、それでもまだあなたは資金を七倍にすることができた。どこにでもあるマイクロソフトを見つけるためにプログラマーである必要はない。アップルの愛好家を除けば、すべてのコンピュータはマイクロソフトのオペレーティング・システムとマイクロソフトのウィンドウズを備えていて、アップルは存在感を失いつつある。ウィンドウズを使うコンピュータが増えれば増えるほど、アップルではなくウィンドウズのプログラムを書くソフトウェア人種が増える。アップルに対するニーズは衰える。アップルは隅に押しやられ、マーケットシェアは七~一〇%にまで落ちた。

その間、マイクロソフトのプログラムを使うコンピュータという箱をつくるメーカーは(デル、ヒューレット・パッカード、コンパック、IBMなどなど)激烈な販売競争を行なっていた。この終わりのない競争は彼らの収益に痛手となったが、マイクロソフトには全く影響がなかった。ビル・ゲイツの会社は箱のビジネスではなくその箱を動かす〝ガソリン〟を売っていたからである。

シスコも驚くべき成果をあげた企業である。株価は、一九九〇年の公開以来、四八〇倍になった。

私は、多くの人は知っていたのだろうこの信じられないほどの勝者を、いつもの理由で見過ごしていた。一般の企業が、彼らのコンピュータをネットワーク化するため大いにシスコを利用した。他にも、大学がシスコを使って寄宿舎をコンピュータ化したので、生徒や先生、そして訪ねてきた両親たちはこの状況を知り、たぶんそのなかには家に帰ってから調べてみて、そして株を買った人もいるだろう。

私はマイクロソフトとシスコを、この本の主要なテーマを示すための時代に沿った例として取り上げた。アマチュアの投資家は、明日の大勝ち会社を選ぶのに、職場やショッピングモール、自動車のショールーム、レストランやその他、将来を嘱望される新しい企業のデビューに注目するが、私の場合には〝わかりやすいか〟が一番先にくる。

バスケットボール選手のチャールズ・バークレーは、〝口でシュートする〟ことで知られているが、彼はその自伝で、間違って引用されていると苦情を言っている。私はこの本を間違って引用されても文句はつけない。しかし、私は最も重要なポイントで間違った解釈をされている。ここに私からの注文がある。

ピーター・リンチは、あなたがその店で買い物をするのが好きだからといって、その店の株を買えと勧めたりはしない。また、あなたの好きな物をつくっているとか、好きな食べ物を出すレストランだからといった理由でその株を買えとは言わない。店の好み、製品、レストランなど、その会社に興味を持ち、調査リストに載せるのは結構なことだが、それだけでは株を持つのに十分とは言えない。利益見通し、財務状況、競争上の位置、成長計画などなどについての宿題を済ます前には決して投資をしてはいけないのである。

あなたが小売業の会社の株を持っているとしたら、分析上のもう一つの主要なポイントは、その会社が拡大の時期の終わりに近づいているかどうか、という点である。私が野球にたとえて、終盤のイニングと称している時期である。ラジオシャックやトイザラスが国内の一〇％の地域に進出したときの見通しは、九〇％のときとは大いに異なっているはずである。将来の成長がどのようにしてもたらされ、そしてそれがいつ頃減速するのかをよく見極める必要がある。

典型的なアマチュア投資家が典型的なプロのファンドマネジャーに対して優位性を持っていることについて、私の確信はいささかも揺るいでいない。一九八九年には、プロはよい情報をいち早く手に入れることができたが、今やそのギャップはなくなっている。一〇年前のアマチュアは、企業の情報を次の三つの方法で入手していた。企業から直接得る、バリューラインからのS＆Pの調査レポート、そして顧客の口座がある証券会社のアナリストが書いたレポート、などである。これらのレポートは本社から郵送されることが多く、届くのに数日かかる。

今では、多くのアナリストのレポートはオンラインで手に入り、読者はいつでも電話をして問い合わせることもできる。あなたの好みの企業についての注目ニュースも、あなたのEメールのアドレスに自動的に届けられる。インサイダーたちの売り買いも、証券会社による格付けの変更なども知ることができる。特別に設定されたスクリーンを使えば、その指定どおりの株式をスクリーンで探すことができる。すべての種類の投資信託を追いかけてそのパフォーマンスを比べたり、保有株式の上位一〇銘柄も調べられる。ウォールストリート・ジャーナル紙やバロンズ誌のオンライン版に付いている〝解説〟をクリックして見出しを見ることができ、ほとんどすべての上場企業についてその概要を知ることができる。また〝Ｚａｃｋ's〟にアクセスして、特定の株を調査しているアナリスト全員の格付けを知ることもできる。

インターネットのおかげで、小口投資家にとって株式売買の手数料は様変わりに安くなった。これは、一九七五年の機関投資家のための手数料引き下げと同じである。オンライン売買は伝統的なブローカーに手数料引き下げの圧力をかけ、二〇年前にディスカウント・ブローカーが現われたとき以来そのトレンドは続いている。

あなたは、マゼランを去った後の私の投資方法がどうなっているのだろうと心配しているかもしれない。数千もの企業を追っかけていた私が、今や五〇やそこらしか調べていない（私は数々の財団や慈善グループの投資委員会に関係しているが、どこの場合も、ポートフォリオ・マネジャーを雇って彼らが銘柄を選ぶことになっている）。現代風の投資家なら、リンチ家のポートフォリオはニューイングランド・ソサイティ・オブ・アンティーク（ニューイングランド古物商協会）に所属すると考えるかもしれない。そのポートフォリオには、Ｓ＆Ｌ（貯蓄貸付組合）が評価されていなかった時期に私がバーゲン価格で買ったＳ＆Ｌの株が含まれている。ところが、これらの株はたいへんな大化けをして、私はまだそのうちの幾つかを持っている（値上がり株を売ることはＩＲＳ＝内国歳入庁に売却益の二〇％の税金を持っていかれる）。また幾つかの成長株を一九八〇年代から持っているし、一九七〇年代から持っているものも少数ある。それらの企業は繁栄を続けているし、株価もまだ妥当な水準であるようだ。一方、買値をかなり下回った株も持ち続けている。私がこれらの期待外れの株を持ち続けているのは、何も私が頑固とかノスタルジックであるからではない。私がこれらの株を持続しているのは、いずれ財務内容がよくなり、将来に期待が持てるという証拠があるからである。

私の値下がり株は、重要なことを思い起こさせてくれる。それは、自分の選んだすべての株で儲ける必要はない、ということである。私の経験では、ポートフォリオの一〇銘柄中の六銘柄が値上がりすれば満足すべき結果が得られる。どうしてかって？　あなたの損は、それぞれの株に投じた金額に限られる一方で（ゼロ以下にはなり得ない）、利益には天井がない。一〇〇〇ドルを投資した場合、最悪で一〇〇〇ドルを失うだけだが、素晴らしい株に投資すれば一万五〇〇〇ドル、二万ドル、あるいはそれ以上を数年間で得ることができる。人生で株式投資で成功するために必要なのは大幅に値上がりする幾つかの銘柄であり、それらによるプラスは期待外れの株の損失を埋めて余りある。

私は持っていないが、この本で触れたベツレヘム・スチールとGEという二つの企業の現状を述べてみたい。両社とも役に立つレッスンである。時代遅れとなりつつある名門ベツレヘムの株は一九六〇年以降下げ続けている。有名な古い会社だが、不安な新しい会社と同様に、投資家にさっぱり報いていないように見える。一時は米国の世界企業として象徴的な存在だったが、失望させ続けている。株価は一九五八年の六〇ドルが八九年には一七ドルにまで下がり、会社を信じていた株主やバーゲンねらいの相場師を裏切る結果となっている。八九年に株価は再び下げ、一七ドルから一桁の下まで下げ、安い株は常に下げることを証明してみせた。いつかベツレヘム・スチールが上がるかもしれないが、それは希望であって投資ではない。

私は全国ネットのTV番組でGE（その後一〇倍《テンバガー》になった）を推奨した。しかし本のなかではGEの規模（時価総額三九〇億ドル、年間利益三〇億ドル）から見て、同社の利益が急速に増加することは難しいと書いた。実際にはGEは〝生活のためのよい製品〟の数々を送り出し、私が想像していたよりもずっと多くのリターンを株主にもたらしてきた。予想に反して、ジャック・ウェルチの賢明なリーダーシップによって、老朽艦だった企業が利益をあげる快速船になった。最近引退を表明したウェルチは、数多いGEの各部門を最高に効率化し、余資で新しい事業を買収し、自社株を買い戻した。一九九〇年代のGEの輝かしい勝利は、企業の動向を注意し続けることの重要性を示している。

自社株の買い戻しは、市場にもう一つの重要な変化をもたらした。配当というものが絶滅に瀕した動物のようになってきたのである。一六四ページにその重要性について書いたが、株主に報いるための旧来の方法は、まるで〝黒い足の白イタチ〟のようになってしまった感がある。郵便で送られてくる配当は投資家の経済的な収入となり、株価が期待に反した動きをしているときでも株を持ち続ける理由になる。しかし、一九九九年のS&P五〇〇企業の平均配当率は、第二次大戦以降で最低の一%強になっている。市中金利が一九八九年よりも低いことは確かであり、債券や株式の利回りも低くなっている。株価が上がると、配当利回りは当然下がる（もし五〇ドルの株式の配当が五ドルとすれば配当利回りは一〇%、株価が一〇〇ドルに上がると五%になる）。一方、企業はかつてのようには配当を増やそうとはしていない。

ニューヨーク・タイムズ紙（一九九九年一〇月七日付）は「何が不自然かといえば経済はきわめて好調であるにもかかわらず、企業は増配にまるで否定的なことである」と書いている。ほんのこの間まで、成熟した健全な企業は配当を恒常的に増やしたものだが、それは繁栄のサインでもあった。減配したり、増配できなかったりということは、問題含みであることのサインだった。近年、GEのように、健全な企業が配当を節約し、その資金で自社株買いを行なったりするようになっている。株式の供給を減らすことは一株当たりの利益を増やすことになり、結局は株主に報いることになるからだが、もちろん、その利得は株式を売らなければ得ることはできない。

もし誰かが配当が消えつつあることの責任を負うとしたら、それは米国政府である。企業の利益に課税したうえに、配当についても全額を課税対象としている。一般に言う、未収利益に対する課税である。株主がこの二重課税を避けることができるように、企業は株価の上昇につながる自社株買いのために配当を棄てるようになった。この方法では、株主が株式を売った場合のキャピタルゲイン税を増加させるが、長期投資の場合のキャピタルゲイン税は通常の所得税の半分の税率で済むのである。

長期投資といえば、私はよく、一一年の間ランチやディナーのスピーチで、「あなた方の何人が長期投資家ですか？　という質問に挙手で答えてもらったが、答えは、全会一致で――数時間の休みをとって聞きにきたデイ・トレーダーたちをも含めて――全員が長期投資家であった。長期投資はあまりにも人気があるので、自分が麻薬中毒者だと認めるほうが短期の投資家であることを認めるよりもやさしいのである。

株式市場の情報を見つけるのはたいへんだった時代（一九七〇年代から一九八〇年代初め）から、容易に手に入る（一九八〇年代終わり）状態になり、今や、それから逃げ出すことのほうが難しい状況となった。金融市場の天候は現実の天候とほとんど同じになってしまった。晴天、曇り、気圧の谷、大荒れ、そして、次はどうなってどう対処するかという果てしのない推測。人々は長期に考えるようアドバイスされるが、すべての変化に対する絶え間ない解説によって人々は追い込まれ、短期に考えるように仕向けられる。しかしそれは、そのたびにバタバタしないための挑戦である。もし直近の株価の上げ下げや車のオイルのチェックと同様六カ月ごとに株価をチェックしたりといった強迫観念から逃れられる方法があれば、投資家はもっとリラックスできるだろう。

私ほど長期投資に情熱を燃やしている人は他にいないだろうが、格言に言うように、それは、「言うは易く行なうは難し」なのである。しかしそれでも、この時代の投資家は教えを守り、相場が悪いときもそれを実行した。すべての市場が調整局面のときでも悠然と構え、方針を変えなかったのである。私のかつてのファンド、フィデリティ・マゼランの解約の実績から見ると、顧客は非常に安定している。ほんの少数の人が、一九九〇年のサダム・フセインによる下げ相場で現金に換えただけだった。

デイ・トレーダーやプロのヘッジファンドのマネジャーなどのおかげで、今の市場での出来高は信じられないほど増加している。一九八九年のニューヨーク証券取引所では、三億株の出来高といえばたいへんな出来事だった。今や、三億株では眠気を誘う幕間みたいなもので、八億株が平均となっている。デイ・トレーダーがミスター・マーケットを揺さぶっているのか？　株式指数の活発な取引がその理由なのか？　何がキッカケであるにせよ（私はデイ・トレーダーが主要な要素と思うが）、活発なトレーディングは、株式市場をますます不安定なものにしている。一〇年前には、一日で一％以上株価が上下に動くことはまれだったが、今や、ひと月に数回の一％の動きは当たり前となった。

ところで、デイ・トレーディングに生計を賭けることは、競馬やブラックジャック、あるいはビデオ・ポーカーで生計を立てるのとほとんど同じである。実際に私は、デイ・トレーディングは家庭をカジノ化すると考えている。家庭でのカジノの欠点は、それがペーパーワークだということである。一日に二〇回取引すれば、一年間に五〇〇〇回の取引にもなるだろうし、そのすべてを記録し計算してＩＲＳ（内国歳入庁）に報告しなければならないのだから、デイ・トレーディングとは多くの会計士を支援するカジノなのである。

その日の相場がどう動いたかを知るために大方の人は「ダウの終値はどうだった？」と聞くが、私は、どれだけの銘柄が値上がりしてどれだけの銘柄が値下がりしたかのほうに興味がある。この騰落レシオと呼ばれている指数は、市場のもっと現実的な図を描くのである。

今の一極集中的な市場では、多くが低迷するなかで割安感のあるわずかの株が上がるということが現実に起きている。大多数の割安な中小型株を買っている投資家は、その思慮深さのために罰されている形になっている。どうしてＳ＆Ｐ五〇〇指数が二〇％も上がっているのに自分の株は下がっているのだろうか。答えは、Ｓ＆Ｐ五〇〇のなかの少数の大型株が平均を押し上げているから、である。

たとえば、一九九八年に、Ｓ＆Ｐ五〇〇指数は二八％上がっているが、その内訳を見ると、五〇銘柄の大型株が四〇％上がっているのに対し、他の四五〇銘柄はほとんど動いていない。ナスダック市場では一ダースほどのインターネット関連株が大きく上昇したほかは、一様に値下がりしている。同じことが一九九九年にも起きている。エリートとされているグループの株価上昇が残る大多数の株の値下がりをカバーして平均を押し上げている。この年には、ニューヨーク証券取引所上場の全銘柄のうちの約一五〇〇社が値下がりとなっている。この二極化は前例のないものだった。ところで、一般的にS&P五〇〇指数に採用されている銘柄は大企業ばかりだと考える傾向があり、また、ナスダックは小型株の天国と思い込むきらいがある。一九九〇年代の終わり頃には、ナスダックの大企業（インテル、シスコ他の数社）の動向がナスダック指数に及ぼす度合いは、S&P五〇〇の大企業が同指数に与えるそれよりもはるかに大きくなっている。

小型株に属する業種の一つがバイオテクノロジーである。私はハイテクが苦手であり、その苦手意識ゆえに、株式公開によって一億ドルのキャッシュと一〇〇人の博士、九九台の顕微鏡を揃えているのに収益はゼロ、というバイオ株に対する興味を惹いた。最近のバイオの成果が、バイオ株に対して私を好意的にさせている。だからといってアマチュアにバイオ株を樽から取り出せと言っているのではない。一般的に言って、新しい世紀に当たって、二〇世紀に電機が担ったと同じ役割をバイオが演じる可能性がある。今では、たくさんのバイオ企業が売上げを計上し、三ダース以上の企業が利益を出している。またそのほかにも五〇社が同じような水準に達しつつある。アムジェン社は遺伝子バイオのブルーチップとなり、一〇億ドル以上の収益をあげている。数あるバイオ株投信の一つに、あなたの資金の一部を長期に投入する価値はあるのではないだろうか。

電波や雑誌には、市場解説者たちによる現在の市場と昔の市場との比較が溢れている。日々、「これは一九六二年の市場に似ている」、曰く、「これは一九八一年を思い出させる」、あるいは非常に暗くなっているときには「われわれは一九二九年をもう一度経験している」などなど。最近は小型株が下げて、大型株（とくに〝ニフティ・フィフティ〟とはやされた）が上がり続けた一九七〇年代と比べることが流行っているようだ。ところが一九七三～七四年の下降相場でニフティ・フィフティは五〇％から八〇％も下げた！　この予想外の大幅下げは、大型株は下げに強いとの説を覆すこととなった。

もしあなたがニフティ・フィフティを持っていて、それを二五年間持ち続けていたら（理想的には、株式など永久に捨ててしまえと語りかけるラジオもＴＶも雑誌もない無人島にいることだが）、結果に失望することはない。一世代かかったとはいえニフティ・フィフティは完全に回復し、そしてさらに上昇している。一九九〇年代半ば頃には、ニフティ・フィフティのポートフォリオは一九七四年からのトータル・リターンでダウ平均とＳ＆Ｐ五〇〇に追いつき、追い越した。あなたが一九七二年のすっ高値で買ったとしても、あなたの選択は正しかったのである。

そして再びわれわれは五〇の大企業を、疑い深い人たちだったら、あまりにも高すぎる、と言いそうな高値にしてしまった。現代のニフティ・フィフティが、一九七三～七四年の投げ売りと同じようになるのかどうかが誰もの関心事となっている。歴史はわれわれに、調整（一〇％以上の下げ）は二年ごとに、弱気相場（二〇％以上の下げ）は六年ごとに起こると告げている。そして暴落（三〇％以上の下げ）も、悪夢の一九二九～三二年以来、五回起きている。下げ相場はもうないというほうに賭け、これからの一年間に必要な大学の教育資金、結婚資金、その他の資金で株式や投資信託などを買ってしまうことは馬鹿げている。現金化するために下げ相場でみすみす株を売らざるを得なくなることなど、誰も望んでいないだろう。長期投資家には、時間が味方となるのである。

長期の強気相場では、時ならぬ罠に足をとられることにもなる。以前にこの本を書いたとき、市場は一九八七年のブラックマンデーからちょうど回復したばかりだった。五〇年間で最悪の暴落は、ピーター・リンチのアイルランドでのゴルフ休暇とちょうど時を同じくしていた。アイルランドに足を踏み入れるとまた別のパニックが来るわけではないことを私が納得するまでに、九回から一〇回の旅行（われわれはアイルランドに家を買った）を必要とした。私は、イスラエルやインドネシア、インドなどへの旅行も居心地がよくない。Ｉで始まる名前の国への旅行は、私を神経質にする。それでも私はイスラエルに二回、インドにも二回、そしてインドネシアにも一回行ったが、何事も起きなかった。

これまでのところ、一九八七年の再来は起きていない。しかし、九〇年には熊（弱気相場）がやって来た。その年、私はフィデリティ・マゼラン・ファンドのマネジャーとしての職を辞した。八七年の暴落は多くの人々を驚かしたが（二日で三五％下げた）私にとって九〇年の出来事はより恐ろしいものだった。なぜかって？　八七年は経済は順調で、銀行にはお金があり、ファンダメンタルズは順調だった。九〇年は、八七年と異なって、不況は頭をもたげつつあり、大銀行は破綻寸前、米国はイラクとの戦争準備に入っていた。しかし、幸いにも戦争は早期の勝利となり、リセッションは克服され、銀行は立ち直り、株式は近代の歴史上最大の上昇に向かってスタートした。さらに最近では、九六年の春、九七年と九八年の夏、そして九九年秋に主要な株価指数が一〇％下がった。九八年八月にはＳ＆Ｐ五〇〇指数が一四・五％下がり、第二次大戦後で二番目に悪い月となった。しかしその九カ月後には相場は立ち直り、再び上昇を始め、Ｓ＆Ｐ五〇〇指数は五〇％以上の上昇となった。

過去を振り返ることで私が言おうとしている肝心なことは、大きな下げをタイミングよく売って逃れられればそれは素晴らしいことだが、誰もそれを予想はできないということである。また、もし株を売り払って下げを避けたとしても、次の上げ相場に備えて買い戻すことができるだろうか？

ここに一つのシナリオがある。もしあなたが一九九四年七月一日に一〇万ドルで株を買い、五年間持続していれば、三四万一七二二ドルになっている。しかし、その間の株価が最も上昇した三〇日間だけ株式から離れていたとしたら、一〇万ドルはわずか一五万三七九二ドルにしかならない。株式市場に留まっていれば、あなたの儲けは倍以上になっていたのである。

ある非常に成功した投資家が「弱気の発言は知的に聞こえる」と言っていたように、朝の新聞や夜のラジオのニュースを見聞きするたびに、あなたの持ち株を売ってしまいたくなるのに十分な理由を見つけることができる。この本がベストセラーになったときにラビ・バトラの『一九九〇年の大恐慌』もベストセラーだった。この上げ相場に関する弔辞は、一九八二年のそのスタート時点から、数え切れないほど書かれている。その理由は、日本の病める経済、中国や世界に対する米国の貿易赤字、九四年の債券相場の崩落、九七年の新興市場の崩壊、地球温暖化、オゾンの減少、デフレ、湾岸戦争、消費者のローンの増大、そして最近ではコンピュータ二〇〇〇年問題、略してY2Kなどなど。二〇〇〇年に入ってから、Y2Kは、映画のゴジラ以来最も大げさに恐れられたものであったことに気がついた。

「株価は過大に評価されている」というのが、弱気の投資家のここ数年来の叫びであった。一部の人にとっては、一九八九年のダウ平均の二六〇〇ドルは、あまりにも高い株価であった。また他の人々にとっても、九二年のダウ平均三〇〇〇ドル突破は、非常な高値と映った。九五年にダウ平均が四〇〇〇ドルを超えると、それを否定する声がいっせいに湧き起こったのである。いつの日かわれわれは下げ相場を迎えるであろうが、きわめて大幅な四〇％の下げとなっても、ありとあらゆる予言者たちが投資家にそのポートフォリオを売り払うようにと呼びかけていたときよりも、はるかに高い位置にあるのである。以前どこかで述べたように「買われ過ぎの市場はない」というのではなく、「それを恐れることはない」のである。

強気相場は心配の多寡で計れと言われているが、心配のタネは尽きることがない。最近もわれわれは、第三次世界大戦、バイオハザード、核の暴走、北極の氷の融解、隕石の衝突といった、考えも及ばないようなさまざまな危機的な状況を心配し続けてきた。一方でわれわれは、幾つかの有益な〝考えも及ばないもの〟も見てきた。共産主義の崩壊、米国の連邦政府および地方政府の財政黒字、一九九〇年代に米国が一七〇〇万もの新しい雇用を創り出したこと――これは大企業による社会的にも大いに喧伝されたダウンサイジングを埋め合わせて余りあるものとなった。ダウンサイジングは、解雇通知を受け取った人たちに心の荒廃と痛みをもたらしたが、一方で何百万人もの労働者を自由にし、高成長で刺激に富む、生産性の高い職業へと移動させたのである。

この驚くべき雇用の創出は、受けてしかるべきはずの注目を浴びていない。ヨーロッパが高失業率に悩んでいる一方で、米国は過去半世紀で最低の失業率を記録している。ヨーロッパの大企業もダウンサイジングに取り組んできたが、ヨーロッパはその隙間を埋める小企業を欠いている。彼らはわれわれよりも貯蓄率が高く、市民はよく教育されているにもかかわらず、失業率は米国の二倍以上である。もう一つの驚くべきことは、ヨーロッパでは、一九八〇年末よりも一〇年後の一九九九年末のほうが雇用者数が減っているのである。

基本的なストーリーはシンプルで、永遠に不変である。株券は宝くじの札ではない。すべての株券には会社がくっついている。会社はよくもなるし、悪くもなる。もし会社が前よりも悪くなれば、株価は下がる。もしよくなれば、株価は上がる。あなたがよい会社の株を持ち、その会社の収益が継続して増えれば、あなたの生活もよくなる。第二次大戦以降、企業収益は五五倍になり、株式市場は六〇倍になっている。四つの戦争、九回のリセッションと一回の大統領弾劾もそれを変えることはできなかった。

次の表に二〇社の会社名を掲げているが、これは一九九〇年代の米国の株式市場の勝者上位一〇〇

1990年代の値上がり株20傑

株価上昇率順位	社名	事業内容	1万ドルを1989年末に投資した場合の99年末における値上がり益（ドル）
(1)	デル・コンピュータ	コンピュータ製造	8,900,000
(6)	クリア・チャンネル	放送	8,100,000
(9)	ベストバイ	小売り	995,000
(10)	マイクロソフト	テクノロジー	960,000
(13)	チャールズ・シュワブ	ディスカウント証券会社	827,000
(14)	NBTY	健康食品	782,000
(20)	MCIワールドコム	通信	694,000
(21)	アムゲン	バイオテクノロジー	576,000
(30)	プリペイド・リーガル・サービス	弁護士サービス	416,000
(33)	インテル	コンピュータ・チップ	372,000
(34)	ホーム・デポ	建築資材	370,000
(40)	ペイチェックス	給与計算サービス	340,000
(46)	ダラー・ゼネラル	ディスカウントストア	270,000
(49)	ハーレーダビッドソン	オートバイ	251,000
(52)	Gap	小売り	232,000
(69)	ステープルス	事務用機器	186,000
(75)	ウェスタンバンク／プエルトリコ	銀行	170,000
(77)	メドトロニック	医療用品	168,000
(82)	ザイオンズバンコープ	銀行	161,000
(87)	ローズ・カンパニーズ	建築資材	152,000

注:吸収合併された企業を含む。
出所:Ned Davis Research

社のリストからとったものである。左側の欄はこれらの各社が投資家にもたらしたトータル・リターンのランキングである。なおここでは、ハイテク企業の多く（ヘリックス、フォトロニックス、シリコニックス、テラジェニックスなど）を除外している。というのは、この表を普通の人々が目にとめ、調査し、好機をつかむことのできるショーケースにしたかったからである。

デル・コンピュータは最大の勝者であり、デルという名前を知らない人はいないだろう。誰もがデルの販売力の強さ、製品の人気の高さに気づいただろう。その株式を早い機会に買っていれば、驚くべし、八八九倍にもなっている。当初に一万ドルを投資したら八九〇万ドルの富を手に入れたことになる。デル、マイクロソフト、あるいはインテル（すべての新しいコンピュータには〝インテル・インサイド〟のステッカーが付いている）の将来性を知るために、コンピュータを理解する必要はない。アムジェンが調査専門の研究所から、二つのベストセラーの医薬品とともに薬品会社へと変身を遂げたことを理解するために、遺伝子技術者である必要もない。

シュワブ？ その成功を見逃すわけにはいかない。ホーム・デポ？ 同社は急速な成長を続け、上位一〇〇社のリストに二〇年連続して入っている。ハーレーダビッドソン？ 弁護士、医者、歯科医などの週末のイージーライダーたちはハーレーについての大きな情報源である。ローズ？ ホーム・デポと全く同じ。同じありきたりな業種のなかから二つの怪物株が出現するとは誰が予測しただろうか？ ペイチェックス？ そこいら中の給与計算に悩む企業がペイチェックスにアウトソーシングすることで悩みを解決している。私の妻のキャロラインは、わが家の〝財団〟の仕事のためにペイチェックスを使っていたが、私はその有用性に気づかず、株を買いそびれた。

この一〇年間でベストの値上がりとなったものの幾つかは（その前の一〇年間と同様）、伝統的な小売業だった。Ｇａｐ、ベストバイ、ステープルス、ダラーゼネラルなどはすべて、途方もなく値上がりをしている。それらが上手に経営されている会社であることは、何百万人もの買い物客が真っ先に経験していることである。この表にある二つの小さな銀行は、大勝ちする会社はどんな産業からでも出てくる――銀行のような歴史の古い、競争相手の多い産業からでも――ということを再度示している。次の一〇年に対する私のアドバイスは、明日の大化け株を探し続けよ、ということである。あなたにもきっと見つかるはずである。

ピーター・リンチ
ジョン・ロスチャイルド

プロローグ／アイルランド便り

株の話をするためには、最近では一九八七年一〇月一九日の大暴落に触れないわけにはいかない。私にとってもその一週間は終生忘れられないものになった。一年以上たった今、やっと少し冷静に話せるようになったと思うので、あの大騒ぎとは別に長く残る大切な出来事から始めよう。何を伝えておくべきか、まず記憶をたどってみよう。

――一〇月一六日、金曜日。妻キャロラインと一緒にアイルランドのカウンティーコークでドライブを楽しんだ。私はふだんあまり休暇をとらないので、旅をしていること自体が最高と言えた。

――ドライブ中、上場企業の本社に立ち寄るような野暮なことはもちろんしなかった。普通は一〇〇マイルくらい回り道をしてでも、最新の会社情報（売上高やら在庫やら収益動向など）を手に入れようとするのだが、幸か不幸か二五〇マイル以内のどこにもS&Pのレポートやバランスシートの手に入りそうなところがなかったこともある。

――私たちはブラーニー城に行き、最上階にある伝説的なブラーニー石の下にもぐり込んだ。手すりにつかまりながらこの石にキスするのは、聞いていたとおりスリル満点で、何より無事に出てこれたのでホッとした。

――一〇月一七日、一八日の週末はゴルフをした。土曜日はウォーターヒルで、そして日曜日はドックスで。

――一〇月一九日、月曜日。キラニーにある世界中でも最も難コースと言われるキーリン・ゴルフ場で一八ホールを回った。これにはスタミナと知力を必要とし、私にとっては大きなチャレンジと言えるコースであった。

――車にゴルフクラブを積み込み、ディングル半島までキャロラインとドライブし、海浜リゾート地のシリング・ホテルにチェックイン。疲れていたので、午後からはずっと部屋にいた。

――夜には、友だちのキレリイ夫妻と、有名なシーフード・レストラン、ドイルズで食事をした。

――翌一〇月二〇日。私たちは、急遽、飛行機で家に帰る。

さて、これでは何だかよくわからないとご不満の向きには、もう少し詳しく書き直してみよう。誰でも経験があると思うが、一年も経つと、バチカン宮殿を歩き回って足にまめをつくったことなどは忘れて、システィナ教会堂の荘厳さしか思い出さないように、今となっては些細なことにも思えてくるのだが、意を決して書くことにしよう。

――一〇月一五日、木曜日。アイルランドへと飛び立った日、ダウ平均は四八ポイント下落していた。

――一〇月一六日、金曜日。アイルランドに到着した日、ダウ平均は一〇八・三六ポイント下落。このとき、休暇をとっていいのかどうか不安な感じが胸をかすめた。

――ブラーニー石にキスしているときでも、正直な話、ブラーニーよりダウのことを考えていた。週末、ゴルフ場からも何度もオフィスに電話を入れ、どの銘柄が売りか、もっと下がったときはどれが買いか、会社のスタッフに指示を与えていた。

――一〇月一九日、月曜日。キラニーのキーリン・ゴルフ場でプレーしているとき、ダウ平均は五〇八ポイント下がった……。

時差のおかげで、ウォール街のニューヨーク証券取引所でオープニングベルがなる数時間前に、ラウンドを終わっていた。そうでなければ、スコアは目も当てられなかっただろう。金曜日からずっとマーケットが気がかりだったので、スコアは悪かったし、幾つ叩いたかもつい忘れがちであった。今思い出せるのは、ゴルフのスコアではなく、月曜のたった一日の相場だけで、マゼラン・ファンドの一〇〇万人の株主が、運用総資産の一八％、二〇億ドルを失ったことである。

あまりの大暴落にショックを受けた私は、ディングル半島までの景色など全く目に入らなかった。実は前に述べたように、私はシリング・ホテルで午後、のんびり昼寝をしていたわけではなかった。ホテルの部屋で会社との電話連絡にかかりきりで、予期せぬファンドの解約に対応し、一五〇〇の保有銘柄中、どれを売ってキャッシュをつくるかという指示で手いっぱいだった。キャッシュ・ポジションは、通常の解約になら十分な余裕があったのだが、一〇月一九日の事態にはそれではとても対応できない。一瞬、私は世界が終わりになるのか、景気後退がくるのか、ウォール街のみが狂ったのか、判断ができなかった。

同僚のファンドマネジャーも私も、売らなくてはならない分だけ売った。最初にロンドン市場で英国株を一部売った。月曜日の朝の時点で、ロンドン市場のほうは米国より値が高かったのである。それも前週の金曜日に、異常気象のせいか、ハリケーンのおかげでロンドン市場は閉鎖され、その日に下がっていなかったからである。それから、ニューヨーク市場で前場、まだ一五〇ポイントくらいしか下げていない時点でずいぶん売った。

その晩、レストランのドイルズで、はっきり言って何を食べているかもわからなかった。自分のファンドが、まさにアイルランドのＧＮＰに匹敵するほど下げたとき、えびとたらの違いもわからないくらい気もそぞろだった。という次第で、一〇月二〇日に私は絶望的な心境で帰国した。この旅行に出る前から、実は悪い予感はあり、そのとおりになってしまったのだった。

私は常に、投資家はマーケットの上げ下げは無視すべきだと信じてきた。クラッシュ（暴落）という事態に直面しても、幸運にもマゼラン・ファンドの株主のうち、三％未満の株主しかその週にファンドを解約しなかった。絶望のどん底で売ると、いつだって安値で売ってしまう。

一〇月一九日のマーケットにびっくりしても、その当日や翌日に売る必要はないのである。株の資産を徐々に減らしていっても、パニックで売った人よりまだましな成果をあげられる。実際、その年の一二月からマーケットは堅調に上げて、今現在の一九八八年六月には四〇〇ポイント、つまり二三％以上戻している。

一〇月の教訓はいろいろあり、また言われてもいるが、私がもし三つほど追加するとすると、①こんな交通事故のような出来事で自分のポートフォリオを台無しにするな、②こんなことで素敵な休暇を台無しにするな、そして③キャッシュ・ポジションが低いときに外国旅行をするな、ということである。この一〇月のクラッシュについてはまだまだいくらでも書けるが、それはあなたにとって時間の浪費だろうから、もっと投資の役に立ちそうなことに話を進めよう。五〇八ポイントであろうと一〇八ポイントであろうと、ダウが下がっても、よい企業は生き残り、平凡な会社は失敗し、それぞれの投資家はそれなりの報いを受ける。

それはさておき、ドイルズで何の料理を食べたか、思い出し次第お知らせしよう。

はじめに／アマチュアの強み

私はこれから三〇〇ページにわたって、プロの投資家としての私の成功の秘訣を語る。しかし、逆説的に聞こえるかもしれないが、第一のルールは、もはやプロの言うことに惑わされるな、ということである。投資の世界に二〇年間携わってきて、私には、普通の人がその頭を三％も働かせれば、平均的なウォール街のプロと同等あるいはそれ以上にうまく投資できることがわかってきたのである。

頭のシワを直す手術を受けると決めるのは、医者でなくあなた自身であり、給湯設備を買い替えると決めるのも配管工などでなくあなたであり、前髪を切るのかどうかも美容師ではなくあなたが決める。しかも、そういう専門技術的なことと違って、投資の場合は何のテクニックもいらず、プロが必ずしもうまくいくわけでもなければ、アマチュアがそれほど駄目とも限らない。アマチュアが失敗するのはプロの真似をしようと後追いするときだけである。

実際、アマチュアは視点さえ間違えなければ、プロや全体の相場よりずっと好成績をあげやすく、有利だ。自分で株を選べばプロに勝てるのに、なぜ迷うのだろう。

だからといって、手持ちの投資信託をすべて売ってしまえと言っているのではない。そんなことになれば私は失職してしまう。それは別として、私は投資信託もなかなかよい手段ではないかと思う。自己宣伝というわけではないが、正直なところ、私が運用するマゼラン・ファンドの投資家諸氏はそれなりの成果をあげた。だからこそ、私はこの本を書く光栄にあずかっていると言える。投資信託は、いちいち株式相場を見る暇のない人や、資金が少なくて何銘柄もは買いたくても買えない人のための素晴らしい発明である。

ただ、どうしても自分で直接投資してみたいというときはある。そういうときには、話題の銘柄や証券会社の推奨銘柄、専門誌の「今週の銘柄」などは無視して、自分自身の調査に基づいて投資すべきだろう。もちろん、ピーター・リンチや他のプロが買っているという株も無視すべきである。

なぜピーター・リンチの買っている銘柄を無視すべきかというと、第一に彼は間違っているかもしれない（私自身のポートフォリオで下がった銘柄を見るたびに、四〇％くらいは失敗していることが思い起こされる）。第二に、もしその銘柄を買って成功しても、いつピーター・リンチが心変わりして売るかもしれない。第三に、あなたのまわりによい情報がいくらでもあるからである。自分の知っていることであれば、フォローしていくのが簡単なことは、私にもあなたにも言えることだ。

少し意識的に自分の仕事や近所の商店街などで起こっていることを見るだけで、ウォール街が気がつくよりずっと以前に、すごい銘柄を見つけることができる。自分の働いている業界の変化や、消費者としての情報を意識的に利用すれば、一〇倍になる株を見つけられるだろう。私のフィデリティ社在職中にしょっちゅう見かけたことである。

一〇倍上がる株

ウォール街の業界用語で「テンバガー」というのは、一〇倍上がる株のことだ。これは満塁ホームランのことを「フォーバガー」という野球の言い方を真似たのだと思うが、もちろんフォーバガーも悪くないけれども、テンバガーというと満塁ホームラン二本プラス二打点ということなので、一度でもテンバガーに当たれば最高だということがよくわかるだろう。

私は投資を始めた頃、資金を一〇倍に増やす情熱に燃えていた。初めて私が買ったフライング・タ

資金1万ドルのポートフォリオ

	買い値（ドル）	売り値（ドル）	変化率（%）
〈モデルAの銘柄〉			
ベツレヘム・スチール	25 1/8	23 1/8	−8.0
コカ・コーラ	32 3/4	52 1/2	+60.3
ゼネラル・モーターズ	46 7/8	74 3/8	+58.7
W・R・グレース	53 7/8	48 3/4	−9.5
ケロッグ	18 3/8	29 7/8	+62.6
ハノーバー製造	33	39 1/8	+18.5
メルク	80	98 1/8	+22.7
オウエンズ・コーニング	26 7/8	35 3/4	+33.0
フェルプス・ドッジ	39 5/8	24 1/4	−38.8
シュルンベルジェ	81 7/8	51 3/4	−36.8
（全体）			+162.7
〈モデルBの銘柄〉			
モデルA＋ストップ・アンド・ショップ	6	60	+900.0

イガー航空株は何倍にも上がり、その利益で私は大学院を卒業した。最近の一〇年間でも、五倍、一〇倍、そしてまれにだが二〇倍上がった株は、一四〇〇銘柄も入っている私のファンドの全体の成績に貢献してくれた。小さなファンドであれば、一つでも驚異的に上がる銘柄を組み入れているだけで、全体のパフォーマンスをとてもよくしてくれる。

一〇倍株《テンバガー》は相場が弱い基調のとき、最も際立った影響を与える。大型上昇相場の始まる二年前の一九八〇年一二月二二日に、一〇銘柄に一万ドルを投資したとしよう。これをモデルAとして、モデルBには一一番目の銘柄としてストップ・アンド・ショップを入れる（表参照）。

このポートフォリオを八三年一〇月四日まで持っていたとすると、モデルAのほうは一万三〇四〇ドルになり、ほぼ三年で三〇・四％の上昇となる。ちなみに、ニューヨーク市場の指標であるS&P五〇〇はその期間に四〇・六％上昇している。モデルBのほうは、この三年間でストップ・アンド・ショップが一〇倍株《テンバガー》になったので、一万ドルは二万一〇六〇ドルに、実に一一〇・六％の上昇を記録する。

もし、ストップ・アンド・ショップの業績が向上することを見抜いて買い足していたなら、またその倍にすることもできただろう。一一銘柄のうちの一銘柄でも当たれば、たとえ残り一〇銘柄に損をするものが出ても、全体として投資に成功したことになる公算が大きい。

ドーナツ、葬儀屋からアップル・コンピュータまで

一〇倍も上がる株というと、博打的で、分別ある投資家は手を出さないような仕手株などと思い込みやすいが、実際は、よく知っているなじみの銘柄にも一〇倍株はある。たとえば、ダンキン・ドーナツ、スーパーのウォルマート、玩具のトイザラス、先に例に挙げたストップ・アンド・ショップ、それにスバルなど。これらは商品などになじみがあり、高く評価していたとしても、仮にスバルの車を買ったときにその株も同時に買っていたとしたら今や百万長者になっていたはずだ、ということなど信じにくいことかもしれない。

といっても、これはもしあなたが一九七七年に安値二ドルで買って、八六年の高値三一二ドル(注)で売った場合の話だ。すなわち、一五六倍に上がって満塁ホームラン三九本というわけである。もし七七年にあなたが六四一〇ドル（ほぼ車一台分）投資していたら、八六年の高値でピタリ一〇〇万ドルになっただろう。車を買って九年後、使い古した中古車を所有する代わりに、それが株ならば大邸宅とジャガー数台分になった。

(注)この本にもたびたび出てくるが、会社が株式を分割すると、株価を比べるのに混乱が生じやすいので説明しておきたい。X社の一株一〇ドルの株を一〇〇株買ったとしよう。もし、二対一の分割があると

一株五ドルで二〇〇株持つことに変わる。二年後、株価が一〇ドルに戻ると、あなたの投資したお金は倍増したことになる。もしこの株式分割を知らないと、一〇ドルで買ったものがまだ一〇ドルで全く資産が増えなかったように錯覚してしまう。このスバルの場合、株は実際に三一二ドルで売買されたわけではない。八対一の株式分割があったからで、実際の高値は三九ドル（312ドル÷8）だった。分割前の株価は八分の一にしないとその後の株価と比較できない。一九七七年の底値二ドルは修正して二五セント（2ドル÷8）となる。

会社側は普通、株価をあまり高くしたくないというようなときに、株式分割を行なう。

ダンキン・ドーナツの場合は、食べたはずのドーナツの代わりにその会社の株に投資しても、百万長者にはちょっとなれなかったろう。だが一九八二年に一年間、毎週二ダースのドーナツを買ったとすると二七〇ドルになるが、この額を株式投資に当てていたとすると四年後に一五三九ドル、六倍株《シックスバガー》になっていたはずだ。一万ドルの投資では四年後の利益だけで四万七〇〇〇ドルになった。

もし、一九七六年にGapでジーンズ一〇本を一八〇ドルで買えば、もちろんジーンズは今頃はすり切れているだろうが、その一八〇ドルで株式上場時の募集値一八ドルで一〇株を購入していたなら、八七年の高値で四六七二・五ドル、一万ドルの投資なら、利益が二五万ドルになったはずだ。

一九七三年に、ラ・キンタ・モーター・インに出張で三一泊するのと同額（一泊の料金一一・九八ドル）の三七一・三八ドルをその株式に投資（二三・二一株）していれば、一〇年後には四三六三・〇八ドルになっているし、一万ドルの投資では利益が一〇万七五〇〇ドルである。

一九六九年に、葬儀サービス専門会社サービス・コーポレーション・インターナショナルで九八〇ドルで葬儀を出す代わりに、もし同額をその株式に投資していたとすれば、その七〇株は八七年に一万四三五二・一九ドルとなり、一万ドルの場合には利益は一三万七〇〇〇ドルになっている。

一九八二年に子どもの勉強用に二〇〇〇ドルでアップルのコンピュータを買ったついでに、同額をその株式に投資したなら、五年後には一万一九五〇ドルになり、子どもの大学の学費一年分は十分捻出できたであろう。

常識の威力

前述の事例はあまりにうまくできすぎていると思われるかもしれない。しかしポイントは、もし最高値や最低値での売り買いのタイミングを逃がしたとしても、これらのよく知っている銘柄への投資のほうが、あなたも私もよくわからない難しい銘柄に投資するよりもずっとよい成績があげられただろう、ということだ。

ニューイングランド地方に住む消防士にかかわる面白い話を紹介しよう。一九五〇年代に、彼はタンブランズにある小さな工場（当時の社名は地名にちなんでタンパックスという会社）がすごい勢いで拡張していくのに気がついた。こんな勢いで成長するのは儲かっている会社に違いないと思い、彼は家族とともに二〇〇〇ドルをこの会社の株に投資し、それから五年間、毎年二〇〇〇ドルずつ買い足していった。一九七二年には、スバル一台も持っていなかったこの消防士は、百万長者になっていた。彼が証券マンやその他の専門家の意見を聞いたかどうか定かではないが、もし聞いていたら、バカにされるか、当時人気のあったエレクトロニクス銘柄や、機関投資家が買っていた国際優良株に乗り換えるよう勧められただろう。幸運にも、この消防士は自分の初心を守り切ったのであった。

こんな話は、相場にまつわる成功例として、証券会社のトレーディングルームで面白おかしく語られるゴシップにすぎないと思われるかもしれないが、私の成功した投資には、この消防士と同じ手法によるものが数多くある。私は年間何百社の人と会い、企業の経営者やアナリストや社内スタッフとの活気のある会合に何百時間も割くが、大成功銘柄に巡り合うのは意外なきっかけのことが多いのである。

メキシコ料理タコスのチェーン店タコ・ベルを買ったのは、カリフォルニアへの旅先で食べておいしかったからだし、ラ・キンタ・モーター・インは、ライバルのホリデイ・インの人から聞いたのがきっかけだ。ボルボの場合は、私の家族や友人が乗っていて、よい評判を聞いたからであり、アップルのときは、子どもがそのコンピュータを一台家に持っていたり、私の会社で数台購入したためである。葬儀会社のサービス・コーポレーション・インターナショナルは、フィデリティのエレクトロニクス分野のアナリストがたまたまテキサスに旅行したときに面白そうだと気がついた。ダンキン・ドーナツは、個人的にあそこのコーヒーが好きだった。ピア・ワン・インポートは妻の推薦による。実際、妻のキャロラインは私の大事な情報源の一つであり、レッグスも彼女が見つけてきた。

レッグスは身近な常識による成功の典型である。結果としてレッグスは、一九七〇年代に最も成功した消費者向け商品の二つのうちの一つになった。七〇年代前半、フィデリティ・マゼラン・ファンドを預かる前に、私は同社で証券アナリストをしていた。国内の繊維工場を見学したり、利益や株価収益率（PER）を計算したり、縦糸と横糸のシステムを聞いたりして繊維業界のことを私もそれなりに知ってはいた。だがそんな私の知識よりキャロラインの情報のほうがずっと役立った。レッグスは私が調査の過程で発見したのではなく、キャロラインが買い物をしていて見つけたのである。

スーパーマーケットのレジ近くの陳列棚で、妻はカラフルな卵形のプラスチック容器に入ったパンティストッキングを発見した。そのときちょうどヘインズ社は、レッグス（卵形容器入りパンストの商品名）を米国の数カ所でテスト販売しており、たまたま私たちの住んでいたボストン郊外も区域の一つに入っていた。ヘインズ社がスーパーで調査して買い物を終えた女性たちに聞いたところ、かなりの割合の女性がパンストを買っていた。だがブランド名まで答えられる女性は少なく、ヘインズ社は、はっきりしたブランド名を打ち出せば、このパンストのかなりの購買層を一気に獲得できるのではないかと気づいたのである。

キャロラインがレッグスのよさを認識するには、繊維のアナリストの意見を聞く必要はなく、実際に買って使ってみればすぐにわかる。レッグスのパンストは、デニール指数が高いサポートタイプで、普通のパンストより伝線しにくく、フィットしてはき心地がよかった。それより何より、デパートの靴下売り場に行かなくても、スーパーでチューインガムや剃刀と並べて置いてあるという買いやすさが受けた。

ヘインズ社はデパートや専門店でもパンストを売っていたが、そこでは女性は平均して六週間に一回買いに来ていた。ところがスーパーには平均して週に二度行くため、レッグスを女性が買うチャンスは一二倍に増えることになる。このパンストをスーパーで売るというアイデアはすぐ女性に受け入れられ、レジに並ぶ女性の多くが、このプラスチックの卵形ケースを籠に入れるようになった。これが全国で発売されたなら大ヒット間違いなしだ。

さて、このパンストを買った女性や、それを見ていたレジの係や、奥さんの買い物籠のなかのレッグスを見たご主人たちのうち、何人がレッグスの成功を見抜いただろうか。たぶん、何百万人といるだろう。発売後二、三年で、何千というスーパーにレッグスが置かれ、ほとんどの人はベストセラーと認識した。そこまできたら、レッグスがヘインズ社の商品で、同社がニューヨーク株式市場に上場していると気づくのはそんなに難しいことではないはずだ。

キャロラインからヘインズ社のことを聞き、私はちょっと調査をしてみた。すると私が思っていた以上に面白い話で、私はタンブランズを買った消防士と同じくらいの確信をもって、フィデリティのファンドマネジャーにヘインズ社を推奨した。ヘインズ社は六倍株になり、その後コンソリデイテッド・フーズ社に吸収され、今はサラ・リー社になっている。レッグスはいまだにサラ・リー社の収益に貢献し、この一〇年間、堅調に売上げが伸びている。ヘインズ社はもし合併されなかったら、五〇倍株になったことだろう。

レッグスの話のすごいところは、最初の段階で気づかなくても、それこそ発売後三年経っていても、その時点から投資しても三倍以上になったことだ。しかし、ほとんどの人は、とくにご亭主たちはこの株に投資しなかった。米国では普通、家庭の大蔵大臣であるご亭主たちは、たぶん、太陽電池や通信衛星関係やらの銘柄を買うのに忙しく、そして損ばかりしているのである。

私の友人、ハリー・ハンズツース（彼の名誉を守るために仮名にする）の場合（実際、ハリー的要素は少しずつにしろ誰にでもある）を例にとると、ある朝、何か値下がりのリスクが少なく上がる可能性の高い銘柄はないかと探すため、このどこの家庭にもよくいるタイプの投資家は『ウォールストリート・ジャーナル』と、年間二五〇ドルで購読している株式情報ニュースレターを読んでいた。そして、新聞とニュースレターの両方に、小型株ながら将来性のありそうなウィンチェスター・ディスクドライブ社が面白そうに書かれているのに気づいた。

ハリーはディスクドライブが何のことやらちっともわからないので、とにかく証券マンに電話し、メリル・リンチ証券の〝積極的な買い推奨銘柄〟になっていると教えてもらった。「これが単なる偶然とは思えないな」と彼は考え、一所懸命稼いだ三〇〇〇ドルをウィンチェスター株に投資するのはたいそうよい考えだと思った。実際に自分で調べてもいるではないか。

一方、ハリーの妻ヘンリエッタは、ビジネスやお金には音痴と言われているが（立場が逆のこともあるが、一般的に主婦はそう思われている)、ちょうど買い物から帰り、ザ・リミテッドという新しい女性服店がすごい人気だと話す。「お店は大混乱で、販売員は親切でしかもバーゲンで安いんだから。ジェニファーの秋用の服をみんな買っちゃったわ。たった二七五ドルでね」とヘンリエッタが言うと、ハリーは「二七五ドルだと? お前が浪費している間に、僕は投資をどうするか家にこもって考えていたんだ。答えはウィンチェスター・ディスクドライブ……。絶対確実な話だから三〇〇〇ドル投資したよ」

お金を稼ぐことに無頓着な奥さんも負けてはいない。「自分が何をしているのかをよくわかっているのかしら。ハヴァライト・フォト・セルのこと覚えてる? あなたの言った〝確実〟は、とどのつまり、七ドルが三ドル五〇セントに下がったのよ。一五〇〇ドルも損したじゃない」「ああ、あれは確かに失敗だったな。でも今度のウィンチェスターは違うよ。『ウォール・ストリート・ジャーナル』はディスクドライブは抜群の成長性と言っているし、買わずに見てる手はないよ……」

この話の続きは簡単に想像がつくだろう。ウィンチェスター・ディスクドライブ社は、その四半期の業績が悪く、業界の競争が予想以上に激化したため、株価は一〇ドルから五ドルに下がってしまった。この一家の投資の責任者であるハリーは、どうしてうまくいかなかったのかがわからないながら賢明な策は売ってしまうことだと考え、損金が一五〇〇ドル――つまりジェニファーの洋服代の五倍ちょっとの額――で済んでよかったと胸をなでおろす。

一方、ヘンリエッタが感激した洋服店、ザ・リミテッドの株価は堅調に上昇トレンドを歩み、一九七九年一二月の五〇セント(株式分割の調整済み)から八三年には九ドルにまで上がった。実に二〇倍もの値上がりだ。面白いのは、もしこの時点で一株九ドルで買ったとして、一度五ドルまで下がっても結局五二ドル八分の七まで上がり、五倍以上の値上がりをしたことだ。最初から投資していたら一〇〇倍になっていた。もしハリーが一万ドルを初期に投資していたとすれば、百万長者になったはずである。もしハリーの奥さんが、洋服代二七五ドルでこの株を買っていたら、娘のジェニファーの半年分の授業料が十分まかなえただろう。

さてハリーは、ウィンチェスターの株で損をしたあとでも、まだザ・リミテッドで儲けられる時間はたっぷりあったはずなのに、妻の助言を無視し続けた。その頃までには全国にザ・リミテッドは四〇〇店舗となり、ほとんどが大当たりだったが、ハリーは忙しすぎて気がつかなかった。彼はブーン・ピケンズがメサ石油で行なっていることを追いかけるのに忙しかったのだ。

一九八七年の五〇八ポイント暴落の直前に、ハリーはついに、ザ・リミテッドが証券会社の推奨株に入っているのを見つける。ザ・リミテッドは三つの経済誌にもよく書かれており、その株は機関投資家のお気に入りの銘柄になり、アナリスト三〇人以上がフォローするようになった。その時点でハリーはやっとこの株を評価し、これこそ手堅い絶好の銘柄と気がついた。

ある日ハリーは妻につぶやく。「お前の好きだったザ・リミテッドというお店のこと覚えてるかい。面白いことに、あれは上場している会社だったよ。ということはあの株は買えるんだ。ちょうどテレビの特集で見たんだけど、かなりいい会社みたいだね。雑誌『フォーブス』のカバーストーリーに取り上げられたらしいよ。退職金用のファンドのうち、数千ドルくらい投資してみても面白いかもしれないね」

「あの退職金用ファンドにまだ数千ドルも残っていたの?」半信半疑でヘンリエッタが聞いた。

「もちろんあるよ。それに、君の好きなあの店のおかげで、もっと増えるんだ」

「でも、私はザ・リミテッドでの買い物はやめたわ」とヘンリエッタが言う。「最近はどうも高めだし、昔ほどユニークな品物がないのよ。他のお店でも同じようなのを売るようになってるしね」

「それがどうしたんだ。僕はくだらん買い物のことを言ってるんじゃなくて、投資のことを話してるんだよ」、とハリーは不愉快そうに答える。

ハリーは結局一九八七年のほぼ高値の五〇ドルで買い、その後株価は一気に一六ドルまで下がる。ハリーは何とか三〇ドル近辺で売り抜けられたので、大損せずに済ませたことに満足しなければならなかった。

この会社は株式を上場しているか

さて、私にザ・リミテッドを最初に買い損ねたハリーを叱る資格はあるだろうか。私の妻もハリーの妻と同じように商店街でザ・リミテッドの混雑を見ていたにもかかわらず、この株の上昇過程で買いそびれてしまった。私もこの店の人気がかなり高まって、そろそろ拡張期がピークとなってマイナス面が出始めた頃に、この株を買った。実は今でも買値を下回ったままのこの株を持っている。

実際、私が逃がした一〇倍株はたくさんある。すごいチャンスに気づかなかったことでは私も人後に落ちない。今世紀最大の含み資産株の成功例になったペブルビーチのゴルフ場に行ったとき、コースやグリーンの距離を聞くのに夢中で、上場しているかどうかを聞くことさえ思いつかなかった。

まあ世の中には一〇倍株がかなりあるので、大多数のものに気づかなくても、そのうち一つに当たる確率は誰にでもかなりあると言える。私のように、かなりサイズの大きいポートフォリオを運用していると、全体の資産を押し上げるためには幾つかの一〇倍株に当たらないと苦しい。だが普通の個人投資家の場合には、一つでも当たれば大儲けである。

それ以上に、レッグスやダンキン・ドーナツなど身近な銘柄を手がけることの長所は、そこのパンストをはいたりダンキン・ドーナツのコーヒーを飲んだりするたびに、高給取りのウォール街のアナリストが行なっているファンダメンタルな調査と同じことをしているということだ。店舗に実際に入ったり、商品をテストしてみるのは、アナリストの仕事のなかでも重要な要素の一つなのである。

長い人生のなかで、車やカメラを買っているうちに商品のよさを識別したり、売れ筋を見抜く力は養われる。車はわからない人でも、何か他のよくわかる商品というのは誰にでもあるだろう。大切なことは、ウォール街が知る前に、消費の最前線にいるあなたが知るチャンスのほうが高いという点である。ダンキン・ドーナツの新しい店があなたの住む地域に八店舗も出たことを知っているあなたが、メリル・リンチのレストラン株専門アナリストが推奨するのを待っている必要は全くない。理由は後述するが、メリル・リンチのアナリストがダンキン・ドーナツの株に気づくのは、二ドルから一〇ドルへと五倍ほど上昇したときであるが、あなたなら二ドルの時点で、すでにダンキン・ドーナツの業績が伸びていると気づいたはずだからである。

難しい銘柄は避けよう

一般投資家のなかには、町に行ってドーナツを食べることが株式の基礎的調査の第一歩になる、と気づいていない人が多く見られる。かえって、何も知らないわかりにくい会社への投資のほうが安心していられるような変な投資家心理がある。理解できない高級そうなものに大事な金を預けようというような不文律が、ウォール街にはあるようだ。近所にある会社なんかはつまらないから避けて、見たこともない商品を生産している会社を探せとでも言っているようだ。

最近もこんなことがあった。私の会社の机の上に誰かが置いていったレポートには、次のような会社が素晴らしい投資チャンスとして推奨されていた。その会社は、一メガビットのスタティックラムとコンプリメンタリー・メタル・オキサイド・セミコンダクター（C—MOS）をつくっている会社で、他にもバイポーラ・リスク、フローティング・ポイント、データ・I／Oアレイ・プロセッサ、オプティマイゾンブ・コンパイラー、一六ビット・デュアルポート・メモリー、ユニックス・オペレーティング・システム、ウエットストーン・メガフロップ・ポリシリコン・エミッター、ハイバンド・六ギガヘルツ電磁波、ダブル・メタリゼーション・コミュニケーション・プロトコル、アシクロノス・バックウォード・コンパティビィリティ、ペリフェラル・バス・アーキテクチャー、フォーウェイ・インターリーブド・メモリー、一五ナノセカンド・ケイパビリティーなどで特徴づけられる製品をつくっている……。

さて、この説明を聞いて、何が何だかさっぱりわからない人は、たとえ証券マンが天文学的な倍率で儲けられる滅多にないチャンスだといくら言っても、この会社の株は避けるべきである。

キャベツ人形の汚点

今までの話から、新しく開店したファーストフード店や、大ヒット商品の出た会社や、自宅の近くのショッピングセンターに新装開店した上場企業に投資すればいいんだなと、短絡的に考えられても困る。もしそんなに簡単だったら、会社から一ブロック離れたところにできた、ヤッピー向けのコンビニエンスストアの株で私は損をしなかったはずだ。五〇株でやっとツナサンドしか買えないその安値のビルドナーズという株より、サンドイッチにこだわっているべきだったのだ。

玩具屋のコレコ社の場合はどうだったか。キャベツ人形は大ヒットしたが、このヒットだけで、この何の変哲もない会社の財務体質の弱さを改善するには至らなかった。この株は、家庭用ビデオゲームとその後に続くキャベツ人形の大ヒットで一年ほどは上がったが、その後会社更生法（第一一条）を申請し、一九八三年の六五ドルをピークに、一ドル四分の三にまで落ちた後、ついに倒産した。

将来性のある会社を見つけるのは第一ステップ如何による。そして次のステップとして、調査を欠かせない。調査によってはじめて、コレコよりトイザラスを、テレビデオよりはアップル・コンピュータを、ピープル・エクスプレスよりはピードモント航空を、と違いがわかるようになる。このように指摘してみると、ピープル・エクスプレス社の株を買う前に、もっと気をつけてみればよかったなと反省させられる。もう少ししっかり調査すれば、買わないで済んだかもしれなかった。

マゼラン・ファンドを一二年間運用している期間に、たくさんの失敗にもかかわらず、このファンドの資産が二〇倍になったのは、よく知られていなかったり人気が離散していた株を見つけ出して自分なりの調査をしたことによるところが大きい。このことは、どんな投資家でも私と同じ戦略で利益が得られるという確信につながっている。プロだとて失敗しないとはかぎらないわけだから、それに勝つことは意外に難しくないものなのである。

本書は三部に分かれている。第1部（第1章から第5章まで）の「投資を始める前に」では、自分はどんな投資家かを見抜く法、プロのファンドマネジャーやウォール街の専門家に勝つ方法、株式と債券のリスクの比べ方、自分の金融資産の管理方法や、成功するために必要な原則について述べた。第2部（第6章から第14章まで）の「有望株の探し方」では、チャンスのつかみ方、会社のよし悪しの見抜き方、証券会社の使い方や企業の営業報告書その他の情報の利用方法について。第3部（第15章から第19章まで）は「長期的視野」とタイトルをつけているが、ポートフォリオの組み方、興味のある銘柄のフォローの仕方、売買のタイミングのつかみ方、オプションや先物に手を出す愚、そして二〇年以上も投資にかかわってきた私が、ウォール街や米国の企業・証券市場について思っていることを述べている。

第1部

投資を始める前に

株式投資を始める前に幾つかチェックすべきことがある。相場をどうとらえるか、「米国株式会社」を信頼しているか、本当に投資する必要があるのか、投資に何を期待しているか、短期にするのか長期投資に徹するのか、突然株価が急落したらどう対処するか、などである。投資を手がける前に、目的を決め、自分の態度をはっきりしておくべきだ（株は債券よりリスクが多いと信じているかなど）。もし優柔不断で確信が持てないと、株価が最悪のときにすべての希望や分別を投げ捨てて最低の株価で売ってしまう、いわば、相場の犠牲者になる可能性が高いからである。慢性的に損をする者と成功者との分かれ目は、知識や下調べとともに性格的な心構えにある場合が多い。投資家の運命の決め手は、相場や選ぶ銘柄ではなく、投資家自身なのだ。これからの五章では、そのあたりの心構えを中心に話を進めたい。

第1章　株式投資家になるまで

銘柄を選ぶコツに遺伝的なものはない。株で損をすると、自分にはもともと素質がないからで、成功する人は独特の筋のよさがあるのだとそのせいにする人が多いが、私自身の経験から、遺伝とか環境のせいではないと強く言い切ることができる。私の寝た揺りかごの上に株価ボードがあったわけではないし、サッカーの王者ペレが赤ん坊のときからサッカーボールで遊んではいなかったように、生えかけた歯がかゆくて新聞の証券欄をしゃぶっていたわけではない。私の知る限り、父は仕事の途中でＧＭの株価を見に抜け出したことなどただの一度もなく、母もお産の最中にＡＴＴの配当額を聞くことなどなかったようだ。

後で知ったことだが、私の生まれた一九四四年一月一九日に、ダウ工業株平均は下がり、一週間病院にいる間も下がり続けたらしい。そのときはもちろん全然わからなかったが、これぞリンチの法則の最初の実証と言えるだろう。

リンチの法則とは、ピーターの法則にかなり近いが、それは、ピーター・リンチが昇進したり何か進歩するときにはいつも相場は下がる（最近の例としては一九八七年の夏で、出版元と私がこの本の出版契約を結ぶ――言うなれば私のキャリアライフでかなり名誉な記念すべき出来事なのだが――そのときから二カ月で相場は一〇〇〇ポイント下がった。もし次回、映画への版権ということにでもなったら、私はちょっと考えてしまうだろう）というものだ。

私の家族や親戚のほとんどは株を嫌っていた。私の母は七人兄弟の末っ子なので、伯父や伯母は一九二九年の大暴落を目の当たりにしていた。親戚関係で、株式投資を勧める人は一人もいなかった。唯一、親戚筋で株を買ったと聞いたのは、祖父のジーン・グリフィンで、とても保守的な投資家だった彼は、シティーズ・サービス株を水道会社と間違えて買ったそうだ。祖父はその後ニューヨークに旅行して、シティーズ・サービス社が石油会社であることを発見し、即座に売ってしまった。その株はその後五〇倍にも上がっている。

一九五〇年代の平均的な米国人には株への不信感が根強かった。一九六〇年代には株式相場が三倍に上がり、その後さらに二倍にと上昇した歴史上でも大型相場の時代と言える期間であったが、幼少の私が伯父たちから聞いたところでは、クレージーなギャンブルのように思えた。「絶対に株には手を出しちゃいけない。危険すぎて、お金を全部なくしてしまうぞ」と人々は警告していた。

ところが今振り返ってみると、皮肉なことに一九五〇年代の相場は、これまで、そして今後の株式市場のなかでも損する確率のかなり低いほうの部類に入るものだったことがわかる。ということは、いかに相場の予測が難しいか、そして投資家はえてして全く逆の場面で楽観派や悲観派になることが多いということである。よい相場になる局面で相場に乗り、悪くなる前に手を引くようにするためには、きっと、自分のその時々の心境の逆を行くようにしなくては駄目なのかもしれない。

私の父は勤勉なタイプで、数学の教授から、ジョン・ハンコック社の最も若い監査役に転じた。私が七歳のときに病気になり、一〇歳のときに脳のガンで亡くなった。そのため、母は働かざるをえず、後にタイコ・ラブ社に吸収されたルドロウ製作所に勤めた。私も家計を助けるためにアルバイトをし、一一歳のときゴルフ場のキャディになった。それは一九五五年七月七日で、その日、ダウ平均は四六七ポイントから四六〇ポイントに下がった。

一一歳の少年にとってキャディは理想的な仕事だった。ゴルフ場を歩くだけでお金がもらえる――週に一回の午後だけで、週に七日間毎朝六時から休まず新聞配達をするよりも多く稼ぐことができた。

高校に行く頃には、キャディの仕事の微妙ながらも重要な長所がわかってきた。とくにボストン郊外のブレア・バーン・ゴルフ場のような特権的なクラブの場合に顕著なのだが、プレーしにやってくる客は有名大企業の社長や重役などが多く、そのなかに、ジレットやポラロイド、そして何よりフィデリティも入っていたのである。同社の社長であるD・ジョージ・サリヴァンのボールを探しながら、私は知らぬまに自分のキャリアの道も探しあてていたのだった。重役室への最短距離は、ブレア・バーン・ゴルフ場のようなクラブのロッカールームから始まる、と気づいたキャディは私だけではないだろう。

株のことを知りたいなら、大きな証券取引所の次によいのはゴルフ場である。とくにスライスやフックでOBを出したあとには、クラブのメンバーたちは最近の一番得した投資のことを悔しまぎれに話す。一ラウンドに五回チップをもらうチャンスを逃がしても、代わりに五つ、成功した株の秘訣を聞くことができた。

当時の自分には投資する資金はなかったが、ゴルフ場のフェアウェイで聞いた成功話のおかげで、私は株式市場は金を損するところだというわが家の家訓にちょっと疑問を持ち始めた。私の客たちは実際に株式市場で金儲けをしているようだし、私はだんだんと成功話に影響を受け始めた。

キャディは客のプレイヤーを値踏みするのが上手だ。ほとんど神に近いような人たち（ゴルフの腕でかあるいは人格、またはチップの額による）や、まあまあのランクから最悪の連中まで、さっと見分ける。私がキャディをしたのは平均的な腕前で普通のチップの人がほとんどであったが、腕はさほどではないがチップをはずむプレイヤーと、チップは渋めだが結構上手なプレイヤーとでは、私は前者のタイプを選んだ。そのほうが、将来の金儲けに役立ちそうな話を聞けるチャンスが大きかったからである。

高校を卒業してボストン・カレッジに行くようになっても、キャディのバイトはやめなかった。学費にはフランシス・ウイメット・キャディ奨学金をもらってあてた。カレッジでは必要最低限のコース以外には、ビジネスへの準備に欠かせない経済学や数学、会計学のコースはとらなかった。必須科目の歴史、心理学、政治学とともに、どちらかというと教養学部に属する形而上学、認識論、論理学、宗教やギリシャ哲学のコースなどをとった。

今振り返ってみて、株にかかわる仕事への準備としては、統計学などをとるより、歴史や心理学を勉強していてよかったと思っている。株式投資は科学というより芸術であり、何でもはっきりと数量化したがるタイプの人間には向かない。もし株を選ぶのに数量化が可能なら、クレイのスーパーコンピュータをちょっと借りて、大儲けができるはずだ。実際にはそうは問屋がおろさず、投資に必要な数学的知識は、クライスラー社は現金が一〇億ドル、借金が五億ドルあって云々という程度の、小学校四年生くらいの算数の知識で十分である。

株を選ぶのに一番役に立ったのは論理学かもしれない。それも、ウォール街の独特の非論理性を識別するのに……。実際、ウォール街には古代ギリシャ人のように考える面がある。古代ギリシャ人は何日も何日も座ったままで馬には歯が何本あるかなどと議論を戦わせていた。彼らは馬を見ないで、座って考えているだけで答えが見つかると思っていた。投資家のなかにも、会社そのものを調べないでも、座って議論していると金融の女神がどの株が上がるか答えを教えてくれるように思っている人がたくさんいる。

何世紀も前の人々は、太陽が昇るときににわとりが鳴くのを聞き、にわとりの鳴き声で太陽が昇ると考えた。今考えると滑稽に思うだろうが、今でもウォール街のプロたちのなかには、株式相場が上がることについて何か新しい説明を掲げて、原因と結果を取り違えている人がたくさんいる。スカート丈が上がったからとか、あるチームがスーパー・ボウルに勝ったからとか、日本が不調だからとか、テクニカルなトレンド線が破れたからとか、次の選挙で共和党が勝つからとか、株は売られ過ぎだからとか、その種の理屈を聞くたびに私はにわとりの話を思い出す。

一九六三年、大学二年生のとき、私は初めて、フライング・タイガー航空の株を、一株当たり七ドルで一〇株買った。その頃私は、キャディの収入と奨学金で授業料はまかなえるし、自宅から通学していたので生活費もそうかからず、車も八五ドルのものから一五〇ドルのものに買い替えられるほどになっていた。チップをもらうチャンスをずいぶん逃してはいたが、株式投資をするほどの余裕がやっとできたのである。

フライング・タイガー株はかなり慎重に考えて選んだが、根気よい調査に基づいたとはいえ、結果として見当はずれの理由で買ったことになった。ある日、私は授業で航空貨物運賃の将来性が明るいという記事を読んだ。そこには、フライング・タイガー社が航空貨物輸送の会社と出ていたのでその株を買ったのである。だが株価が上昇したのは、ベトナム戦争が始まって、太平洋を往復する軍隊や貨物のおかげで莫大な利益を得たからであった。

二年もたたないうちに株価は三二ドル四分の三をつけ、私にとって初の五倍株《ファイブバガー》になった。私はそれを少しずつ売り、ウォートン校（ペンシルバニア大学のビジネススクール）の学費にあてた。

初恋が将来のロマンスにとって重要なのと同じほど、初めて買った株というのは将来の投資の土台になる。私にとってはラッキーとしか言えないのだが、この体験は株式投資で儲かることもあるということの実証になった。

ボストン・カレッジの四年生のとき、私がキャディをしたときの知り合いで、ゴルフはちょっと下手だけれども大いにチップをはずむ人格者で、当時フィデリティの社長だったサリヴァン氏の助言を受けて、夏休みのアルバイトに応募した。フィデリティはニューヨーク・ヨットクラブやオーガスタ・ナショナル、カーネギーホールやケンタッキー・ダービーなど、それぞれの世界での超一流どころに匹敵する投資業界の名門で、投資会社のなかの最高権威であり、そこで働くことは金融をかじったものにとっては夢だった。三人の枠に一〇〇人も応募していた。

フィデリティは投資信託を米国国内で売ることに成功し、私の母でさえ毎月一〇〇ドルをフィデリティ・キャピタルという投信に積み立てていた。ゲリー・サイによって運用されていたこの投信は、この誰も知る強気の時代で最も成功した二つの投信の一つだった。もう一つの投信は、愛称ネッドのエドワード・C・ジョンソン三世が運用していたフィデリティ・トレンドだった。ネッドはフィデリティの創業者でミスター・ジョンソンと言われていた伝説的人物、エドワード・C・ジョンソン二世の息子である。

この二つの投信は、群を抜くよい成績をあげ、一九五八年から六五年の間、業界の羨望の的であった。こういう人々に囲まれてトレーニングされて、私はアイザック・ニュートンが言ったとおりだと感じたものだ。「もっと遠くを見るには、巨人の肩の上に乗るしかない」

ネッドが大成功するかなり以前に、彼の父親のミスター・ジョンソンは、米国の株式投資の認識をガラリと変えてしまったのだった。彼は、株式投資は元金を保持するためでなく、金儲けをするためにやるものだと信じていた。金儲けができたらもっと株に投資して、もっと資産を増やせるというのである。「株と付き合うというのは、ひとたび結婚したら別れられない妻と付き合うようなものだよ」

というのは彼の名言の一つである。こんなことを言っていたら、女性誌などにはちょっと受けそうもないが。

私はフィデリティに採用され、しかもニューヨークにあるマンハッタン・ファンドに移ったサイ氏がもといた部屋をあてがわれ、飛び上がって喜んだ。もちろん、リンチの法則に従い、採用通知がきた一九六六年五月の第一週に九二五ドルだったダウ平均は、私が九月に大学院に戻るまでには八〇〇ドル以下にまで下がっていた。

ランダム・ウォーク論とメイン・シュガー株

私のような夏のアルバイト学生も、全く企業財務や会計の経験がないのに、普通のアナリストと同じように企業調査とレポートづくりの仕事をやらされた。文学部系の学生にも株の分析をやらせるので、驚くと同時に、半ば神格化されていたビジネスも身近なものに感じられた。私の担当は製紙・出版業界になり、スコット・ペーパーやインターナショナル・テキストブックなどの会社訪問のため全国を回らされた。ちょうど航空会社がストライキ中だったので、もっぱらバスで出張し、夏の終わりには、バス会社グレイハウンドのことが一番よくわかるようになっていた。

フィデリティでのアルバイトを終えて、秋からはウォートン校の二年生に戻ったが、私はますますアカデミックな株式理論の意味について懐疑的になった。ウォートンで習うことの大部分は、本来は投資の世界での成功を助けるためであったにもかかわらず、まるで失敗させるためにあるように思えた。私は統計学や微積分学、数量分析を勉強したが、数量分析の理論はフィデリティでの実務と全くかけ離れていた。

私は「株式市場におけるすべてのことははっきり解明されていて、株価は常に論理的に動く」という市場有効説と「株式市場の変動は非論理的で全く予測しがたい」という相反する考え方の間で戸惑いを感じていた。フィデリティでの経験で、論理的でないマーケットの変な動きを幾つも見たし、ファンドマネジャーたちは、予測しがたいながらもそれなりに成功していたからである。

数量分析やランダム・ウォークを確信しているウォートンの教授たちが、実践ではフィデリティの同僚たちにかなわないことも明白だった。理論と実践の狭間で、私はより現実派に傾いていった。ケンタッキー・フライド・チキンの株で二〇倍儲けた人を現実に知っているのに、株式市場が非論理的で間違っているというアカデミックな理論や事前に株高を説明する人たちを支持するのはいささか無理だった。理論家や予測者への私の不信は、今日まで続いている。

ウォートンでのほとんどの授業は無意味だったかもしれないが、通っただけの価値はあった。というのも、妻のキャロラインとは、その頃キャンパスで知り合ったからだ（結婚したのは私が陸軍にいた一九六八年五月一一日、土曜日。その日はマーケットは休場だったが、一週間の新婚旅行中にダウ平均は一三・九三ポイント下がっていた）。

ウォートンを卒業後、一九六七年から六九年までの二年間、私は兵役で砲兵隊の中尉となった。最初はテキサスに行き、それから韓国に行った。砲兵隊の中尉たちの多くがベトナムで傷を負ったことを思うと、私は楽な任務だった。あえて言えば、当時ソウルには株式市場はなかったようなもので、ウォール街から遠く離れているのが残念ではあった。

休暇になるたびに私は帰国し、友人や同僚が勧める人気の銘柄をいろいろ買いあさった。友人たちはずいぶん上昇気運の銘柄をつかんでいたようだったが、私に勧めるのは保守的で下がるものが多かった。レインジャー・オイルではちょっと儲かったが、より確かと思われたメイン・シュガーでは損をしてしまった。

メイン・シュガー社は、メイン州の農民に、じゃがいものシーズンが終わったら甜菜《てんさい》を作付けするよう説得して回った。じゃがいもと甜菜は最高の組み合わせであり、農民も余剰資金が得られ、会社も儲かる仕組みだった。しかも甜菜の作付け費用はメイン・シュガー社が負担したので、農民側の仕事は、育った甜菜を収穫してメイン・シュガー社がちょうど新設した精製工場に運ぶだけだった。

落とし穴はただ一つ、メイン州の農民はとても用心深いという点であった。一年目、彼らは一度に畑全部には作付けをせず、四分の一だけ試した。うまくいったので翌年は二分の一に拡張し……と増やしていったが、全面的に拡張した時点で需給関係が崩れ、メイン・シュガー社は倒産した。株価は六セントまで下げて、もはやガムしか買えないほどの価格にまで暴落した。

以来、私は、メイン州の農民にからむ株にはいっさい手を出さないことを誓った。

一九六九年に韓国から戻り、フィデリティに再入社し、アナリストになった。もちろん株式市場はリンチの法則どおりに下げた。七四年に調査のアシスタント・ディレクターからディレクター（部長）に昇進したときも、三カ月で二五〇ポイント、ダウ平均が下がった。七七年五月にマゼラン・ファンドの運用を任されたが、そのとき八九九ポイントだったダウは、五カ月後には八〇一ポイントになった。

このとき、フィデリティ・マゼランの総資産は二〇〇〇万ドルで、ポートフォリオは四〇銘柄で組まれていた。当時のフィデリティのトップ、ネッド・ジョンソンは、ポートフォリオの銘柄を二五に絞り込むようにと勧めた。

私は丁重に話だけを聞き、実際には六〇銘柄まで増やし、六カ月後には一〇〇銘柄に、さらにその後しばらくして一五〇銘柄にまで追加した。わざと反対の戦略をとったわけではない。私は安値で放置されている株を見つけると買わずにいられないタイプで、当時はそんな銘柄がたくさんあったからだった。

寛容なネッド・ジョンソンは遠くから私を見守り、応援してくれていた。私たちの投資スタンスは違っていても、少なくとも私がよい結果をあげている限り、私のやり方も受け入れてくれた。

私のポートフォリオはどんどん銘柄を増やしていき、あるときはS&L（貯蓄貸付組合。住宅関係の融資を主目的とする）関連株だけで一五〇銘柄も保有した。その業種の、代表銘柄二〜三に絞り込む代わりに、一つずつ念入りに調査した結果によってほとんど全部の銘柄を買ったのだ。コンビニエンスストアについても、私はセブン - イレブンの親会社であるサウスランドの株を買ったら、サークル・K、ナショナル・コンビニエンス、ショップ&ゴウ、ホップイン・フーズ、フェアモント・フーズ、サンシャイン・ジュニアと買わずにいられなくなってしまうのだった。何百もの銘柄を保有する手法は、ネッド・ジョンソンの投信運用の方針とは明らかに違っていたが、それでも私は、いまだにフィデリティで勤め続けている。

私はすぐに証券界のウィル・ロジャース――何でもどんどん買う男――として知られるようになり、雑誌『バロンズ』などでも、リンチの持っていない株を一つでも挙げられるかというのがジョークの種になっている。何しろ現在では一四〇〇銘柄も持っているので、ジョークになるのも無理のないことだ。もちろん、私にだって、あれは買わなきゃよかったという銘柄ならたくさん挙げることができるのは確かだ。

しかし銘柄数が増えると同時に、フィデリティ・マゼランの総資産も増えて、九〇億ドルになった。これはギリシャのGNPの半分に相当する額で、最近一一年間の投資収益ではギリシャよりよっぽどよい成果を残してきている。

ウィル・ロジャース流に、株についてとても役に立つアドバイスを一つするなら、「ギャンブルはいけないよ。貯蓄をしていて、よい株が見つかったら買う。それを上がるまでジッと持ってから売るんだ。上がらないような株なら、買っちゃだめだよ」ということになる。

第2章 ウォール街の矛盾した表現

有名な逆比喩的な矛盾した言葉には、「軍隊の知性」「勉強した教授」「耳をつんざく沈黙」「ジャンボサイズの小えび」とかいろいろあるが、私は「プロの投資家」というのもそのなかにぜひ入れたいと思う。アマチュアの人はプロフェッショナルを適度に懐疑的に見たほうがよい。少なくとも誰が邪魔かはわかるだろう。主な企業の株式の七〇％は機関投資家が握っているので、売買するたびに矛盾と戦うことになるが、それがあなたには幸運の分かれ目となる。プロの投資家は、さまざまな文化的、法的、そして社会的な制約を受けているので、それを割り引くと、全体としてよくがんばっているとは言える。

もちろんプロのなかには、偉大なファンドマネジャーから、革新的なことをしでかす者や一匹狼的に変わったことをする者までいろいろいる。なかでも最高のファンドマネジャーはジョン・テンプルトンであろう。彼は国際投資を最初に手がけたパイオニアである。一九七二年から七四年にかけて米国株が下がったとき、彼は賢くもファンドの資産の大部分をカナダと日本の株に移していたので、下げを免れたうえに、六六年から八八年にかけて日本の日経平均が一七倍にも上がったときに日本株に投資して大成功した。その期間の米国のダウ平均は二倍にしか上がらなかったのである。

故マックス・ヘインも天才的なファンドマネジャーだった。彼が運用していたミューチュアル・シエアーズはミッシェル・プライスが引き継ぎ、含み資産株を割安で買い、マーケットが適正な評価をするまでじっくり待つという投資方法を続けている。ジョン・ネフは人気のない銘柄に逆張り投資をし、たいへん優れた成果を残している。ルーミス・サイルス社のケン・ヒーブナーも、目立つファンドマネジャーの一人である。

友人のピーター・ドルースは、小型株の運用が上手だ。彼はハーバード・ロー・スクールを卒業していて、ビジネススクールに行かなかったことが彼の成功の秘訣かとも思っている。トイザラス株を私に教えてくれたのは彼であった。

ジョージ・ソロスとジミー・ロジャースは金の先物やオプション、オーストラリアの債券のヘッジなど、私には説明のできない難解な手法で優れた腕を発揮している。そしてウォーレン・バフェットも偉大な投資家である。彼の投資方法は私と似ているが、彼の場合は、気に入ったら会社をまるごと買ってしまう。

これらのファンドマネジャーはごく少数の例外にすぎず、その他多勢はたいしたことのない連中ばかりだ。この業界のプロの連中についてちょっと考えてみてもらいたい。私たちは皆、同じ新聞と雑誌を読み、同じエコノミストの話を聞く。ハイスクールの中退者や元サーファー、元トラックの運転手などは一人もいない。似たような学校を出て、同じような勉強をしてきた、同質の人間集団なのである。

私の妻がかつて調査したところによると、偉大な発明や発見は三〇歳になる前の若者によってなされたというのが定説のようだが、実際には私のようなランクのファンドマネジャーに若い人は少ない。だがあえて反論するなら、投資運用は年齢と関係はない。私は現在四五歳で、今でもフィデリティ・マゼランの運用をしているが、いろいろなマーケットの経験を積んできた中年のほうがそうした経験のない若者よりは有利かもしれない。しかし、中年のファンドマネジャーの大群が、若者や老人が才能を発揮するのを阻んでいる。

ストリート・ラグ

私がうまく探し出して成功した銘柄の長所はあまりにも明白で、一〇〇人のファンドマネジャーに聞いたら九九人は買いそうな気がする。とはいうものの、これから述べる数々の理由によって、プロの投資家はそう簡単には一〇倍株《テンバガー》には巡り合えないことになっている。プロたちと一〇倍株との間にはさまざまな障害があるからである。

株式は、多くの機関投資家が適切と考え、同じ多数のウォール街のアナリストが推薦しないことには、現状では魅力的とは認められない。誰かが最初の一歩（投資）を進めてくれないかと、皆で手ぐすねを引いて待っているようなものだ。

ザ・リミテッド社は、私の呼ぶところの「ストリート・ラグ」（ウォール街的時差）のよい例である。一九六九年に上場したときには無名で、大手機関投資家やアナリストには知られていなかった。上場時の幹事証券会社は、ザ・リミテッドの本社と同じオハイオ州コロンバスにあるヴェルコー社という小さな会社だった。ヴェルコー社の営業部長のピーター・ハリデイはザ・リミテッドの会長レスリー・ウェックスナーと高校時代の同級生だったが、彼は当時、コロンバスという場所が企業のメッカとは誰も思っていない、だからウォール街の投資家はこの会社にちっとも興味を持ってくれない、と考えていた。

上場から数年間、この株をフォローしているアナリストは、ホワイト・ウェルド社のスージー・ホルムズ唯一人だった。次に興味を持ったアナリストはファースト・ボストン社のマギー・ギリアムで、それは一九七四年のことだった。しかし、マギーにしても、シカゴのオヘア空港で雪のために空港が閉鎖されなかったら、そしてウッドフィールド商店街でリミテッドの店に立ち寄ることがなかったら、興味を持たなかったに違いない。

一九七五年の夏、大手の機関投資家でザ・リミテッドの株を初めて買ったのは、T・ロウ・プライス・ニュー・ホライゾンズ・ファンドだった。このときリミテッドの店舗は全米で一〇〇店にまで増えていた。リミテッドの店を訪れていた客はもう何千人もいたはずなのに、七九年になっても大手機関投資家でこの株を組み入れているのは二社、総株数の〇・六％だけだった。株式のかなり大きな部分はリミテッドの社員や経営陣が持っていた。それはよい徴候だったが、その理由は後で述べる。

一九八一年にザ・リミテッドは四〇〇店舗を持つまでに急成長し、マギー・ギリアムが発見してから七年もたっているのに、まだ六人のアナリストしかこの株をフォローしていなかった。八三年には株価は九ドルに達し、もし七九年に五〇セント（修正後の株価）で組み入れていたなら、四年で一八倍になっていたはずである。

実はその後一九八四年に、業績は順調だったにもかかわらず、株価は五ドルとほぼ半値になったので、ここで買うチャンスもあった（ファンダメンタルズはよいのに株価が下がったら、そのまま保有しているにかぎる。あるいはナンピン買いするのもいいだろう）ところが、実際にアナリストたちがこの株に注目するようになったのは、八五年に株価が戻り高値で一五ドルまで上がったときだった。そのためザ・リミテッドはいっせいに各証券会社の買い推奨銘柄となり、大口の投資家が先を争って買ったため、株価は五二ドル八分の七まで急上昇した。ここまでくるとファンダメンタルズを無視した買われ過ぎであり、三〇人目に注目したアナリスト（現在フォローしているのは三七人）は、皮肉な言い方をすれば、株価の急落を見るためにやっと間にあったことになる。

私の好きな葬儀会社、サービス・コーポレーション・インターナショナル（ＳＣＩ）は一九六九年に上場された。それから一〇年間、この株に注目したアナリストは一人もいなかった。この会社はウォール街の関心を引こうと努力して、アンダーウッドという小さな投資会社にやっと興味を持ってもらった。大手では証券会社のシアソンが一九八二年に初めて注目し、この時点で、株価は上場時の五倍になっていた。八三年に一株一二ドルで買い、八七年に高値の三〇ドル八分の三で売れば、二倍の儲けになったはずだし、もし七八年に投資していたとすると、四〇倍になったことになる。

ＳＣＩはファンダメンタルズがしっかりした会社で、葬儀を通してではあるが、何千人もの人に存在を知られていただろう。にもかかわらずウォール街の連中は、この葬儀サービスという仕事が従来の業種別範疇のどこにも入らないので見過ごしてしまったのだ。

一九七〇年代にスバルはよく売れていたのに、その会社の株をフォローしていたアナリストは三〜四人だった。ダンキン・ドーナツは一九七七年から八六年までに二五倍に上がったが、五年前までは誰もフォローしておらず、今でも二つの大手証券会社しかフォローしていない。ボストンにあるアダムス、ハークネス、ヒルなどのローカルな証券会社数社だけがこの株で儲けることができた。だがドーナツを食べたことがあれば、誰でもこの銘柄を個人的に注目できたはずだ。

ペップボーイズは後で詳しく触れるが、一九八一年の一株一ドル未満から、八五年には九ドル二分の一になった、ところがその間フォローしたアナリストは三人だけであり、ストップ・アンド・ショップも五ドルから五〇ドルまで一〇倍になったのに、アナリストは一人から四人へと四倍に増えただけだった。

こんな話はいくらでもある。私のポイントはもうおわかりであろう。これらの銘柄と対比しているのはたとえばＩＢＭで、五六人もの証券会社系アナリストがフォローしているし、エクソンの場合も四四人がフォローしている。

四人がかりの検証

ウォール街のプロたちは、面白い銘柄を買う理由を探していると考えたら大間違い。ファンドマネジャーはそういう面白い銘柄を買わないための正当な理由を探していて、万一そんな突飛な銘柄が上がってしまったときに十分言い訳がたつようにいつも身構えているのだ。「私が買うには小さ過ぎた」というのが一番よく使われる言い訳である。次に続くのは「過去の記録が全くないから」「成長性を期待できない業種だから」「経営陣の能力が未知数なので」「強い労働組合があるので」「競争で負けるだろうから」など、たくさんある。最後の〝競争〟については、「ストップ・アンド・ショップはセブン‐イレブンに負けるだろう」「ピック・アンド・セイブはシアーズにかなうはずがない」「ハーツやエイビスがあるのにエージェンシー・レンタカーが対抗できるはずもない」などと使われたものだ。確かにそういうことは納得できる心配事だが、そんな理屈はえてして安易な判断や大口取引を口実にした理論武装にしかすぎない。

生き残り競争が熾烈な投資運用の世界で、プロが無名企業のラ・キンタへの投資を決意するには、いささか勇気がいる。普通の投信や企業年金、あるいは事業法人のファンドを預かる運用者は、無名の会社によってまれに見る投資収益をねらうよりも、損するとしてもたかが知れている安定感のある会社で堅実さを望むものである。成功ということも大事だが、それ以上に失敗したときの体裁を気にする。ウォール街の不文律に、「顧客の金をＩＢＭで損しても、絶対に職を失いはしない」というのがある。

ＩＢＭの株価が低迷していても、顧客や上司は「いったい最近のＩＢＭはどうしたんだ」と言うだけだろうが、もし、ラ・キンタ・モーター・インが塩漬けになっていたりすると「キミは頭がおかしくなったのか」と言われる。だから安全第一のファンドマネジャーは、株価が三ドルで、まだ二人のアナリストしかフォローしていないときのラ・キンタ・モーター・インは買わないし、ウォルマートの株がたった四ドルで、成長性は見込めてもアーカンソー州の小さい町の冴えないストアでは、大半のファンドマネジャーは手を出さない。全米各地に店舗を展開し、五〇人ものアナリストが業績を調べるようになり、同社の会長がいまだにトラックに乗って出勤する風変わりな大金持ちとして雑誌『ピープル』などに載るようになってから、初めてこの株を買う。だがその時点では、株価はすでに四〇ドルにも上昇していよう。

こうした投資家のなかでも最悪なのは、銀行の企業年金部と保険会社である。というのも、事前に許可を受けたリストに従って売買が決められるからである。一〇人中九人の運用者は、投資成果のバラつきで身の破滅に陥るのを防ぐために、こういうリストに忠実に従うのである。

たとえば、スミスとジョーンズという二人の社長がゴルフをしているとする。どちらの会社も、リバーシティにあるナショナルバンクに企業年金の運用を委託している。ティーアップまで順番を待ちながらおしゃべりをしていると、スミスの年金の勘定は今年四〇％上がっているのに、ジョーンズのほうは二八％しか上がっていないことがわかる。どちらの成績も悪くはないのだが、ジョーンズはカンカンに怒り、月曜日の朝一番に銀行の担当者に電話して、同じ企業年金部の運用なのに、どうしてスミスの勘定より自分のほうの成績が悪いのかと詰問する。ジョーンズは、「もしこんなことがまたあったら金を引き揚げるからな」と怒る。

同じ部内の運用担当者たちが同じ売買リストに基づいて銘柄選択をしていたら、スミスとジョーンズは似たような投資収益を得られるか、少なくともどちらかが立腹するほどの収益の差は出なかっただろう。もちろん、投資収益は平凡に終わっただろうが、成果のバラつきよりは、問題視されることは少なかっただろう。

もし売買のためのリストが、たとえば三〇人のアナリストが一つずつベストと思ったものを載せるのも一法である。そうすると、ポートフォリオはかなりダイナミックなものになる。だが一般的には、委員会などで三〇人のマネジャーみんなの同意が得られた銘柄のみが残る。偉大な小説や交響曲が委員会によって書かれたことはなく、大きなポートフォリオが一人によって選ばれたこともない。

ちょうど、優秀なダンサーがわざと太ってみたり、才能のある音楽家が仲間と指と指を結び合わせたりして、際立つ能力のある者が、下手な連中が気を悪くしないようにと、わざと合わせるようにするという寓話を思い出させる。

シャツを買うとポケット内についてくる〝検査済み〟の紙きれもそうした例である。「四人によって検査済み」となっていても、一枚一枚チェックされたわけではなく、単なるプロセスの一つであって、安心料のようなものにすぎない。投資委員会の決定者たちだとて、実際に会社を訪問したり新製品を調査したわけでもないのに、何となくプロセスの一環としての役割をこなしているだけである。

ファンドマネジャーが銘柄選択に慎重になるのも無理はないと言える。この仕事の安定度は、フットボールのコーチやゴーゴー・ダンサーと同じようなもので、コーチならシーズンオフは休めるのにファンドマネジャーのゲームは一年中なので、全然リラックスできない。しかもゲームの結果は、三カ月ごとに結果を求める顧客や上司にチェックされるのだ。

私のように、一般の人のファンドを運用するほうならまだ気が楽だが、プロの企業年金担当者などに委託を受けたマネジャーはたいへんだ。フィデリティ・マゼランの株主は小口の個人が多く、いつでも解約できるし、私のポートフォリオを一銘柄ずつチェックしたりはしない。しかしホワイト・ブレッド社の企業年金の運用を任されたブラインド・トラスト銀行のブーン・ドグルの場合などは、まさにそれである。

ブーン・ドグルは、ブラインド・トラスト銀行で七年間もファンドマネジャーをしていて、株の世界を熟知し、何度か大成功をしたこともある。彼の願いは、一人で自由に運用させて欲しいということだけ。というのも、ホワイト・ブレッド社のバイス・プレジデント、サム・フリントは、やはり株を熟知しているつもりなので、三カ月に一回は、ブーン・ドグルが同社のポートフォリオをどう動かしているかをチェックするからだ。それに加え、厄介なことにフリントは毎日二度ドグルに電話をして、日々の動きを聞きただす。ドグルはもう嫌気がさしながらも、フリントに説明するために多大な時間を費やし、肝心の運用の時間がなくなってしまう。

概してファンドマネジャーの仕事時間の四分の一は、自分の直属の上司と、それに究極の上司とも言えるホワイト・ブレッド社のフリントのような顧客への説明に使われる。顧客の預かり資産が大きいほど、顧客のためにたくさん説明しなくてはならないという不文律がこの業界にはあるようだ。フォード・モーターやイーストマン・コダック、イートンなどは数少ない例外的な顧客にあたるが、おおむねこの不文律は生きている。

たとえばフリントは、ドグルの最近の企業年金の運用成績を見て、ゼロックスに目をとめる。現在の株価は一株当たり五二ドルで、買値の欄を見ると三二ドルと出ている。「これはすごいな。さすがプロだね」と褒める。

次にフリントはシアーズの株が現在値三四ドル八分の七で買値が二五ドルであるのを見る。「これも成功しているね」と言う。幸運にもポートフォリオにはいつ買ったか日付は出ていないので、フリントはゼロックスやシアーズの株が一九六七年、まだベルボトムのパンツが大流行の頃からポートフォリオに載っていること、期間投資収益を考えたら、確定利付金融商品のほうがこのゼロックス株への投資よりずっとよいことには気がつかない。

次にフリントが見つけたのは、私の長年大好きな株の一つであるセブン・オークス・インターナショナルである。新聞などの広告欄で見かける、そのままスーパーのレジに持っていくとディスカウントしてもらえるクーポン券の発行元がどこか、考えたことがあるだろうか。ハインツのケチャップが一五セント割引というような、米国でよく使われる宣伝方法であるが、このようなクーポン券を、スーパーはまとめてメキシコにあるセブン・オークス社に送る。セブン・オークス社のほうは、受け取ったクーポンの束を整理し、各広告主ごとに請求書を出し処理していく。このつまらない単純な仕事でセブン・オークス社は大儲けし、株主もかなり恩恵を受けた。こういう、名前だけではわかりそうもない、一見つまらなそうな仕事をしている高収益の会社こそ、私は大好きだ。

だが、フリントは、もちろんセブン・オークスなどという名前を聞いたこともなく、ただ一株一〇ドルで買い、現在値が六ドルである事実に気づく「これはなんだい。四〇％も下がってるよ」。ドグルのほうは、この株を正当化するためひたすら説明をすることになる。こんなことが何回か続くと、もう掘り出し物の株なんか買わずに、ゼロックスやシアーズのような説明不要の優良株だけを買おうと考えるようになる。なるべく早くセブン・オークス株を処分して永久にリストからはずしてしまおうと決めてしまう。

皆と同じ株を買うほうが安全で楽だと仲間意識に回帰して、次のような名言の教えを無視するようになる。

二人は仲良しで、三人なら群衆
四人は二つの仲良しコンビで
五人は仲良しコンビと群衆
六人は二つの群衆
七人は群衆一つに仲良しコンビ二つ
八人は四つの仲良しコンビか仲良しコンビ一つと群衆二つ
九人は群衆三つで
一〇人は仲良しコンビ五組か、仲良しコンビと群衆が二つずつ

フリントが嫌いだというだけで、セブン・オークス社のファンダメンタルズがそんなに悪くなくても（実は私は今でもこの株を少し持っており、決してひどい会社とは思っていない）そして後で一〇倍株になるにしても、この株はホワイト・ブレッド社のアカウントからは外されてしまう。この業界では、無差別の損切りによる〝証拠湮滅〟は素早く上手に行なわれていて、もはやそれはファンドマネジャーたちの生存のメカニズムになっている。新人類次世代の連中はそれ以上に上手に、躊躇なくこなしていくだろう。それこそダチョウが砂の中に頭を突っ込む方法をパッと覚えていくように。

もしブーン・ドグルがすぐに〝証拠湮滅〟をしなかったら、彼は解雇され、セブン・オークス株は後任者に渡された時点で売られるだろう。後任者は常に、よい状態からスタートさせたいと思うものだから、ゼロックスなど優良株は保持し、セブン・オークスなど認知されていないものは一掃されることになる。

しかし、ここで、例外もあることをつけ加えておく。

ニューヨーク郊外の地銀の投資運用部は、株の長期保有でかなりよい成績を収めている。中小企業にも、自社の企業年金の運用で目をみはる成果をあげているところがある。全米をくまなく調査すれば、保険、信託や企業年金の資産の運用者で、掘り出し物を上手に見つけている者が何十人かは出てくるだろう。

Rのつく月しかカキを食べられない!?

ファンドマネジャーが、社会通念や政治的配慮を無視して掘り出し物を買おうと決めても、労働組合のある企業の株への投資を禁止したり、成長の望めない業種や特定産業への投資を制限するなどの規則や規定にひっかかって、あきらめることもある。いまに、Rから始まる企業の株は駄目とか、カキの食べ頃のようにRのつく月(五、六、七、八月以外)にだけ株を買ってよいとか、変な規則さえ登場しかねない。

もし銀行や投資信託会社そのものの制限にひっかからなくても、SEC(証券取引委員会)の規定に抵触することもある。SECは、現に私の運用しているような投資信託が、一つの会社の一〇%を超える株の取得や、一社に総資産の五%を超える投資をすることを禁じている。

このような規定はそれなりの理由があってのことで、ファンドのリスク分散やファンドによる企業買収の防止のためである。しかし副産物としては、一万社以上もある公開企業のうち、上位一〇〇社くらいしか投資対象にできなくしてしまっているのである。

たとえばあなたが資産一〇億ドルの企業年金を運用するとしよう。いろいろな規則を遵守すると四〇社くらいしか対象企業のリストに残らない。しかも一つの株は総資産の五%までしか買えないので、最低二〇銘柄（五〇〇〇万ドル分）に投資しなくてはならず、そして最高でも四〇銘柄（平均各二五〇〇万ドル）である。

この場合、二五〇〇万ドルの投資が総発行株式数の一〇％以下にしかならない会社に限られ、そうなると急成長中の小型株への投資など無理だ。えてしてこういう小型株に一〇倍株が含まれているのである。もちろんダンキン・ドーナッツ株もセブン・オークス・インターナショナル株も思うようには買えない。

ファンドには時価総額（総発行株式数に株価を掛けたもの）の大きさの制限を設けているものもある。時価総額が一億ドル以上と決められていれば、一株一・七五ドルで総発行株式数二〇〇〇万株の会社は、時価総額が三五〇〇万ドルにしかならないので対象外となる。だが、もし株価が三倍の五・二五ドルになると、時価総額一・〇五億ドルだから、突然買えるようになる。こうなると変な現象が出てくる。つまり、大きなファンドは投資対象が高値になって初めて小規模な会社に投資できる、ということになるのである。

言い方を換えると、概して大きい企業年金のポートフォリオは、せいぜい一〇％の上昇が見込める株や、びっくりするような成果には縁のない『フォーチュン』誌の五〇〇社番付に入るような株しか組み入れられないのである。となると、ほぼ自動的にＩＢＭやゼロックスを組み入れざるをえず、クライスラー級の株だと、株価が十分高値になるときを待って買うようになるだろう。業界で権威のある投資会社スカダー・スチーブンス・アンド・クラーク社は、クライスラーの株がほぼ底値（三ドル二分の一）に近づいたときに対象外にし、その後三〇ドルに急騰するまで対象銘柄リストに戻さなかった。

これでは、企業年金のファンドマネジャーたちが市場平均に優る成績をあげられるはずがない。銀行などに資産を預けても、ほとんどの場合、せいぜい市場平均並みの結果しか期待できないということになる。

私のファンドのように株式専門の投資信託だと、規則はもう少し緩やかになる。対象はそれほど限られず、常に肩越しにフリント氏に見られるということもない。もちろん上司その他に鋭い質問をされたり、定期的に成果をチェックされるが、ゼロックス株を持たなくてはいけないとか、セブン・オークス株に投資してはいけないなどと言う人はいない。

私の場合、不利な条件はサイズである。ファンドが大きいほど、競争に勝つのは難しいものだ。九〇億ドルのファンドが八億ドルのファンドと競争するのは、腰にたくさんのおもりをつけてバスケットボールの試合に臨むようなもので、図体が大きいほど、動くのに余計なエネルギーを必要とする。

フィデリティ・マゼラン・ファンドの規模は九〇億ドルと巨大であるが、なかなかよい成果をあげ続けている。毎年、もう無理ではないかなどと言われ続けながらも、今のところうまくいっている。一九八五年六月にマゼランが米国で最大のファンドになってからも、同じような株式投信の上位二%の成績をあげている。

だからこそ私は、セブン・オークスやクライスラーやタコ・ベルやペップボーイズなどの急成長株、業績変化率の高い株や、私が探し出した不人気株に感謝せずにはいられない。私が買おうとする株は、まさに伝統的なファンドマネジャーが避けようとする株なのだ。別の言葉で言うと、**私はなるべくアマチュアのように考えようと努力してきたのである。**

自分なりのやり方で

あなたは機関投資家のやり方を真似しなくてもよい。もし真似をすると、大きな成果をあげられない破目に陥る。だが無理にアマチュアに徹しなくてもよい。もしあなたがトラックの運転手、サーファー、高校の落ちこぼれとか風変わりな隠退者とかなら、それぞれの分野ならではの強みをすでに持っているはずだ。ウォール街に定着している常識にハマらない変わった発想から、一〇倍株は生まれるのである。

あなたが投資する場合は、三カ月とか半年ごとの投資結果の批評を受けたり、ＩＢＭではなくてなぜエージェンシー・レンタカーなのか？　とネチネチいじめられたりしないで済む。たぶん、奥さんや、付き合っている証券マンとは多少話さなくてはならないかもしれないが、証券会社のセールスマンは、手数料さえ払っていれば、あなたの変な注文にも快く応じ、ましてやセブン・オークスを選んだからあなたをクビにするなどということはありえない。またお金の世界の非情さを知らない奥さんにしても、前の章でも述べたとおり、あなたの間違い続きの投資選択を信じ切っているではないか（万が一、あなたの銘柄選択に奥さんががっかりするような場合は、郵送されてくる月次報告書を隠してしまえばいい。私は決して勧めているわけではないが、これも大きなファンドの運用者にはないアマチュア投資家の特権のはずである）。

あなたは起きている時間の四分の一を、今何を、なぜ買っているかと同僚に説明するために費やすなどという必要はない。Ｒで始まる会社名のものは駄目とか、一株六ドル以下のものは駄目などという規則にも縛られない。「ウォルマートなんて聞いたこともないよ」とか「ダンキン・ドーナツって変な名前だね。ジョン・D・ロックフェラーならドーナツには投資しなかったと思うよ」などと嫌みを言われることもない。以前一一ドルで売った株を一九ドルで買い戻す、という十分考えうる賢明な手段に対して小言を言う人もいない。そんなことをしたらクビになるかもしれないプロには到底できないことである。

一四〇〇銘柄を保有せよとか、一〇〇銘柄に減らせとかムチャを言う人もいない。あなたなら、一銘柄だけしか持っていなくても、四銘柄でも一〇銘柄でも、誰も文句を言わない。ファンダメンタルズから見てよさそうな株が一つも見つからなければ、株に全く手を出さず、時期を見はからうこともできる。ファンドマネジャーにはこういうぜいたくは許されない。また私たちは一気にすべて売ってしまうこともできない。たとえ一度に全部売ろうとしても、誰も妥当な値段では買ってくれないだろう。

もっと大事なことは、アナリストやファンドマネジャーが情報を得るずっと前に、あなたは近所や職場で起こっている出来事から素晴らしいチャンスをつかむことができるのである。また、もしかしたら、全く株と無関係でいることもできる。株式市場では、あやふやな意志の者はいけにえになり、強固な信念がないと生き残れない。これは大事なことなので後章で詳しく説明したい。

第3章　これはギャンブルなのか？　何なのか？

――紳士は株より債券を好む。（アンドリュー・メロン）――

一九八七年一〇月の暴落（ブラックマンデー）のような下げがあると、債券に逃げ込む投資家が必ず出る。債券か株かという課題は、事前に、落ち着いて余裕のあるときに考えるべきである。でなければ、株が下がり続けるなかで、パニック状態になって銀行に駆けつけて、CD（譲渡性預金）を買いあさる破目になる。ごく最近もこの現象が見られたものだ。

債券や短期金融市場やCDに資金を注ぎ込むことは、それぞれ異なった形の債務に投資して、利子を受け取るということになる。利子を受け取るのは悪いことではないし、とくに複利計算の場合はよいだろう。一六二六年に、インディアンがニューヨークのマンハッタン島を、二四ドル相当分の小さな装身具やビーズで売ったケースを見てみよう。三六二年間、インディアンはこの売買のせいできついジョークの材料にされてきた。だが、島の買い手よりも売り手のインディアンのほうが実は得したかもしれないのだ。

この際、ありえないことながら、インディアンが装身具を現金に換え、二四ドルを複利計算で年利八％の金融商品に投資したとしよう。すると現在では三〇兆ドルをちょっと切るほどまでに膨らみ、最新の不動産情報によるマンハッタン全体の価値二八一億ドルを大きく上回ることになる。二八一億ドルは公示価格であり、皆も知っているように市価は少なくともその二倍の、五六二億ドルにはなる。

インディアンは、マンハッタンを全部買い戻してもまだ二九兆ドルとお釣りを持っていることになる。八%という利子が高すぎるなら、六%だったとしよう。その場合は、三四七億ドルになっているはずだ。だが三四七億ドルだとしても悪くはないし、そのうえ不動産のメインテナンスやセントラル・パークの芝刈りに頭を悩ます必要はないのである。わずか二%の違いが、複利で三世紀もたつとその差はたいへんなものとなる。

どう計算するにしても、この取引で間抜けと言われていた連中にも言いたいことがあるはずだ。債券への投資は悪くない。

債券はここ二〇年、魅力がぐんと増した。歴史的に見て、債券の利回りはなかなか四%以上にはならなかったものだが、とくにこの一〇年間は長期債の利回りが一六%に上昇したり八%に下降したりと動きの幅が広く、それだけ儲かるチャンスも増えている。米国の二〇年物国債を一九八〇年に買っていれば、一六%の利子を受け取ったうえで、価格が額面の倍近くになったはずだ。もしあなたが賢明にもそうしていたとすれば、最近の上昇相場も含めた株式市場の平均を軽く上回る成果をあげることができたはずである。しかも債券の場合には、調査レポートを一枚も読む必要がないし、証券会社への手数料もいらなかったのである。

(金利に期待する向きには長期国債がお勧めだ。なぜなら満期まで五年以内にならないと、期限前の随時償還ができないからである。債券の投資家がよく不満を持つのは、公社債は期限前の償還が可能なため、発行者は得になると見た場合、有無を言わせず償還を実行するからである。金利が下がり始める局面では、債券の保持者は債券が償還されて、代わりにお金が郵送で戻されてくるのを覚悟する必要がある。逆に、金利上昇局面では、債券の価格が下がって売るに売れない。公社債で随時償還できないものは数が少ないので、金利低下局面での恩恵を確保したい向きには国債が最適である。)

銀行から預金者を解放

かつては、債券の売買単位がかなり大きかったので、小口投資家には手が届かなかった。だが債券組み入れファンドが誕生したため、一般の投資家にも、大金持ちと一緒に債券に投資できるチャンスが与えられるようになった。マネー・マーケット・ファンド（ＭＭＦ）は、小口なるがゆえに銀行しか利用できなかった何百万人もの預金者を自由にしたと言える。初のＭＭＦはブルース・ベントとハリー・ブラウンが一九七一年に設立したリザーブ・ファンドであった。ケチな銀行からの大脱出を可能にしたこの二人は表彰ものだ。

私のボス、ネッド・ジョンソンはさらに、ＭＭＦの保有者が小切手も切れる機能を付け加えた。それまでのＭＭＦは、給料を支払うまでの資金を運用する中小企業のためには格好の金融商品だったが、小切手が切れることで普通預金に加えて当座預金の性格も持つようになったのである。

五％で固定された預金より株を選ぶのも一つの方法だが、金利上昇局面ではまっ先に利回りが上昇し、かつ短期金利で最高の利回りを持つＭＭＦに投資するのも一法である。金利が低いときで六％、元金は全く減っていないのだから。一九八一年には短期金利が一七％になり、一方の株式市場は五％下がったので、結果的に株より二二％得したと言えるだろう。

株式市場が、一九八六年九月二九日のダウ平均一七七五ポイントから、八七年八月二五日の二七二二ポイントへと信じられない急騰をしたときには、一株も買ったことがなかった人は、生涯で最良のチャンスを逃したと、自分の愚かさ加減に悔しい思いをしたはずだ。財産をすべてＭＭＦに投資してあるなどと友達に言えるはずはないし、万引を認めるよりも恥ずかしく思えたかもしれない。

しかし、同年一〇月の暴落の次の朝、ダウが一七三八ポイントまで下がっているのを見て、気分がスーッとしたはずだ。八七年全体ではS&P五〇〇の上昇率は五・三五％で、MMFの利回りは六・一二％と、株よりよい成績を残したのである。

株の反発

しかし、その二カ月後に株式市場は反発し、株式のパフォーマンスは長期債やMMFよりも優ってきた。長期的には明らかにそうなっていて、歴史的に見ても、株式投資のほうが疑いもなく債券投資より収益性は高いのである。現実に一九二七年から現在まででは、年間の平均収益率は普通株で九・八％であるのに対し、社債は五％、公共債は四・四％、そして国債は三・四％となっている。

消費者物価指数（CPI）はその間に三％上昇しているので、株式の実質的な収益率は六・八％であり、最も安心できると言われている国債では、それがほぼゼロになっている。

債券の収益率五％と株式の九・八％の違いはわずかに思えるかもしれないが、もし現代のリップ・ヴァン・ウィンクルが一九二七年末に二万ドルを年間の複利利回り五％の債券に投資して六〇年間の冬眠に入ったとしたら、目覚めたときにはそれが三七万三五八四ドルになっていて、そこそこのマンションと自動車のボルボを買って、散髪もできる。しかも彼は眠っていたのだから、一九二九年の大恐慌や一九八七年の大暴落に驚くこともない。一方、もし彼が株に投資していたら実に五四五万九七二〇ドルになったと計算してみると、違いの大きさがよくわかる。

一九二七年に次にあげる四種の投資に一〇〇〇ドルずつ振り分けたとする（一応税金は考慮せず）。六〇年後にフタを開けるとその違いは驚くほど大きくなる。

国債　　　　　　　　　七四〇〇ドル
政府債　　　　　　一万三二〇〇ドル
社債　　　　　　　一万七六〇〇ドル
普通株式　　　　　二七万二〇〇〇ドル

暴落、不況、戦争、景気の一時的後退、一〇人の大統領、スカートの長さ、などの多くの変動にもかかわらず、株式投資は社債より一五倍も儲かり、国債より三〇倍以上も儲かったことになるのである。

理屈からすれば、株式に投資した場合には、その会社のパートナーとなって成長や繁栄の恩恵を受けることができるということになるが、債券の場合には、人にお金を貸した場合と同じで、うまくいって元金が返ってきて、利子がつけばオンの字、ということになる。

もしマクドナルド社の債券を長く持っていたとしても、その関係は債券を償還されたらそこでおしまいになる。これはマクドナルドの最も楽しい出来事とは全く関係がない。マクドナルド社の債券を持っていることは、銀行預金をしていることと何ら変わらないのである。ところが株主になれば、会社を持つことであり、十分金持ちになれるチャンスもあったはずだ。償還不能の債券専門の取り立て屋でもない限りは、債券では株のようには一〇倍にはできないのである。

リスクとは何か？

とくにブラックマンデーのあとだけに、「そりゃそうだけど……リスクのほうはどう？　やっぱり債券のほうが株より安全でしょう」とあなたは言うかもしれない。確かにそのとおりで、株には保証もないし、実際に幾多の失敗例もあるように、株にはリスクがある。

安全と思われている優良株であっても同様である。RCAはそのよい例で、この株は未亡人や孤児に最適と言われていた。だが一九八六年にGEに買収されたときの株価は六六・五〇ドルで、一九六七年と同値であり、株式分割などを修正しても、一九二九年の高値三八・二五ドルより七四%高いだけである。堅実で、世界的に有名で盛業中のこの会社の株を五七年持ち続けて、結果的には年間利回りが一%にも満たないことになる。ベツレヘム・スチールは、いまだに一九五八年の高値六〇ドルを抜いていない。

一八九六年以降の最初にダウ工業株平均に採用された銘柄の動きはどうだろうか。アメリカン・コットン・オイル、ディスティリング・キャトル・フィーディング、ラクリード・ガス、US・レザー・プリファードなどの会社名を聞いたことがあるだろうか？　ひと頃よく知られていたこれらの銘柄は、もうずいぶん昔にダウの採用リストから消えてしまっている。

一九一六年のリストではダウの採用銘柄だったボールドウィン・ロコモティブは、二四年に外された。二五年のリストにはパラマウント・フェイマス・ラスキー、レミントン・タイプライターが入っているが、レミントンは二七年のリストから外れ、代わりにユナイテッド・ドラッグが入っている。二八年にダウの採用銘柄は二〇銘柄から三〇銘柄に増え、新規銘柄にはナッシュ・モーターズ、ポスタム、ライト・エアロノーティカル、ビクター・トーキングマシンなどが加えられた。最後の二銘柄は二九年に外されたが、ビクター・トーキングマシンはRCAに吸収合併されたためである。五〇年のリストにあるコーン・プロダクト・リファイニングという会社は、五九年にスウィフトに取って代わられている。

ポイントは、会社の運勢は変わりうるもので、大手の会社が弱小になることもあり、絶対確実な優良株などはないということである。

よい株でもタイミングと株価を間違えれば大損する。一九七三年から七四年にかけて、堅実と言われていたブリストルマイヤーズは九ドルが四ドルへ、テレダインは一一ドルが三ドルに、マクドナルドは一五ドルが四ドルへと大きく株価を下げた。これらは一晩で倒産するようなタイプの会社ではないが、ボロ株をタイミングよく買うよりも、ずっと損をすることもあるということだ。あるときには長期では年間平均九・四％あると言われる株式の収益性など、信じられなくなることもあるだろう。ダウ平均株価は、一九六六年に高値九九五・一五ドルをつけ、その後七三年までそれを抜けなかった。そして七二年から七三年の高値は八二年まで超えられなかったのである。

しかし、短期の債券や債券ファンドは例外としても、債券にもリスクはある。金利上昇局面では、債券の償還まで低い利回りで我慢するか、額面をかなり下回る価格で売るかのどちらにしろ、あまり愉快でない選択を迫られる。もしリスクをどうしても取りたくないのなら、ＭＭＦか銀行預金にしておくことだ。リスクはいずれにしても避けられないのだから。

公共債は大いに安全と思われているが、まれに償還不能というケースがあることも覚悟しなければならない。したがって債券で損をしたことのある人に、債券は安全だなどと言ってはいけない（公共債の償還不能で有名な例としては、ワシントン電力の不名誉な〝ウープス債〟がある）。債券の場合九九・九％は確実だが、償還不能のリスク以外でも、たとえば六％クーポンの三〇年債を超インフレの期間に持っていれば、その間に価格がずいぶんと下がったりすることは避けられない。

多くの投資家が政府系の住宅債券に投資している。しかし実際にいかに価格が動くかについては理解していないようだ。確かに、明示されているように、利子に関しては政府が一〇〇％保証しているが、金利が上昇したときの値下がりや債券市場の値崩れ分は保証されていないのである。金利が〇・

五％上がった日の新聞の債券欄を見れば、私の言っていることの意味がわかるはずであり、そのようなときに債券に投資したファンドは、株式投信と同じくらいにかなり大きく変動する。金利の不確実性は、賢明な投資家に債券で大儲けさせるのと同時に、他の投資家にはギャンブルと同様に大損させることもある。

株とスタッド・ポーカー

投資とギャンブルの境目ははっきり分けられていないというのが正直なところである。どこに行けば安全でどこが危険かは、万里の長城や境界線などで明確に区切られているわけではない。

一九二〇年代後半まで、株はカジノの賭け事のように見られ、賢明な投資対象とは考えられていなかった。その後見直されたのも束の間で、一九二九年の大暴落によって、その後二〇年間、株は大多数の人にまだギャンブルと思われてきた。一九六〇年代後半になって、ようやくまた投資対象と認められた頃、株式市場は上がり過ぎていてリスクは高まっていた。歴史的に見て、株は投資手段として歓迎される場合と、ギャンブルとして見放されるケースとを周期的に繰り返し、皮肉にも投資家の判断は間違ったタイミングでなされてきた。**株が賢明かつ適切な投資手段になるのは、実は最もそうは思われていない時期、ということになる**。

昔は、大型株は投資の、小型株は投機の対象と言われたが、最近は小型株も投資の範囲となり、投機はもっぱら先物やオプション取引でなされている。境界線は時代とともに塗り替えられ、変わっている。私は、人々が自分の投資を〝保守的な投機《スペキュレーション》〟〝正しい投機《スペキュレーション》〟と呼んでいることにいつも感心している。これは、いつも自分はギャンブルではなくて投資をしているのだと人々が思っていたからだろう。

資金運用リスクが理解されてくると、投機と投資の違いは、その手段（債券、株、競馬など）によらず、その人の技や自主性や姿勢に負うものであると考えられるようになる。競馬にしても、方針のはっきりしたベテランにとってはかなり安全な、長期の収益性を持ったものと言えるかもしれない。話題の銘柄を追いかけてはせっかちに売り買いするなら、株式投資といえども、あてずっぽうで馬券を買うのと同じくらいリスクが高いものになる。

（実際、そういう投資家——当てずっぽうで株に投資する人——は、ウォール街など忘れて、お金を持ってハイアライ、モンテカルロ、サラトガ、ナッソー、サンタアニタ、バーデン・バーデンのカジノに行くことを勧める。そのような素敵なところでなら、少々損をしても、少なくとも楽しいときを過ごしたと言えるだろう。しかし、株で損をしても何のなぐさめもない。また馬でスってしまったら、馬券を床に投げ捨てて終わりだが、株やオプションなどの場合は、税金上の処理とか何やらで面倒くさいものだ。）

私にとって、投資は、なるべく採算が合うように運用するギャンブルである。株でも債券でも、はたまたアトランティック・シティ（カジノ）でも、自分の選んだものに賭ける点では同じことだ。株は実際、スタッド・ポーカーのゲームを連想させる。

七枚のカードで賭けるゲームは、上手になるとかなり確率がよくなる。カードを四枚開くと、自分の手のうちだけでなく、相手の手もわかってくる。三枚目か四枚目のカードで、誰が勝ち誰が負けるか、誰も勝てないのか、だいたい見えてくるものだ、ウォール街でも同じことで、かなりの情報は出回っているので、ポイントは情報の見方・選び方ということになる。

企業に関する基本的な質問を幾つかするだけで、成長性の有無や収益状況などを知ることができるし、何が起こるかは決して明らかにならなくとも、新しい展開（たとえば利益の急増、儲からない子会社の売却や新ビジネスへの展開）は、カードをもう一枚開けるようなものである。開いているカードから成功の確率が高いと見る限り、勝負に参加していく。

定期的にスタッド・ポーカーをプレーしていると、カードを開いていく過程でかなり綿密に計算することによって、勝率の高いプレーヤーが出る可能性がある。コンスタントに勝つ人は、うまくいっているときは思い切った勝負をし、勝算が低いとサッと降りる。よく負ける人は、負けそうになっても奇跡に期待したり、スリルを楽しんで勝負を降りないタイプだ。ポーカーでもウォール街でも、奇跡は、負ける人が負け続けるよりも起きないものだ。

コンスタントに勝つ人は、エースを三枚持って限度一杯に勝負に賭けたとしても、相手の手がたまたまそれを上回るロイヤル・フラッシュで負けるケースもあることを肝に銘じている。そして、そういう不運を甘んじて受けながらも、長い目で見て基本に忠実に従えば勝つことができると、揺るぎない確信を持っている。株で成功する人も、ときには損をしたり予期せぬ出来事に遭うことをしっかり自覚している。悲惨な株の下げに遭っても、弱気になってゲームから逃げたりはしない。H&R・ブロック株を適切な調査のうえで買った後に、突然法律が変わり、そのためにビジネスがうまくいかなくなったとしても、その不幸を甘んじて受け、次の銘柄探しに移る。そういう人は、株式市場は科学的なものでもないし、チェスのように有利な立場になれば必ず勝つというものでもないように、規則どおりにいかないものであることをよく知っているのである。一〇のうち七つ期待どおりに動けば、私は大喜びする、六つだけでも十分感謝する。**一〇銘柄のうち六銘柄がうまくいけば、つまり半分以上成功すれば、ウォール街で羨まれる成果をあげることができるのである。**

時間をかければスタッド・ポーカーのリスクを減らせるのと同じように、株のリスクもやり方次第で減らすことができる。やり方がまずいと（高値づかみしたりすると）ブリストルマイヤーズやハインツの株でも大損することもある。優良株だからと安心しきってやみくもに買ったりすると、あっという間に五〇％も損をして、その損を八年間も取り返せないということにもなる。

一九七〇年代初頭には、何百万ドルというお金がすでに十分高くなっていた株を無定見なまま追い回し、その結果、たちまち水の泡と消えてしまった。これはブリストルマイヤーズやマクドナルドの株のリスクが高かったからなのだろうか？　それよりはむしろ、これらの株に投資した人々のほうに問題があったということになろう。一方、事前にしっかり調査して、スリーマイル島で事故のあったゼネラル・パブリック・ユーティリティーズ（GPU）を買っていれば、超優良株のケロッグを高値で買うよりずっと堅実だということになる。

かつて私は、リスクの高いものはいやだという義理の母に、ヒューストン・インダストリーというとても安全な会社の株を勧めた。もちろんリスクはなかったが、一〇年以上株価は動かなかった。一方、実の母の場合はもっとギャンブル的であってもかまわないと思い、よりリスクの高いコンソリデイテッド・エジソンを買わせたら、六倍に上がった。えてして、俗に言うハイリスクと思われている株のなかから大きく上がるものがあるが、リスクを分類するよりは、もっと投資家本人に大きくかかわってくるのである。

不確実を承知で投資できる人にとって、株式投資の最大の魅力は、当てたときは大きな利益が得られることである。ニューヨーク州バッファローのジョンソン・チャート・サービスの調査によると、投資信託のなかでも、リスクの高いもので運用するファンドほど儲けも多かったことが裏づけられている。一九六三年に平均的な運用の債券ファンドに一万ドル投資したとすると、一五年後には三万一三三八ドル。株と債券のバランス・ファンドだと、一万ドルが四万四三四三ドルになった。またすべての株を対象とした、成長性と利回りが売り物の株式投信では五万三一五七ドル、利回りではなく成長性にのみ期待した株式投信では七万六五五六ドルになった。

明らかに、ゲームのやり方さえ知っていれば、株はやってみる価値のあるギャンブルだったと言えよう。株を持っていれば、新しいカードが開いてくる。よく考えてみると、株式投資は七枚ではなく七〇枚くらいのカードでするスタッド・ポーカーのようなもので、もし、一〇銘柄も持っていたとするなら、七〇枚のカードを一〇人分持っているようなものだと言えるだろう。

第4章　鏡の前のテスト

私たちにとって「ゼネラル・エレクトリックはよい投資対象かどうか？」というのは、株を買うに当たってまず考えるポイントではない。仮にゼネラル・エレクトリックがよい投資対象であるにしても、それは必ずしもあなたがこの株を持つべきだということにはならない。この会社の財務諸表を見る前に、もっとあなた自身のことをよく知っておかねばならないのである。つまりそれはあなたの個人的なことで、第一に、家を持っているか、第二にお金が必要か、そして第三に、株で成功する資質が備わっているかどうか、ということである。『ウォール・ストリート・ジャーナル』を読むより、何はともあれ、この三つのポイントをクリアしなければならない。

(1)家を持っているか

ウォール街の誰もが言っているように〝家はよいもの〟なのである。したがって株式投資を始める前に、家を買うことをあなたは考えるべきである。家は究極的にほとんど誰でも成功する投資の一つである。もちろん、下水だめの上に建っている家とか、高値に張りついていて将来下がる可能性のある高級住宅地などでは、例外的に失敗するかもしれないが、九九％の住宅は値上がりを期待できるだろう。

「住宅を買ったがどうも失敗したようだ」という話はあまり聞かないように、アマチュアでも不動産に関してはうまくいっているはずだ。ときどきすぐに引っ越さざるをえず、買値より安く売るはめに陥る人はいるかもしれないが、株式投資でよくあるように、次から次へと家を買い替えて損をしていく人はいないだろう。株ではある朝起きてみると大損をしていたということが避けられないが、住宅投資でそのようなことはまずありえない。

住宅投資に関しては天才的な人が、株式投資になると全くどうしようもなく下手であることも珍しくない。住宅の場合は住宅のオーナーに有利なことが多く、銀行は二〇％もしくはそれ以下の頭金でローンを組んでくれるため、目の覚めるような結果となる（株で信用取引をする場合には五〇％の保証金を要求されるし、株価が下がるたびに保証金の積み増しをしなければならないが、家の場合は不動産価値が下がっても頭金の積み増しを要求されることはない。不動産屋が夜中に電話をかけてきて「明朝一一時までに二万ドル入れないと、ベッドルーム二部屋を売らなければなりませんよ」などと脅かすことなどはありえないが、株の場合にはよく起きることである。これも不動産投資のもう一つの利点である）。

普通米国では、最初に小さな家を買い、次に中くらい、そしてもっと大きな家に買い替える。子どもが成人して家を出たら、小さな家に買い替える。大きな家を売った利益は老後の資金にあてられるのである。米国では一生に一度、不動産売却利益を次の不動産投資に回さなくても非課税にできるので、その棚ボタメリットを最大限に使うのである。株式投資にはそのような恩恵はなく、売買するたびに可能な限り重く課税される。

四〇年もの間、家に投資を続けても全く税を払う必要はないし、おまけに、最後に蓄積した利益には特例が使えるのである。もし税金を取られるとしても、今のあなたの収入であればたいした額は払わないで済む。ウォール街の古い言い伝えに「メインテナンスや修理が高くつくものに投資するな」というのがあるが、これは競走馬には当てはまっても、住宅投資については当てはまらない。

株より家のほうがよいという理由は他にもある。住宅への投資では、新聞の日曜版の不動産欄の見出しに「不動産が大暴落」とあるのを見てびっくりすることもないし、株式欄や証券会社の株価ボードのように、常時あなたの家の値段の動きが出てくることもない。「オーチャード・レインの一〇〇番地が今日一〇%下がりました。近所の人はこの予想外の下落に対し何も変わったことはなかったと言っております」とテレビのニュースキャスターが伝えるようなこともないだろう。

家は株と同じように、長期に持っていることが成功につながる。これは株の場合と違って、だいたい平均して七年間、同じ人が所有しているが、株の場合には、ニューヨーク証券取引所の例では、株の所有者の八七%が毎年変わっている。これは、住宅を持っていることのほうが株を持っているより安心できるからだろうか。加えて、株は電話一本で簡単に売ることができて逃げ出せるが、家を売って引っ越すとなると、引っ越しのトラックなどもいるし、そう簡単にはいかない。

最後になるが、家を買うとなると、ほとんどの人は地下室から屋根裏まで実際に見て、的確な質問をして調査するし、子どものときから、両親が、学校は近いか、下水は、税金は、などとチェックしている姿を見てもいる。「その区域で一番高額な物件は買うな」というようなことも知っている。近所を見て回って比較検討もできるし、プロに頼んで水道管のさびや白蟻の有無、屋根の雨漏り、その他専門的なポイントも確認できる。

これだけ徹底して調査するのだから、住宅投資はうまくいかないはずはない。ところが、家を買うためには何カ月もかけるのに、えてして株式投資は数分間で決めてしまう。ほとんどの人は、株式投資より電子レンジを買うことのほうに、より多くの時間をかけるのである。

(2)お金が必要か

第二のポイント――。株式投資を始める前に、家計の状況を見よう。もし、二～三年以内に子どもの大学の学費を払う予定なら、その資金で株式投資はしないほうがよい。たとえば、もしあなたが未亡人で、高校二年の息子デクスターの出来がよくてハーバード大学に入れそうだ、しかし奨学金はまず無理で、かつ資金はギリギリというようなケースでは、比較的安全な優良株に投資して少しでも資金を増やしたいという誘惑に駆られるかもしれない。

だがこのようなときは、たとえ優良株であってもリスクが大きすぎるだろう。株の一〇年、二〇年という長期的なトレンドはかなり予測がつくが、二～三年後となると、コインをぽんと投げて面の表裏を当てるようなものだ。優良株といえども、下落して三年、五年と株価が動かないこともある。万が一、悪い相場に行き当たると、あなたの息子は夜学に通うことになるかもしれないのである。

隠退して毎月の収入が限られている老人や、遺産で多少の固定収入があり、しかし絶対働きたくない若者は、株式に手を出すべきではない。金融資産の何%を株に回すべきかという問題でも、いろいろ複雑な算定方法もあるようだが、私の答えはもっと簡単である。それは、ウォール街にも競走馬にも言えることだが、**「万一失敗したとしても、将来的に見て、毎日の生活に支障のない余裕資金の範囲で株式投資をすべきだ」**ということである。

(3)株で成功する資質があるか

これが最も重要なポイントである。資質として出てくるのは、忍耐強さ、自主性、常識、苦痛についての耐久力、こだわりのない自由な思考力、利害に対して超然としていられる強さ、根気、謙虚さ、柔軟性、独自の調査をする意欲、失敗を認める強さ、パニックを無視する力などである。IQ（知能指数）としては、たぶん下から一〇％以上でかつ上から三％以下の範囲なら問題ないだろう。本当の天才はえてして理論的すぎて、自分が想定するよりずっと単純な株の動きに裏切られてしまうかもしれない。

完全な情報がないなかで決断する能力も大事である。ウォール街ではすべてが割り切れるなどということはなく、もうそうなった時点では遅いことばかりである。科学的にすべての情報をインプットしてから決めることなど、ウォール街では非現実的なことなのだ。

最後に、自分が持つ変な信念や思い込みを除かなければならない。ほとんどの人が株価や金《きん》の値段や金利について、表立っては言わなくても感覚的な信念を持ちやすいものだが、現実には考えとは反対に間違いの繰り返しになることが多い。人々は株が上がるとか景気がよくなるとか勝手に思い込んでは、正反対の現実にうちのめされていることのほうが多い。著名な投資顧問のニュースレターでも、最悪のタイミングで強気や弱気に変わることが珍しくない。

さまざまなニュースレターの動向によって投資家の心理を調べているインベスターズ・インテリジェンス社の資料によると、一九七二年末、まさに株が下降局面へと移り変わるとき、楽観論が最も多くて、弱気派は一五％しかいなかった。七四年に相場が反発に転じたときには、投資家の心理は最も弱くて、六五％の人がもっと悪くなると読んでいた。七七年の相場が下がり始める直前には、今度は強気派が圧倒的で、弱気派は一〇％しかいなかった。八二年の初め、まさに上げ相場が始まる直前には、五五％の人が弱気になり、八七年一〇月一九日の大暴落直前に、再び八〇％のプロが強気になっていた。

だからといって投資家や投資のプロたちが慢性的に愚かで鈍いというわけではない。要はタイミングの問題で、経済がよい状況だというニュースが広く信じられるようになり、大多数の投資家が短期的な先行きに確信を持つことができたときに、経済はまさに悪化し始めるということである。そうでなければ、企業のトップやプロの投資家も含めた大多数の人が、最高の買い場だったとき（一九三〇年代半ばや一九六〇年代後半など）に株式投資を怖がり、投資するには最悪の相場のとき（一九七〇年代初頭や一九八七年一〇月の暴落直前など）に最も強気になったことの説明がつかない。ということは、ラビ・バトラが書いた『一九九〇年の大暴落』がベストセラーになったことは、壮大な繁栄が保証されたようなものだ。

投資家の心理は、実際の状況が変わらなくとも、思わぬ変化をするものだ。ブラックマンデーの一～二週間前に、アトランタやオーランド、シカゴなどを旅行していたビジネスマンたちは、建設現場を見て「すごい、景気は最高潮だね」と言い合っていた。彼らが同じ建設中のビルを数日後に見たら「これはたいへんだ。こんなにたくさんではマンションは売れないだろうし、オフィスは借り手がないだろうな」と話していただろう。

人間の性格は、えてして相場のタイミングとずれがちである。意志の弱い投資家は、迷い、納得、あきらめ、という三つの感情の間を行き来して気持ちが揺れている。相場の下落や景気の落ち込みを心配するあまり、よい銘柄をバーゲン価格で買えるせっかくのチャンスを逃がし、その挙げ句、高値で買い込み、その後のちょっとした値上がりで大満足してしまう。こういうときこそファンダメンタルズをチェックして、いつ売るかを考え始めるときなのだが、むしろ有頂天になってしまう。結局株は下がり、買値を下回ったときに降参して売ってしまう。

長期投資家を自負している人でも、株価が大きく下がると一転して短期投資家になり、大きな損か、せいぜい少しの益で売り離してしまう。波乱含みの株式投資ではパニックに陥りやすいものだ。私がマゼラン・ファンドの運用を始めてから八回あった下降相場の間に、ファンドが一〇〜三五％下がったことがある。一九八七年に至っては、一年の間に、八月に四〇％上がり、一二月までに一一％下がった。その年全体ではかろうじて一％上がり、私の年間成績は常にプラスという記録をどうにか保つことができた。最近、平均して株価は一年間に五〇％の範囲で上下するとどこかで読んだが、もしそれが本当なら、（実際今世紀ではそのとおりにきているが）どんな株でも、今後一二カ月の間に今五〇ドルのものが六〇ドルに上がることも、逆に四〇ドルに下がることもあるわけだ。言い方を換えると、その年の高値（六〇ドル）は安値（四〇ドル）より五〇％高いということだ。もしあなたが五〇ドルで買いたくなり、六〇ドルになると「ほら、思ったとおりだ」とばかり買い足したり、逆に四〇ドルになると絶望的になって売りたくなるタイプなら、どんなに株のハウツー物を読んでもまず成功しないだろう。

投資家のなかには逆張り法で成功していると自負する人もいる。誰も買わないときに買って、他人が買うときに売るというのだが、これは本当の逆張りではなく、他人が買っているときに安売りをすることと変わらない。正しい逆張りとは、誰もが興味を失い、とくにウォール街で誰も株など気にしていないときに拾う、ということである。

Ｅ・Ｆハットンが話すと（訳注・有名なテレビのＣＭ「Ｅ・Ｆハットンが口を開くと、全員が耳を傾ける」をもじったもの）、みんな一所懸命聞こうとするが、それが問題なのである。みんな、居眠りしようとすべきなのだ。相場の先行きを予測するには、人の意見を聞くのではなく、むしろいびきをかくことだ。また、自分の相場観を信じるよりは、むしろ無視できるように心掛けることだ。会社の業績など先行きに変化がない限り、持ったままでジッとしていることだ。

それができないのなら、あなたの金融資産を増やす方法はたった一つ、石油王、J・ポール・ゲティの手法でいくしかない。「早起きして、よく働き、石油を当てるんだ！」

第5章　相場はよいかって？　そんなこと聞かれても困る

講演会でも質疑応答になると、必ず、「今の相場がよいか悪いか」という質問を受ける。誰もがグッドイヤー・タイヤは堅実な会社か？　とか、現在の株価は十分その業績を反映しているのか？　と考えているときに、必ず少数の誰かが、相場は強気が押しまくっているのか？　とか、弱気が幅をきかせてきたか？　などと聞いてくる。私の答えはいつも決まっていて、「私が昇進するたびに相場は下がっている」と答えることにしているのだが、今度は間髪を入れず、次の私の昇進はいつの予定か？　などと野暮な質問をしてくる人がいる。

はっきりしていることは、株で金儲けをするのに株式市場全体の予測をする必要はないということだ。そうでなければ私は一ドルも儲けられなかっただろう。私もクオートロン（株価表示器）のスクリーンの前で、私の人生を変えるかもしれないひどい下げを事前に予知できずに、為すすべもなく見ていたことが何度かある。一九八七年の夏に、私は自分自身を含めて誰に対しても危ないと警告することはなかったし、一〇〇〇ポイントもの下げを全く見通すことができなかった。

警告できなかったのは私だけではない。実際、みんなで渡れば怖くないというか、私同様に予測できなかった有名な予測の権威や、予言者や、その他多勢のプロたちに囲まれていたのは事実であった。ある有能な予測の専門家は、「予測しなくてはならないのなら、しょっちゅう予測することとさ」と言っていた。

誰も一〇月の大暴落を教えてくれなかったし、事前に予測できたと言っている人たちが、もし事前に売っていたとすれば、もっと早く一〇〇〇ポイントの下げが起きたはずだ。

毎年私は一〇〇〇以上の会社の経営陣と話し、ＦＲＢ（連邦準備理事会）の金融政策を注意して見ているＦＲＢウォッチャーや、金利や金の専門家、新聞によく名が載る評論家たちの話を否が応でも聞くことになる。何千人ものプロが、買われ過ぎや売られ過ぎの指標、テクニカルなチャート分析、オプション取引などの影響、ＦＲＢのマネーサプライ政策、外国からの投資状況、宇宙の星の動き、樫の木の苔の状態などを勉強していながらも、ローマ皇帝にフン族の襲来を警告した者がいなかったのと同様に、誰も継続的に役立つほどの相場予測ができないでいるのだ。

一九七三〜七四年の暴落のときも、誰も予測できなかった。当時私は大学院にいて、株式市場は年間九％上昇すると習ったのに、それ以来上昇率が九％であったことはなかったし、その後も、どの程度上がるかよりも、もっと単純に相場がはたして上がるのか下がるのかを教えてくれる、信頼に足る情報筋さえもいまだに見つからない。大きな変動はいつでも私をびっくりさせ続けている。

株式市場は景気動向とかなり密接な関係にあるので、相場の予測に先立って、インフレやリセッションヨン（景気後退）の傾向、景気のよし悪しや金利動向をまず見極めようとする人々もいる。確かに金利と株式市場の上昇は反比例的に動きやすいが、この金利の動向とても、そう正確には見極められない。米国にはエコノミストが六万人いて、そのほとんどはフルタイムで雇われ、リセッションや金利を予測しようとしているが、もし続けて二度当たったら、もうとうの昔に百万長者になって、カリブ海にでも隠退して、ラムを飲み、カジキマグロでも釣っているはずだ。ところが私の知る限り、ほとんどのエコノミストは今でも給料をもらって働いており、この現状はそのあたりの事情を雄弁に語っていることになる。

たぶん、なかにはよいエコノミストもいるだろう。この本を読んでいるエコノミストがそうだろうし、ラッファー曲線や月の表面などを完全に無視できるＣ・Ｊ・ローレンス社のエド・ハイマンのように、鉄のスクラップの値段や在庫、鉄道車輌の配達状況などを重視するエコノミストはよいほうに属すだろう。私は現実に即した実際的なエコノミストが好きだ。

五年に一回リセッションが来るという説もある。だが現実は必ずしもそうなっていない。私は憲法を調べたが、どこにも五年に一度はリセッションがあるべきだなどと書かれてはいない。もちろん、私はリセッション前に警告を得ることができたら、ポートフォリオをそれなりに調整できるので大いに歓迎するが、まずこの手の予測での勝ち目はゼロだ。ある人たちは、リセッションの終わりや新しい上げ相場の傾向がはっきりするまで待ちの姿勢を決め込むが、問題は、はっきりとベルでも鳴って傾向がわかることなどまずないということだ。前章の繰り返しだが、手遅れになるまで、物事はそれほどはっきりしない。

一九八一年七月から八二年一一月にかけて、約一六カ月間不況が続いた。私の記憶では、このときほど厳しい時期は他になかった。心配屋のプロのなかには、そのうち失業して森に住み、どんぐり集めや、狩りや、魚獲りをしなくてはならなくなるのか、などと思った者もいたほどだった。当時の失業率は一四％で、インフレ率は一五％、プライムレートは二〇％だった。これらの数値を事前に予測して私に教えてくれた人は一人もいなかった。そのくせ、事実が明らかになると、たちまち立ち上がって予測どおりだったなどと言うが、事前にそれを教えてくれた人などいない。

そして、一〇人中八人の投資家が絶対に一九三〇年代のような不況になると言い始めたとたんに、株式市場はそれに復讐するかのように反発し、突然、世の中のすべてが丸く収まってしまった。

一拍遅れの心の準備

現状の経済動向とは別に、どうしても私たちは、将来に起こる事態を考えることよりも、間近に起こったばかりの目先の出来事に気を奪われてしまう。ところが実際に将来に起こることは、今しがた起きたばかりのことと同じとは限らないのである。

一九八七年一〇月一九日の暴落後、人々はまた暴落するのではないかと心配し始めた。実際にはもう暴落は起きてしまい、大きな下げを予想できなかったにもかかわらず、幸い私たちは何とか生き残った。ところが今度は、暴落の再来があるのではないかと怖くなってしまうのである。そして皮肉にも、暴落にやられてもう株には二度とだまされないと手を引いた人は、次に始まった上げ相場に乗り遅れてしまい、またしても株にだまされる結果になっている。

「次回は前回とは違うはずなのに、なぜか前回のためと同じ準備をしてしまう」というよく知られたジョークがある。私はこのことを考えるたびにマヤ族の話を思い出す。

マヤ族の神話によると、地球は四回破壊された。そのたびにマヤ族は悲しい教訓を学び、次はもっとよく準備しようと誓うのに、いつもまた違う災難にやられてしまった。最初は洪水で、生き残った人々は高地に移り、堤防をつくり、壁をめぐらし、家を木の上につくる。しかしこの努力もむなしく、次は火事で破壊された。それでも生き残った人々は木から降り、なるべく森から遠くに逃げ、岩かげに石の家を建てる。ところが、次に来た災害は地震だった。私は四つ目の災害を思い起こせないが(リセッションか何かだろう)、それが何にしろ、マヤ族はまた、次の地震に備えて頑丈な家づくりに忙しく、次の災難にうちのめされるのだ。

二〇〇〇年後の現在でも、私たちは、前から来る災難に備えるために後ろを向くという同じ過ちを繰り返している。前方に何が待っているかを知らなければ、何事も決められないはずである。そう昔のことではないが、人々は石油価格が一バレル五ドルまで下落し、大不況が起こると心配した。ところがその二年前には、同じ人々が、石油価格が一バレル一〇〇ドルまで暴騰してやはり大不況が起こると心配したのである。かつてマネーサプライの伸び率が高すぎるとおびえ、今は伸び率が低すぎると恐れている。また、インフレに備えているうちにいつの間にかリセッションになり、リセッションの終わり頃にリセッション対策を講じたら、今度はインフレになってしまった。

いつか株式市場にも打撃を与えるリセッションがまた来るだろう。この本が出版されるまでにもうリセッションが来ているかもしれないし、あるいは一九九〇年、または一九九四年まで来ないのかもしれない。……え？　私に聞いているの？

カクテル・パーティー理論

もしプロのエコノミストが経済を予測できず、投資のプロが相場を予測できないのなら、アマチュアの投資家はどうすればよいのだろうか？　そこで私のカクテル・パーティー理論はどうだろう。これは私が何年もの間パーティーでパンチボールの前に立ち、周囲の一〇人ほどの人たちが株について話すのを聞いているうちに考えついたものだ。

しばらく冴えない相場が続いたあとに始まった上昇相場が、相場がまだ若く誰も上がる期待を持っていないときは、パーティーでは誰も株の話をしない。人々は私の仕事を聞き、「株式ファンドの運用をしています」と答えると、ちょっとうなずいてサッといなくなってしまう。いなくならないとしても、話題をすぐバスケットボールや、次の選挙や、天候に移す。そのうち近くにいる歯医者に話しかけたりする。

もしパーティーの出席者が、株式ファンドの運用者より歯医者の話を聞きたがったなら、マーケットはそろそろ上がりそうな兆しである。

第二段階は、私が職業を打ち明けると、初対面の人が歯医者の近くに移る前にもう少し長く私のそばにいて、たぶん、株式市場がどんなにリスキーかなどと話してくれる。全体としてはまだ歯医者のほうに人々の関心は高いだろう。この頃、株式市場は第一段階よりたぶん一五％ほど上がっているだろうが、まだ一般の関心は薄い。

株式市場が三〇％上昇した頃が第三段階だ。パーティーの間、ひと晩中、人々は歯医者を無視して私のまわりを離れない。興味津々、ひっきりなしにどの株を買うべきかと聞きたがる。歯医者でさえどの株がよいか知りたがる。パーティーの出席者の大半が株式に投資していて、自分の体験を披露する。

第四段階では、人々はまた私のまわりに群がるが、今度はみんな私にどの株を買うべきかと教えたがる。歯医者でさえ三つや四つのヒントを私にくれ、数日後に彼のお勧め株を新聞で見ると、どの株も上がっているのがわかる。近所の人が私にどれがよいと勧めてくれ、私自身もその教えに従えばよかったと思うようになると、もう完全に相場はピークをうち、下がるしかない状況となっている。

これが私のカクテル・パーティー理論であるが、ただし責任は持てない。いずれにせよ、私は相場予測を信じていないのである。私はよい会社を信頼し、とくにその株価が割安で、業績などファンダメンタルズを十分反映していないものを探している。過去一〇年、ダウ平均一〇〇〇ドルであれ二〇〇〇ドルであれ三〇〇〇ドルであれ関係なく、エイボンやベツレヘム・スチールやゼロックスを買うよりも、マリオット、メルク、マクドナルドなどを買うほうが常によい成績をあげられたはずである。この一〇年、マリオットやメルク、マクドナルドを持っていれば、債券やMMFを買うよりもよい成績だったはずである。

　もし一九二五年に株を買い、一九二九年の大暴落やその後の不況のときもジッと持ち続けていたなら、一九三六年にはは得をして大満足できたはずである（まあ、口で言うほどたやすいことではないが……）。

株式相場とは何か

　株式相場は全くもって不合理な動きをするものである。このことさえ理解してもらえれば、この本は成功だったと言っても過言ではなかろう。もし私の言うことが信じられないなら、せめてウォーレン・バフェットの言うことは信じてもらいたい。彼にすれば「私に関する限り、株式市場は存在しないも同然であり、あれは誰かが愚かなことをするチャンスを与えている場にすぎない」ものなのだそうだ。

　バフェットは自分の会社バークシャー・ハサウェイを驚異的に儲かる会社にした。一九六〇年に一株七ドルだったこの会社の株は、現在四九〇〇ドルである。もし初期に二〇〇〇ドル投資していたなら、実に七〇〇倍の一四〇万ドルになっている。バフェットのすごいところは、株が異常に高すぎると判断したときに、持ち株をすべて売り、かなりの利益を上乗せしたうえでパートナーたちに資金を返したことである。喜んで運用料をまだ払ってくれそうな資金を自発的に返してしまうとは、金融史上たぐいまれなユニークな出来事だったと言えよう。

私としても、もちろん相場や景気の予測をしたいが、それが不可能なので、バフェットと同じで儲かる会社を探すことで満足しているのである。私はひどい相場で儲けたこともあれば、その逆もある。私の一〇倍株《テンバガー》の幾つかは、実にひどい相場のときに急上昇している。タコ・ベルは最近の二回の不況の間に暴騰した。一九八〇年代で、株式市場が下がった年は八一年だけだったが、その年はドレイファスを買う絶好のときだった。二ドルから四〇ドルへと二〇倍も上がったのである。

だから、あなたが確信を持って次の好景気を予測できたとして、それを利用して暴騰する株を買おうと考えたとしても、景気を予測できたことと銘柄選びは全くまた別のことなのである。

もしフロリダの不動産ブームが来るとわかっていても、ラディス社の株に投資していたら九五％も損をしてしまっただろう。コンピュータブームが予期できても、下調べをしないでフォーチュン・システムズを買ったら、一九八三年に二二ドルだった株価が八四年には一ドル八分の七にまで下落したのに引っかかっていたはずだ。一九八〇年代初期の航空業界の追い風が事前にわかっていても、後に農場を買って失敗したピープル・エクスプレスや、放漫経営によって一九八三年の九ドルから八四年の四ドルへと株価が半減したパンナムを選んでいたら、何の意味もなかっただろう。

鉄の復権がわかっていたとしよう。まず鉄鋼株を書き出し、ダーツのボードに張りつけ、矢を投げてＬＴＶに当たったとする。この株は一九八一年から八六年にかけて二六ドル二分の一から一ドル八分の一まで下落してしまった。同じ業種のヌーコアは同じ時期に一〇ドルが五〇ドルに上昇している（実は私もこの時期に両方の銘柄を持っていたのだが、ヌーコアのほうを先に売ってしまい、ＬＴＶを保有し続けた。私もダーツで決めたほうがよかったのかもしれない）。

相場の動向がわかっても、銘柄選択を間違えて損をする可能性が少なくとも半分はあることが、これでわかるだろう。ある朝起きて「今年の相場はよいから株を買おう」と思いたったら、電話を取りはずし、なるべく証券マンに近づかないことを勧める。

何か調べようとするのなら、相場動向ではなく、たとえばタコ・ベルの新製品ブリトー・シュープリームがヒットするかどうかというほうを見極めるべきだ。よい銘柄さえ選べば相場のほうは気にしなくてもよい。

もちろん相場全体が高すぎるケースもあるにはあるが、それを心配してもそう役には立たない。選んだたった一つの銘柄が高すぎないかとか、あなたの投資基準に合わないのではないかというようなことで、十分代替できるポイントなのだ。バフェットがパートナーに資金を返したのは、欲しいと思う株が一つも見当たらなかったからだった。何百もの会社を個別に見て、ただの一つもファンダメンタルズで買えるものが見つからなかったのである。

買いに入る最良のシグナルは、気に入った会社を見つけることがすべてである。よいと思ったら、株を買うのに早すぎるとか遅すぎるなどは関係ない。

第１部のポイント

- プロの技や知恵を過信するな。
- 自分の知っていることを活用しよう。
- ウォール街が気づいていないチャンスを探し、あとでウォール街に実証させる。

- 株式投資を始める前に家を買おう。
- 会社に投資するのであって株価に投資するのではない。
- 短期の株価の変動を無視しよう。
- ありきたりの株で大儲けできる。
- 経済を予測しようとしても無駄なことだ。
- 株式市場の短期の方向性の予測はむなしい。
- 株の長期投資収益はかなりの程度まで予測できる。そしてそれは、債券投資の収益に優る。
- 株を保有し続けるのは、終わりのないスタッド・ポーカーのようなもの。
- 株式投資は誰にでも合うものではないし、合ったとしても人生のすべてを通じて適切だとは言えない。
- アマチュアは地元の企業に関してはプロに優る。
- 何か得意分野をとっかかりにすると、株で儲けやすい。
- 株式市場では、確かな一銘柄はよくわからない一〇銘柄にも優る。

第2部

有望株の探し方

この部で述べることは、主として次の事項についてである。

――自分の得意な知識の生かし方

――自分の持ち株の評価の仕方と六種類の株式から得られる利益の評価の仕方

――有望な会社の特徴

――ぜひとも避けたい会社の特徴

――収益力の重要性

――会社を調べるときのポイント

――企業業績のモニターの仕方

――本当の情報を知る方法

第6章 一〇倍株《テンバガー》をねらえ

テンバガー（一〇倍上がる株）を見つけるには、まず自分の家の近くから始めることだ。裏庭になければ、商店街や、職場である。ダンキン・ドーナツ、ザ・リミテッド、スバル、ドレイファス、マクドナルド、タンブランズ、ペップボーイズなどの例でもわかるように、成功の最初の兆しは地域の至るところで見つけることができるはずだ。ニューイングランドの消防士も、ケンタッキー・フライドチキンの発祥の地オハイオの人も、ピック・アンド・セイブに押しかけた女性たちも、誰もが「こいつはいいぞ、株のほうはどうなっているんだ」と思うチャンスがあったはずだ。それもウォール街の連中が気づくよりずっと前に。

普通、年に二、三回かそれ以上、こうしたチャンスに出くわすものである。ペップボーイズの重役に店員、弁護士に会計士、仕入れ先、広告代理店、看板屋、店舗の建設を請け負った会社、果ては床掃除人までがペップボーイズの成功を見ていた。何千もの潜在的投資家がこの〝切り札〟を持っていたことになる。

また、ペップボーイズの社員のうち、法人保険の担当者は、保険料の値上がりから保険業界の業績好転を知りえたはずだし、保険株に投資することもできたはずだ。ペップボーイズの契約建設会社のスタッフは、セメント価格の上昇からセメント会社の好業績に気づいたかもしれない。

小売店から卸問屋、物をつくる人、売る人、掃除する人、分析する人まで、誰もが無数のチャンスに出会っている。私の属する投資信託業界では、セールスマンから事務員、秘書、アナリスト、会計士、電話交換手、コンピュータの据えつけ係まで、誰もが一九八〇年代初頭に投信会社の株価を高騰させたあの投信ブームを見逃さなかったはずはない。

エクソンの副社長にならなくても、エクソンの繁栄や石油価格の回復がわかったはずだ。沖仲仕、地質学者、掘削人、元売り業者、ガソリンスタンドのオーナーや従業員、はたまたスタンドに立ち寄る客でさえそうだ。

コダック本社に勤めていなくても、日本製の安くて高性能の三五ミリカメラのおかげでフィルムの売上げが伸びているのはわかる。フィルムのセールスマンでも、カメラ店主でも店員でもよい。もしも結婚式専門のカメラマンなら、式に参加した親戚たちが、手に手にカメラを持って仕事の邪魔をすることに気づくだろう。

スティーブン・スピルバーグでなくても、大ヒット作品の連発で、パラマウントかオライオン・ピクチャーの収益が急増するのは察しがつくだろう。俳優、エキストラ、監督、スタントマン、弁護士、メイク係、あるいは六週間ぶっ続けで立ち見の出る地方劇場の案内係でも、オライオンに投資すべきかどうかを考えてみる気になるだろう。

一八万社の中小企業の給料小切手を処理する会社、オートマチック・データ・プロセシングはどうか。これは空前の好機の一例だった。この会社は一九六一年に上場して以来、増益を続けてきた。多くの企業が赤字となった一九八二～八三年の不況期でさえ前年比一一％増だった。オートマチック・データ・プロセシングという名前は、私の避けようとしたハイテク企業のように聞こえるが、実はこれはコンピュータ会社ではない。給料小切手の処理にコンピュータを使うのであって、テクノロジーの利用者こそがハイテクの最大の受益者なのだ。競争によってコンピュータの価格は下がるので、オートマチック・データ社のような会社はより安い設備を買えるため、そのコストは恒常的に下がる。これはすべて利益につながる。

一株六セントで公開されたこの会社の株は、今や四〇ドル――六〇〇倍！――になった。大暴落前には株価は五四ドルに達した。同社の流動資産は負債の二倍で、なお成長を続けている。顧客である一八万社の企業の役員と従業員は、誰もがこの会社の成功を知りえたわけだし、同社の最大最良の顧客は主要証券会社なので、ウォール街の人間の半分もそのなかに入れたはずだ。

胃潰瘍とテンバガー

そんなチャンスに巡り合えるはずはないだって？　あなたが隠退したとして、信号機さえないようなところで、自給自足でテレビもなしに暮らしていても、そのうち医者にかかるはめになるだろう。田舎暮らしで胃潰瘍になったとしたら、それは否応なくスミスクライン・ベックマン社を知ることを意味しよう。

何百人もの医者が、何千人もの患者が、そして何百万人もの患者の友人や親戚が、一九七六年に発売された驚異の薬タガメットのことを聞いたはずだ。薬剤師や配達人も例外ではない。タガメットは患者への福音であったと同時に、投資家にとっての大鉱脈でもあった。

患者にとってよい薬とは、一度使えば完治してしまう薬のことを言うが、投資家にとっては患者が使い続けなければならない薬ということになる。タガメットはまさにこれであった。この薬は素晴らしくよく効き、また使い続けなければならなかったので、メーカーであるスミスクライン・ベックマ

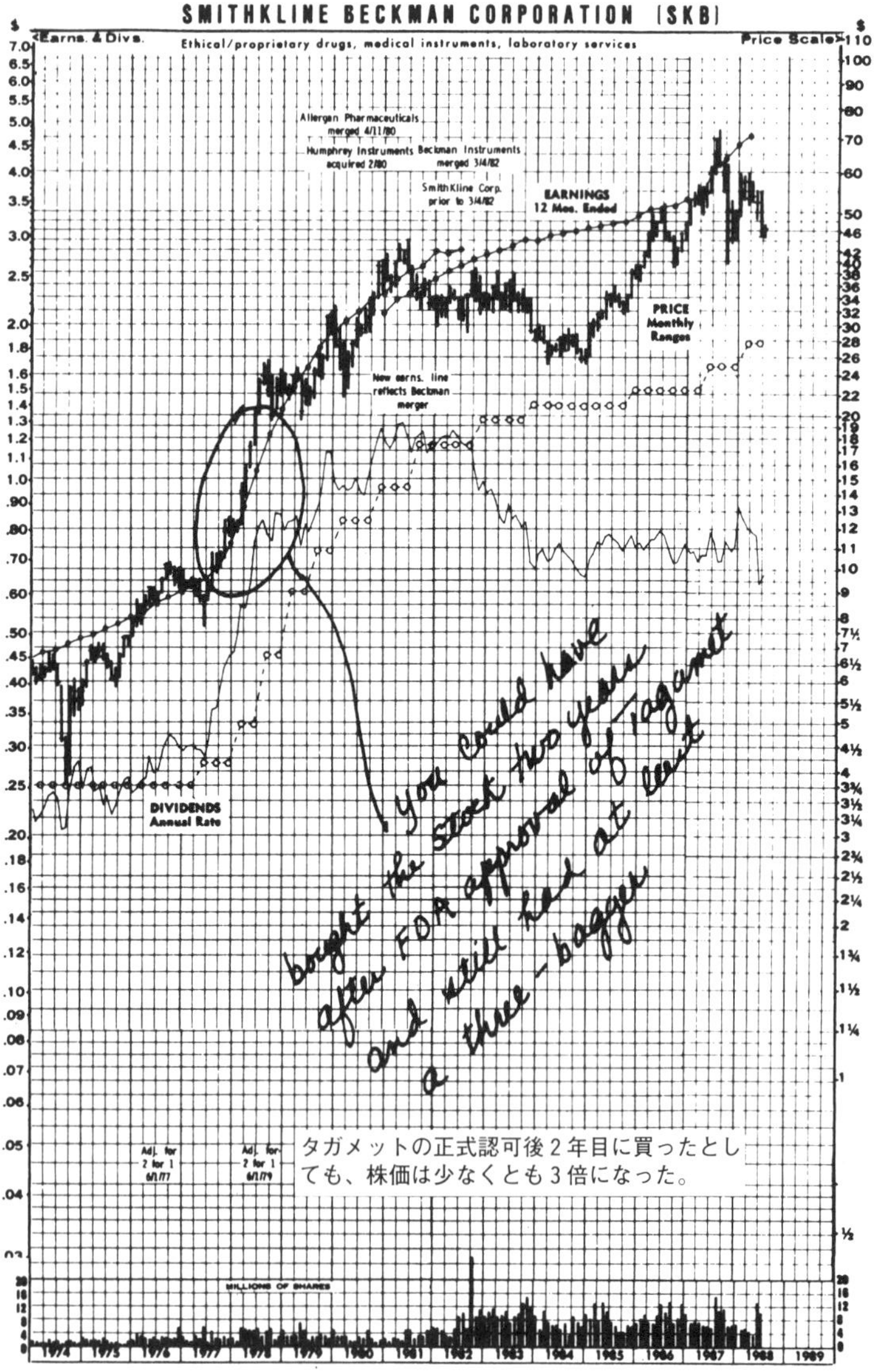

タガメットの正式認可後２年目に買ったとしても、株価は少なくとも３倍になった。

ン社の株主を大いに儲けさせた。主としてタガメットのおかげで、株価は一九七七年の七ドル二分の一から八七年には七二ドルの高値をつけた（チャート参照）。

この薬を使った人も処方した人も、ともにウォール街のプロに大きく先んじて情報を得ていたのだった。もちろん、ウォール街の矛盾だらけのことを言う連中のなかにも、胃潰瘍にかかっていた者がいたはずだ——何しろストレスの多い仕事だから——だが、株価の上昇が始まる前の年だったので、スミスクライン社の名は彼らの買い推奨リストには載っていなかった。薬のテスト期間中の一九七四年から七六年には、株価は四ドルから七ドルへと上昇し、政府の認可の下りた七七年には一一ドル、その後は一気に七二ドルにまで暴騰した。

もしタガメットを逃がしたとしても、グラクソ社とその潰瘍薬ザンタックをねらえたはずだった。ザンタックは一九八〇年代初めにテスト期間を終え、八三年に認可された。ザンタックはタガメット同様好評を博し、グラクソ社も儲けた。八三年半ばのグラクソの株価は七・五〇ドルで、八七年には三〇ドルになった。

タガメットとザンタックを処方した医者が、スミスクラインとグラクソの株を買っただろうか？　たぶんほとんどいないはずである。彼らは石油株にでも集中投資していたはずだ。たぶんユニオン・オイル・オブ・カリフォルニアが買収の対象になっているとでも聞いたかもしれない。一方、ユニオン・オイルの重役たちは、薬品株、とくに人気化したアメリカン・サージェリー・センターズでも買っていた可能性がある。ちなみにこの株は一九八二年に一八・五〇ドルだったのが、五セントにまで落ちた。

一般的に言って、もし医者に質問すれば、医療関連株より石油株のほうにはるかに多くの投資をしていたことがわかる。靴屋の店主は製靴会社の株より航空宇宙株に、航空宇宙関連企業に働く技師は逆に製靴会社の株のほうに投資している。どうしていつも隣の芝生のほうが青く見えるのか、私にはわからない。

たぶん、有望株を見つけることはとんでもなく難しいと、人々が頭から思い込んでいるからなのだろう。だから、処方薬について知り尽くしている医者が、かえって何も知らない石油サービス会社、たとえばシュルンベルジェに投資したがるのだろう。一方、シュルンベルジェのマネジャーはジョンソン・アンド・ジョンソンやアメリカン・ホーム・プロダクツの株を持っているのである。

実際その会社について全く知らなくても、株価が上がることもあるのは確かである。しかし、二つの重要なポイントがある。①石油専門家は医者よりもシュルンベルジェ株の売買にとって有利なはずだ。②医者は石油専門家よりよい薬について知っているはずだ。結局、ある方面の知識を持っている者は、いつでもそれ以外の人々より有利な立場にあるわけである。

スミスクラインの株を証券会社の勧めで買った石油関係者は、株価が四〇%下がってから初めてタガメットが他の潰瘍薬にとって代わられたという事実を知るのである。一方、石油関係者こそは油井の活動の活発化、つまりシュルンベルジェ株の出直りのヒントをまっ先につかんでいたはずだろう。自分の知らない株を買って幸運にも儲かる人もいるかもしれない。だがそれはマラソンの選手がその名声をボブスレーに賭けようと考えるのと同様に、あえて自らハンディキャップを負うようなものである。

二つの優位性

今までは、石油会社の重役の専門知識と、ペップボーイズのレジに並んだ買い物客の知識を一線に並べてきたが、もちろんこの二つは全く違った知識である。一方はある業界についての専門知識であり、もう一方は、買い物客が好ましく思う商品についての知識である。いずれもが違った形で役に立つ知識である。

専門知識は、とくに景気循環株をいつ買えばよいのかを知るのに役立つ。化学業界にいれば、塩化ビニールの需要が上向いて価格が上がり、在庫の減ることが最初にわかるだろう。さらに、他の競争相手がまだ参入しておらず、また仮に新しく工場を建てるにしても二〜三年はかかることも知っているだろう。つまり、既存の会社はこれによって大きな利益が出せるということである。

もしグッドイヤー・タイヤの販売店なら、三年間の停滞のあと、突然さばき切れないほどの注文がくるようなことになれば、これはグッドイヤー株が上がることを教えてもらったようなものである。グッドイヤーの新しい高性能タイヤが優秀なことを知っているはずだからだ。それなら証券会社がワング・ラボラトリーズ株について電話をしてくるのを待つなんてことをせずに、こちらから電話してグッドイヤーについての最新情報を求めるべきである。

コンピュータ関連業界で働いているのでない限り、ワングのチップが何になるだろう。他の何千人もの人々が知らない何かいいネタを知っていると言えるだろうか。言えないとすれば、ワング社について他人より有利な知識を持っていることにはならない。だがタイヤについてなら違う。こうして製造業の川上から川下まで、物をつくり、売る人々は無数の投資機会に恵まれている。

サービス業でも、損害保険業でも、また出版業でも、業績の変化を知ることができるという点で同じことが言えよう。どの製品を扱っても、不足と過剰、価格変動、需要動向はわかる。自動車産業の場合、一〇日ごとに販売動向が公開されるので、そうした情報はあまり役に立たない。ウォール街は自動車産業にとらわれ過ぎである。しかしほとんどの場合、アマチュアの観察で、アナリストの見つける六～一二カ月前に変化を見出すことができる。これは収益性向上を予測するうえでたいへんな優位に立つことになる。そして収益性こそが株価上昇の鍵なのである。

販売動向の変化に限らない。たとえば、ある会社がバランスシートに現われない巨大な含み資産を抱えていることを知っていれば、それはたいへんなことだ。不動産業で働いていたとして、あるデパートがアトランタ市中心部に保有している四区画が、南北戦争前の簿価で評価されているのを知っていたとしよう。これこそまさに含み資産なのである。金、石油、森林資源、放送などでも同様のことがあるだろう。

ストアラー・コミュニケーションズとその関連会社の何千人もの従業員と、ケーブルテレビ局に働く無数の人々は、ストアラーの資産が一株当たり一〇〇ドルもあるのに株価は三〇ドルでしかなかったことを知るチャンスがあった。重役は知っていたし、番組編成者やカメラマン、ケーブルの配線工でさえ知ることができたはずだ。その誰にせよ、ストアラー株を、三〇ドルか、三五ドルか、四〇ドルか、五〇ドルかで買ってウォール街の専門家が気づくまで待っていればよかったのだ。案の定、一九八五年に、同社は一株九三ドル八分の五で買収された――しかもこれさえも現在から見ればバーゲン価格であった。

ある業界についての知識が有望株を見つけるのにどれほど役立つか、いくらでも書くことができるが、そのほかに一般消費者の知識がある。これは、急成長する新興の中小企業、とくに小売業のなかから有望株を拾い出すのに役立つ。どちらの知識を使うにせよ、素晴らしいのは、ウォール街に先んじて有望銘柄を見つけ出す自分自身のシステムをつくることができる点である。

私自身の優位性

金融サービスと投資信託のブームのさなか、フィデリティのオフィスにいた私ほど有利であった者が他にいたであろうか。これは私にとってペブルビーチで儲け損ねた分を取り戻すチャンスだったのである。ゴルフやセーリングは私の夏の遊びなので、ペブルビーチを逃がしたことは許されるだろうが、投資信託となれば私の日常業務である。

私はもうこの仕事を二〇年近くやっている。主な金融サービス会社の役員たちの半数は知っているし、日々の株価動向を追いかけているので、ウォール街のアナリストより何カ月も前に重要なトレンドを知ることができる。一九八〇年代初めのブームで儲けるのに、これ以上都合のよい立場にいた者はいなかったに違いない。

投資信託の目論見書を印刷する係は、ものすごい勢いで投信の受益者数が増えるのを見たはずである。国中で投信を売りまくったセールスマンたちも知っていたはずである。フェデレイテッド、フランクリン、ドレイファス、そしてフィデリティのオフィスが急拡大するのをメインテナンス業者も見ていただろう。投信販売会社は空前の繁栄を経験していた。まさに投信ブームの到来であった。

フィデリティは非公開であり投資対象にならなかったが、ドレイファスはどうか。チャートはどうなっていたか。一九七七年に一株四〇セントだった株価は八六年には四〇ドル近くになり、九年間で一〇〇倍だ。しかもこれは株式市場全体はまるで冴えなかった時期のことである。フランクリンは一三八倍、フェデレイテッドはエトナに買収されるまでに五〇倍に上がっていた。私自身はこれらのことを誰よりもよく知っていた。ドレイファスのことも、フランクリンのことも、フェデレイテッドの

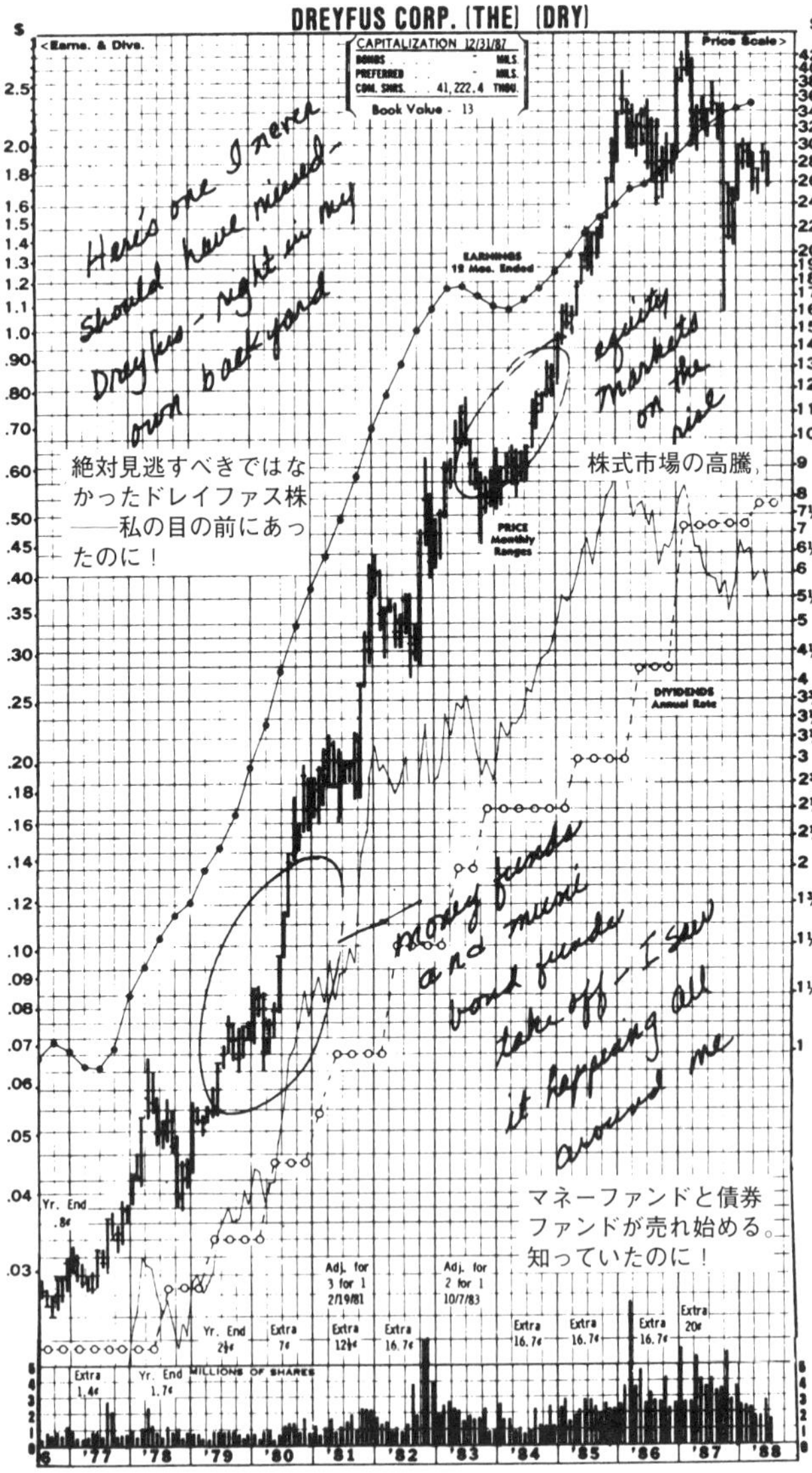
DREYFUS CORP. (THE) (DRY)
<Earns. & Divs.
Price Scale>
CAPITALIZATION 12/31/87
BONDS MILS.
PREFERRED MILS.
COM. SHRS. 41,222.4 THOU.
Book Value 13
Here's one I never should have missed—Dreyfus—right in my own backyard
絶対見逃すべきではなかったドレイファス株——私の目の前にあったのに！
EARNINGS 12 Mos. Ended
equity markets on the rise
株式市場の高騰
PRICE Monthly Ranges
DIVIDENDS Annual Rate
money funds and muni bond funds take off—I saw it happening all around me
マネーファンドと債券ファンドが売れ始める。知っていたのに！
Yr. End .8¢
Adj. for 3 for 1 2/19/81
Adj. for 2 for 1 10/7/83
Yr. End 2½¢
Extra 7¢
Extra 12½¢
Extra 16.7¢
Extra 20¢
Extra 1.4¢
Yr. End 1.7¢
MILLIONS OF SHARES
'77 '78 '79 '80 '81 '82 '83 '84 '85 '86 '87 '88

ことも、始めから終わりまで！　すべてうまくいっており、収益もよく、株価の騰勢も明らかであった（チャート参照）。

これで私がどれだけ儲けたかって？　答えはゼロ。ドレイファスも、フェデレイテッドもフランクリンも買わなかった。完全にチャンスを逃がしたうえ、手遅れになるまでそれに気づきもしなかったのである。ちょうど医者の投資家のように、ユニオン・オイル・オブ・カリフォルニア株のことを考えるのに忙しかったのだろう。

ドレイファスのチャートを見るたびに、私が読者に説き続けてきたアドバイスを思い出す——知っているものに投資すべきであると。二度とこういうチャンスを逃がすべきではない。私は一九八七年の大暴落のときには、ドレイファスの二度目のチャンスを逃がしはしなかった。

第7章 ついに見つけたぞ！ 何を？

オフィスか商店街で見たり、食べたり、買ったり、証券会社や義母から聞いたり、あるいはアイバン・ボウスキーの担当検事から聞いたりしてある株に目をつけたとしよう。しかし、それがただちに買いのシグナルだというわけではない。ダンキン・ドーナツの店がいつも混んでいるからとか、レイノルズ・メタルがアルミ受注に応じ切れないでいるからというのも、同じことだ。それだけではまだ、やっと手がかりをつかんだというだけにすぎない。

実際、最初につかんだ情報は、それをどこから得たにせよ、鵜呑みにして信じてはいけない。さもないと、自分の気に入ったものを見つけたからとか、「金持ちのハリーおじさんが買ったんだから何かあるに違いない」とか、「ハリーおじさんが以前勧めた株は倍になったから買うべきだ」といった理由で株を買うことになってしまう。

ここから先に進むのは難しくない。少なくとも何時間かあればよい。これからの数章で、どのように進めばよいのか、どこで一番有利な情報が得られるのかについて述べよう。

この準備段階こそは、相場の短期的変動に惑わされないことと同様に重要な成功への鍵である。たぶん、これから述べる調査というものなしに、株で儲ける人もいるだろう。だが、できることはしておくべきである。**調査なしの投資は、カードを見ずにポーカーをするようなものだ。**

証券分析に関するすべてが専門的、技術的に過ぎると思われているせいか、通常は用心深い人も、ついほんの気まぐれで一生の蓄えを投資してしまうということになりがちである。ロンドン行きの一番安い航空券を探すために週末を費やす人が、ＫＬＭ航空を五〇〇株買うときにはその会社について五分とは調べない。

ハンズツース夫妻の例に戻ろう。自分たちが賢い消費者だと思っている二人は、枕カバーのラベルまで読む。洗剤を買うときは値段と目方をよく調べる。電球に至ってはワット当たりの明るさまで計算するのだが、ハンズツース氏の株式市場での失敗のおかげで貯えは減るばかりである。

ハンズツース氏が安楽椅子に腰をかけて、大手五社のトイレットペーパーの厚さと吸収性についての『コンシューマー・レポート』誌の記事を読んでいる。彼はチャーミンのペーパーに替えるべきかどうかを検討しているのである。しかし、そのチャーミンを製造しているプロクター・アンド・ギャンブルの株に五〇〇〇ドルを投資するときに、同社の年次報告書を同じだけの時間をかけて読むだろうか？　もちろんそうはしない。まず株を買ってしまい、後で送られてきた年次報告書はゴミ箱行きとなる。

このチャーミン症候群はよくある病気だが、すぐに治せる。株を買うときに、雑貨を買うときと同じくらいの努力をすればよいのである。すでに株を持っていたとしても、その株が思いどおりに上がりえない可能性があるのかを調べてみる価値はある。株にはいろいろな種類があって、それぞれ違う値動きをするからである。まず、幾つかの分類から始めなければならない。

収益とは

プロクター・アンド・ギャンブルがこのよい例である。一九七〇年代で最も利益の出た二つの新製品のうちの一つがレッグスだったと先に述べたが、他の一つはパンパースであった。友人か親戚に赤ん坊がいたなら、パンパースがどれほどの人気だったかわかるし、パンパースの箱にはプロクター・アンド・ギャンブルの名があったはずである。

しかし、パンパースの好調だけで株を買ってしまうべきだったろうか？　よく考えてみよう。プロクター・アンド・ギャンブルが巨大企業であり、パンパースの貢献は全体の収益から見れば小さなものであることにすぐ気づくだろう。プロクター・アンド・ギャンブルにとってのパンパースは、ヘインズのような小さな会社にとってのレッグスほど大きな影響を受ける製品ではなかったのである。

もしも、ある製品の好調さを理由にその会社の株に投資しようと考えているのであれば、その製品の成功がどれほどその会社の収益に寄与するのかを調べるのが先決である。一九八八年二月、投資家はジョンソン・アンド・ジョンソンの製品、スキンクリームのレチン・Aに熱狂した。このクリームは一九七一年以来ニキビ薬として販売されてきたが、最近の研究で、これが日焼けによるシミに有効だとわかった。新聞は早速これを取り上げて、老化防止薬とかシワとり薬といった見出しで書きたてたのだ。読者はジョンソン・アンド・ジョンソンが若さの泉を発見したと思ったことだろう。

その結果は？　同社の株価は二日間（一九八八年四月二一〜二二日）で八ドル上昇し、時価総額は一四億ドル増えた。レチン・Aの前年度売上げは三〇〇〇万ドルにすぎず、この新しい効能はまだFDA（連邦食品医薬品局）の認可を受けていないことを、投資家たちはすっかり忘れて大騒ぎしていたのである。

同じ頃に起きたもう一つのケースでは、彼らは冷静に振る舞った。アスピリンを一日おきに服用すると、男性の心臓発作の危険性を低下できるという研究が発表された。この研究にはブリストルマイヤーズ社のバファリンが使われたが、同社の株はわずかに五〇セント上がって四二ドル八分の七になっただけだった。多くの人が、家庭用バファリンの昨年度売上げが七五〇〇万ドルで、これがブリストルマイヤーズ社の総売上高五三億ドルの一・五％以下であることを知っていたのであろう。

バイエル・アスピリンの製造元であるスターリング・ドラッグ（後にイーストマン・コダックが買収）のほうが少しはましな例であろう。スターリング社のアスピリン売上げは総売上高の六・五％だが、利益では一五％を占め、最も収益性の高い製品となっているからである。

大きな会社、小さな動き

会社の規模は株価の動きに大いに影響する。あなたが株を買った会社はどのくらいのサイズなのか？　会社の製品が特殊な場合を除き、大きな会社の株はあまり値動きがない。ときには大きく動くこともあるが、やはり小さい会社の株のほうが大きな動きを見せる。コカ・コーラに投資した資金が二年間で四倍になるとは思えない。タイミングよく買えば六年間で三倍になるかもしれないが、二年で大当たりがとれることはない。

プロクター・アンド・ギャンブルもコカ・コーラも悪い株ではないし、最近は株価も順調に推移している。しかし、大会社であるから、望めることには限りがある。

しかし、時として一連の不運から大会社が窮地に陥ることがあり、そこから回復するときには株価が大きく動く。クライスラーも、フォードも、ベツレヘム・スチールの場合もそうであった。バーリントン・ノーザンの業績が不振になったとき、株価は一二ドルから六ドルへと落ちたあと、七〇ドルに戻した。しかしこれは例外的なケースである。通常、クライスラーやバーリントン・ノーザン、デュポンやダウ・ケミカル、プロクター・アンド・ギャンブルやコカ・コーラのような巨大企業の場合、一〇倍株《テンバガー》になるほどの急速な成長は望めない。

ゼネラル・エレクトリック（GE）が近い将来に二倍から三倍の規模になることは、数字のうえでも不可能である。GEがどれほど大きいかというと、その売上高がアメリカ合衆国のGNPのほぼ一%に達しているのである。あなたが一ドル使うごとにGEが一セントを手にするようなものだ。つまり、米国の消費者が毎年支出する何兆ドルものお金のうち、一ドルにつき一セントがGEの供給する製品やサービス（電球、電気製品、保険、NBC放送など）への支払いに向けられるというわけである。

この会社のしてきたことは何一つ間違っていない。意味のある買収を行ない、新製品開発には成功し、コストを削減し、駄目な子会社を切り、コンピュータ・ビジネスに引き込まれるのを避け、それでも株価はほとんど動かなかった。GEが悪いのではない。巨大な企業であるがゆえに、株価の動きは鈍いのである。

GEの発行済株式数は九億株、時価総額は三九〇億ドル。年間の利益は三〇億ドルを超え、この利益の数字だけでも『フォーチュン』五〇〇社番付に入る会社の売上げの数字に匹敵するほどのものだ。全世界でも買収しないことにはGEの急成長は望めない。急成長こそが株価を押し上げる要因なのだから、ラ・キンタが高騰したようにはGEの株価は動かない。

他の条件が同じとすれば、小さい会社ほど株価がよく動く。この一〇年間で、小売業ならシアーズよりピック・セイブの株のほうがより多く儲けるチャンスがあっただろう。ウェイスト・マネジメントは巨大な複合企業なので、廃棄物処理の分野では、たぶん株価的には遅れるだろう。最近活況を取り戻した製鉄業では、USスチール（現在はUSX）の株主より、小さなヌーコアの株主のほうが儲かっただろう。製薬業界では、より小さなスミスクライン・ベックマンのほうが、大会社のアメリカン・ホーム・プロダクツより株価の動きはよかった。

六つの分類

これまで、各業界における会社の規模による位置づけによって株価の動きを考えてきたが、次には六つの一般的な分類のなかで各企業の株価の動きをとらえることにしよう。すなわち、低成長株、優良株、急成長株、市況関連株、業績回復株、資産株の六つである。もちろん証券会社の数と同じくらい多くの分類法があるが、私の経験から、一般投資家にとっては以上の六つの分類でこと足りるということがわかっている。

国にGNPの成長率があると同様に、各産業や個々の会社にも成長率がある。いずれの場合も、成長とは去年より今年のほうがより多くのことを行なうこと、たとえばより多くの車をつくり、より多くの靴を磨き、より多くのハンバーガーを売ることを意味する。

ある産業の成長は、無数のチャート、表、比較表といったもので知ることができる。個々の会社については、成長を測る方法がいろいろあるので、少し違う。売上げ、営業利益、純利益の成長などなど。しかし成長会社といえば、販売、生産、利益の増加が毎年続く、業績拡大中の企業ということだろう。

個々の会社の成長の度合いは経済一般の成長に照らして測られる。低成長会社とは、まさにゆっくり成長する会社のことで、ここしばらく年率三％で成長している米国のGNPと同程度の成長率を持つ会社を言う。急成長会社とは、年率二〇〜三〇％も伸びるような会社で、株価のほうも最も大きく動く。

この六つの分類のうち、三つまでが成長に関係している。成長株としては、低成長会社、中成長会社（優良会社）、急成長会社（一番の注目株）の株がある。

低成長株

大きくて古い会社は、通常GNPより少し大きい成長率を示す。これら低成長株も初めからそうだったのではなく、最初は急成長株だったものが、限界に達したか、努力をやめたかでついに停滞してしまったものである。ある産業が停滞するときには、その産業に属するほとんどの会社がやはり勢いを失うことになる。

今日、電力会社は最もよく知られている低成長株であるが、一九五〇年代から一九六〇年代を通じてGNP成長率の二倍以上の成長を遂げた、一時はたいへんな有望株だったのである。セントラル冷暖房が普及し、大きな冷蔵庫が売れた結果、電力使用量は急増し、とくにサンベルト地帯の電力会社は二ケタ成長を享受した。一九七〇年代に入って電力コストが上昇するにしたがって、消費者が電気の節約を始めたので、電力会社の成長は鈍化した。

人気を集めた急成長産業も、遅かれ早かれ成長率が鈍化して低成長産業となるが、多くのアナリストや予言者たちはこれにだまされる。物事が変わらないなどということはありえないのに、そう考えるのである。アルミ産業の急成長により、アルコアが今日のアップル・コンピュータと同じような急

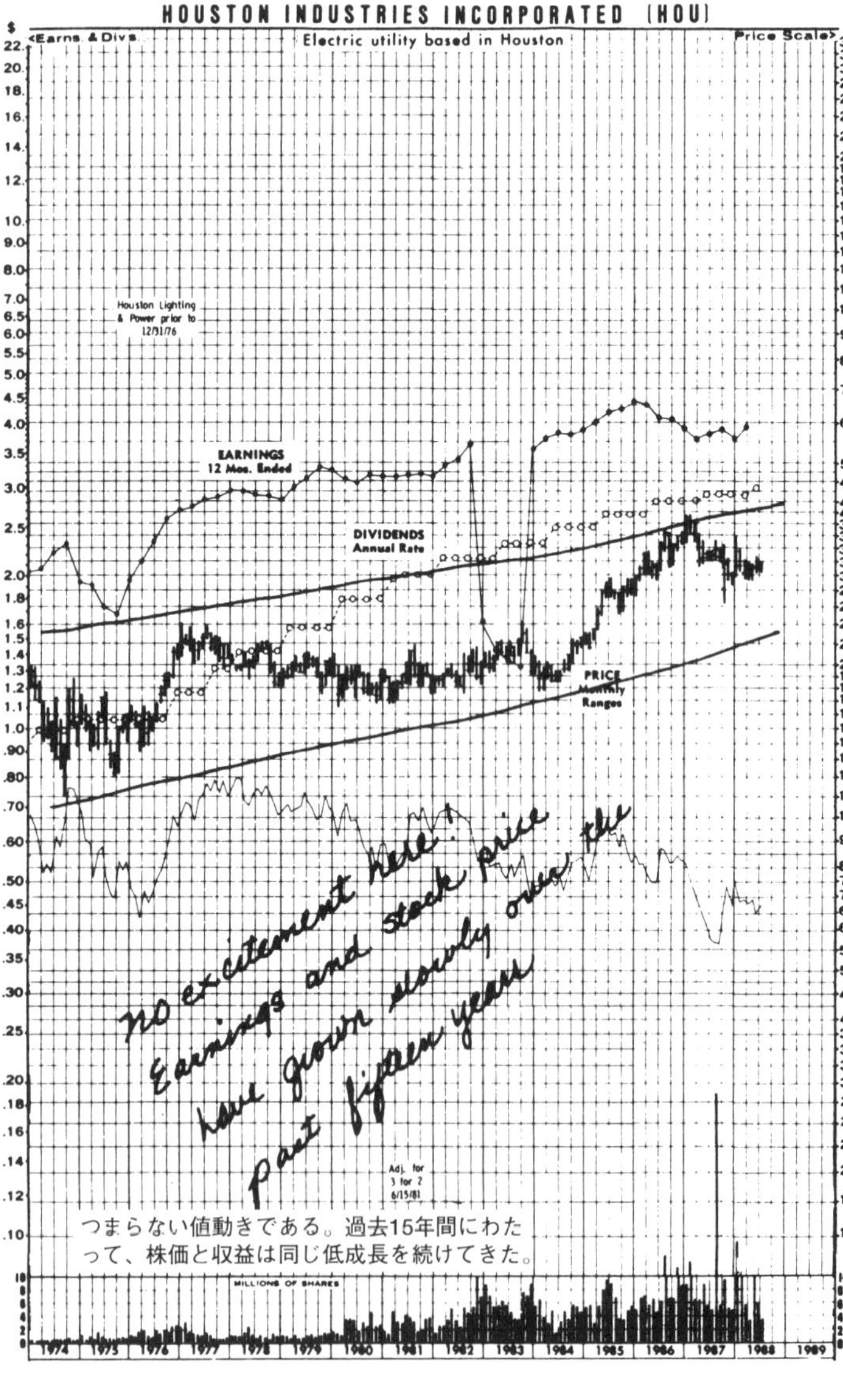

つまらない値動きである。過去15年間にわたって、株価と収益は同じ低成長を続けてきた。

成長株だと思われていたことがあった。また一九二〇年代には鉄道が急成長株であり、ウォルター・クライスラーが鉄道会社から転じて自動車会社を始めたとき、彼は収入の大幅減を覚悟しなければならなかったそうだ。「クライスラーさん、ここは鉄道会社じゃないんですよ」というのが世の大勢だった。

しかしそれから自動車は急成長産業となり、鉄、化学、電力、そしてコンピュータと続いた。今日ではコンピュータさえ――少なくともメインフレームとミニコンは――スローダウンしている。IBMやデジタルは明日の低成長会社であろう。

株価チャートを見れば低成長株は簡単に見つかる。ヒューストン・インダストリーズのような低成長株のチャートはデラウェア州の地形図に似ている。つまり、山が全然見当たらない（チャート参照）。これと比べればウォルマートのチャートはロケット打ち上げさながらで、低成長株ではないことがわかるだろう。

低成長株のもう一つの特徴は、配当が高く安定していることである。事業拡張の余地がなくなったとき、金の使い道がなくなると高配当が行なわれるものだ。一般的には、会社の経営陣は単に配当を増やすより、事業拡張を行なうほうを選ぶはずである。それが常に彼らの評価を高めるもとになるものであり、思考力も何も要せずただ機械的に行なう配当支払いとは違うからである。もちろん、高配当を払うということが間違いというのではない。それが最善の利益処分になる場合も多いのは確かである。

私のファンドのなかには二～四％程度の低成長しか見込めない会社の株はあまり組み込まれていない。株価のほうの成長も期待できないからである。

優良株

コカ・コーラ、ブリストルマイヤーズ、プロクター・アンド・ギャンブル、地域ベル各社、ハーシー、ラルストン・ピュリナ、コルゲート・パーモリーブなどがその代表的な例である。これらの巨人企業は身軽ではないものの、低成長株を上回る成長をする。プロクター・アンド・ギャンブルの株価チャートを見れば、デラウェア州ほど平らでもなく、またエベレストほど急峻でもない。優良株については年率一〇〜一二％程度の成長が期待できる。

買うタイミングと株価水準にもよるが、優良株への投資からはかなりの利益が期待できる。プロクター・アンド・ギャンブルのチャートを見れば、一九八〇年代を通して株価が順調に推移したのがわかる。しかし、もし一九六三年に買っていたとすれば、たった四倍になったにすぎない。二五年も株を抱えて、やっとその程度のリターンなら、債券でも買った場合と大差はない。

誰かが、株で二倍、三倍の儲けを出したと自慢していたなら、「どれだけの期間持っていたんですか?」と聞くべきだ。往々にして、長く持つリスクを正当化するほどの利益は出ていないものである。

一九八〇年以来、優良株の株価は順調であったが、ずば抜けていたわけではない。ほとんどが巨大会社で、ブリストルマイヤーズやコカ・コーラが一〇倍株《テンバガー》とはなりにくい。だからブリストルマイヤーズ株を持っていて、一〜二年のうちに五〇％も上がったら、そろそろ売りどきを考えるべきだろう。コルゲート・パーモリーブ株からどのくらい儲けられると考えられるだろう。よほどのすごい材料でもない限り、スバルの株主のような億万長者にはなれないはずだ。

通常、コルゲート・パーモリーブ株で、一年間に五〇％とれれば最高だ。ショウニーズやサービス・コーポレーション・インターナショナルと違って、優良株では、より早めに利食う必要があるだろう。私自身が優良株を買う場合、だいたい三〇〜五〇％の儲けで利食って、次のまだ値上がりしていない株に移る。

優良株は不況時にも強いので、いつも私のポートフォリオには組み入れられている。一九八一～八二年に、経済が悪化して株式市場も下落したとき、ブリストルマイヤーズ株は横這いにとどまっていた。どの株もすべて大幅に下落した七三～七四年の証券不況時にはさすがにブリストルマイヤーズ株も下げたが、それまで買われ過ぎだったということもある。一般に、ブリストルマイヤーズ、ケロッグ、コカ・コーラ、スリーエム、ラルストン・ピュリナ、プロクター・アンド・ギャンブルなどは市場が悪いときには頼もしい銘柄である。倒産などしないし、すぐによい評価を取り戻して株価も回復する。

ブリストルマイヤーズが減益になったのは二〇年間でたった一度、ケロッグは三〇年間で一度もない。だからケロッグは不況も乗り越えられるのである。どんなに状況が悪くなっても、人々はコーンフレークを食べ続ける。旅行の回数を減らし、新車の購入を延期し、衣服の購入を減らし、レストランでロブスターを注文することを減らしても、コーンフレークは変わりなく食べるだろう。ロブスターの埋め合わせに、もっとコーンフレークを食べるかもしれない。

不況でもドッグフードを買う量は減らないだろうから、ラルストン・ピュリナは安全な投資となる。実際、この原稿を書いている今でも、私の同僚は来るべき不景気に備えてケロッグやラルストン・ピュリナに飛びついている。

急成長株

私の個人的な好みは、年に二〇～二五％の成長を遂げ、うまくすれば株価は一〇倍から四〇倍、あるいは二〇〇倍にもなりそうな積極性のある小企業である。少額の資金のポートフォリオなら、これ

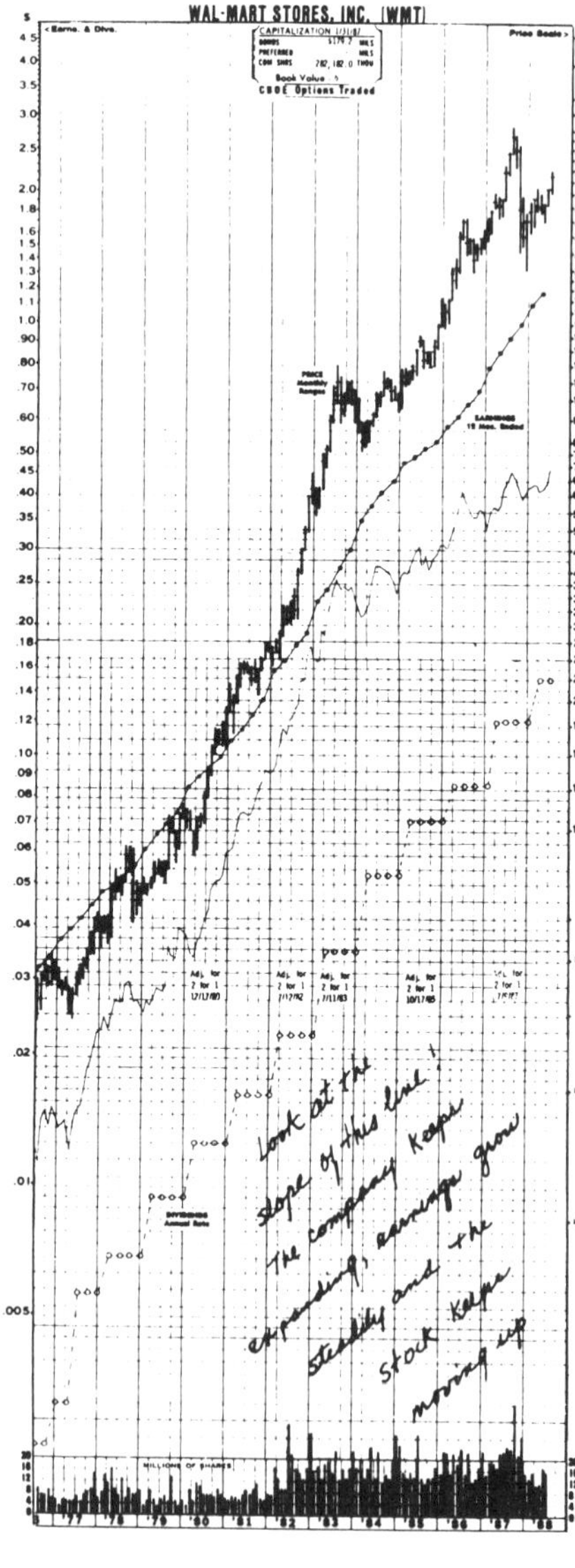

ライン の急なこと！
この会社は拡大を続け、
収益も着実に成長し、
株価も上昇を続けている。

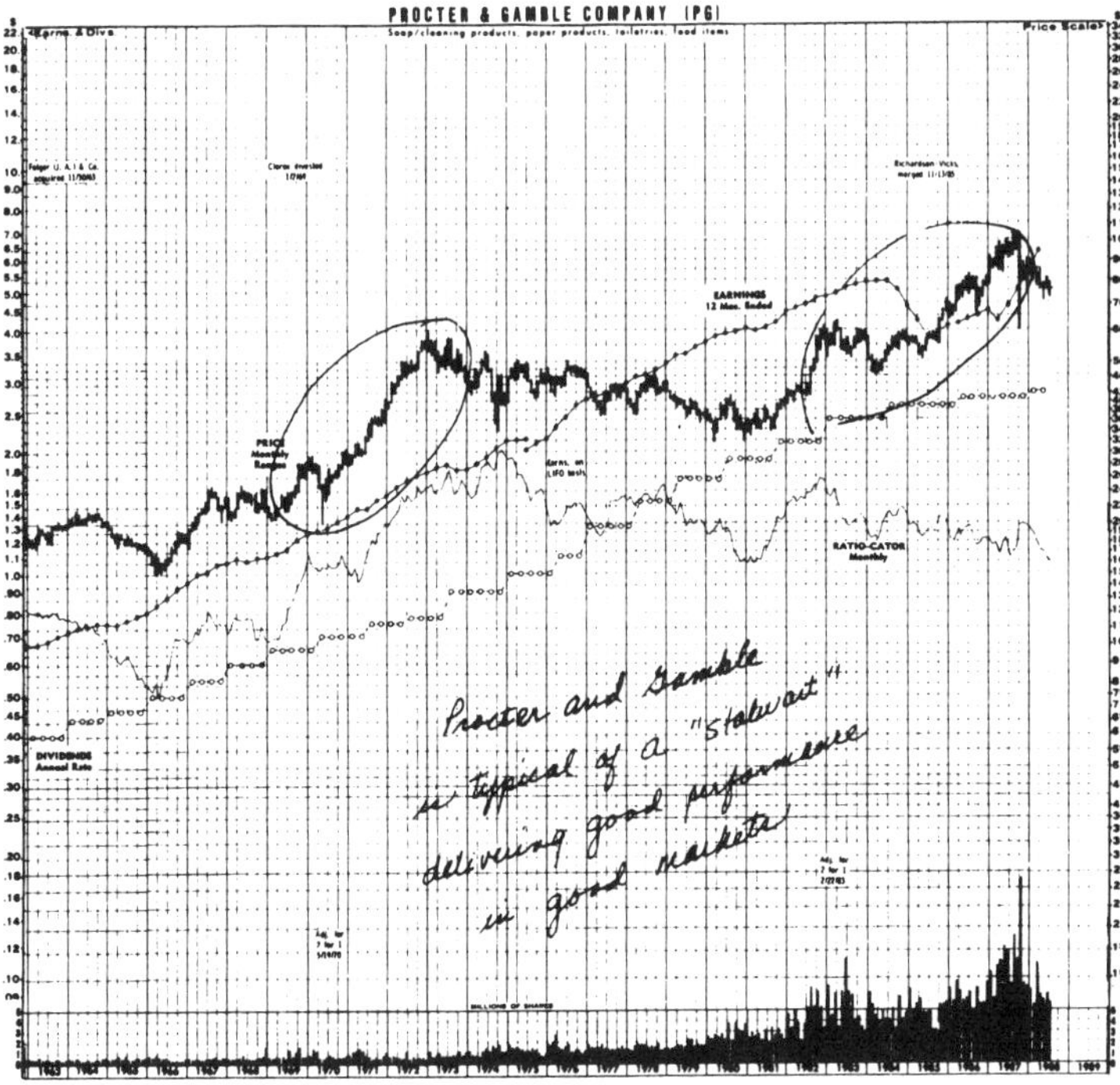

プロクター・アンド・ギャンブルは典型的な
優良株で上昇相場では大きく伸びる。

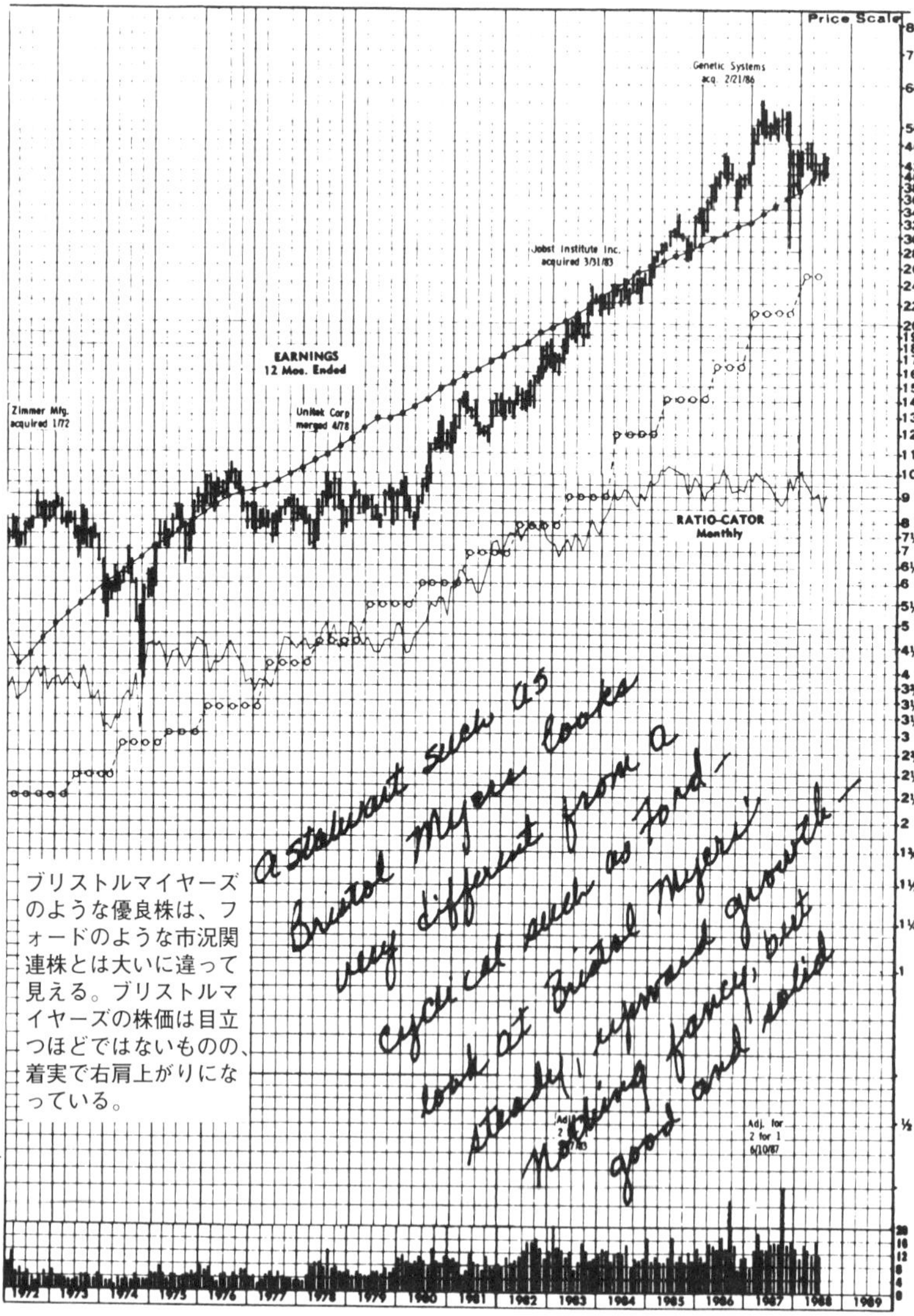

ブリストルマイヤーズのような優良株は、フォードのような市況関連株とは大いに違って見える。ブリストルマイヤーズの株価は目立つほどではないものの、着実で右肩上がりになっている。

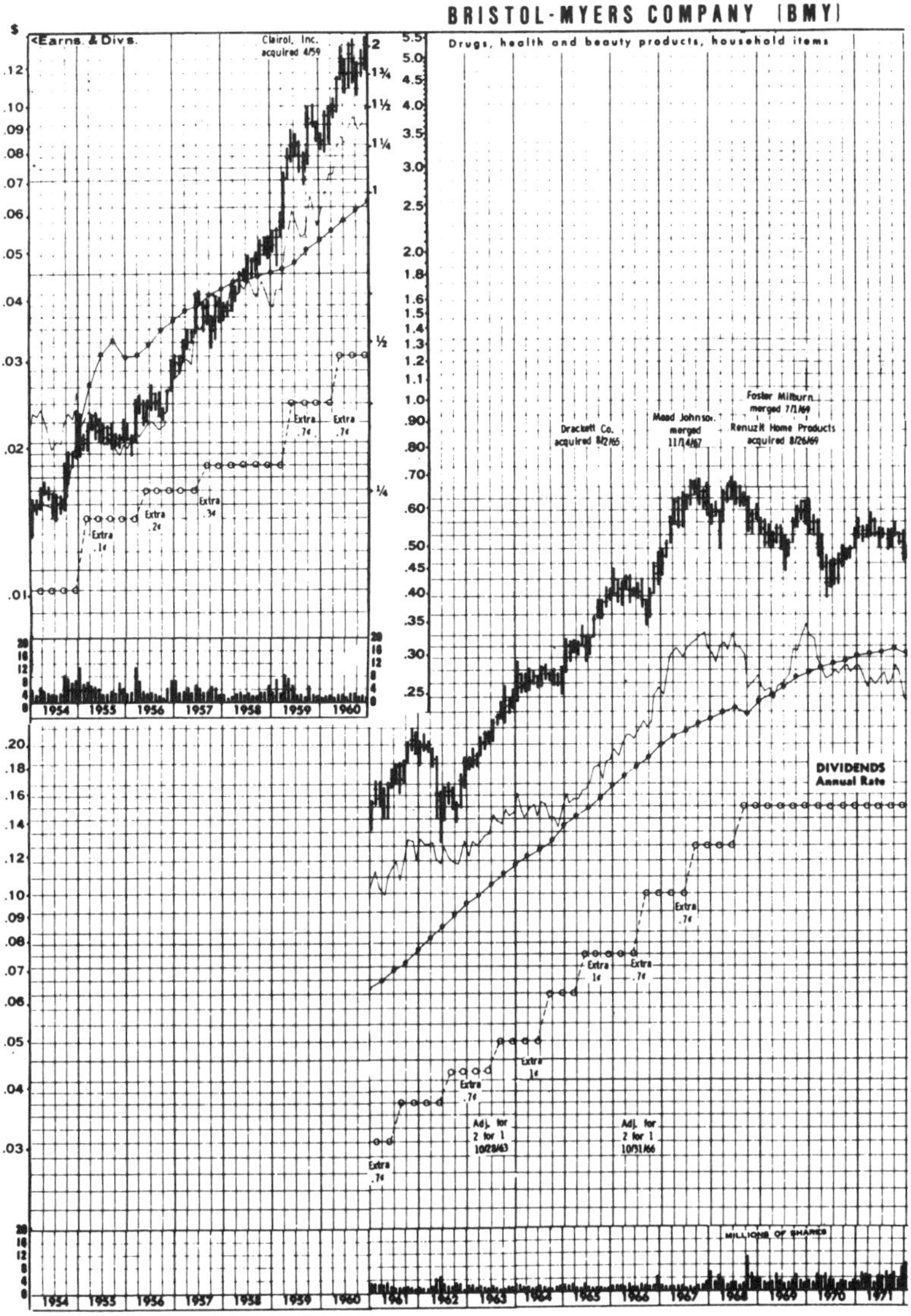
BRISTOL-MYERS COMPANY (BMY)
Drugs, health and beauty products, household items
<Earns. & Divs.
Clairol, Inc. acquired 4/59
Drackett Co. acquired 8/2/65
Mead Johnson merged 11/14/67
Foster Milburn merged 7/1/69
Renuzit Home Products acquired 8/26/69
DIVIDENDS Annual Rate
Adj. for 2 for 1 10/28/63
Adj. for 2 for 1 10/31/66
MILLIONS OF SHARES
1954 1955 1956 1957 1958 1959 1960 1961 1962 1963 1964 1965 1966 1967 1968 1969 1970 1971

が一つか二つあれば大きな名声を得られるだろう。

急成長株が急成長産業のなかにあるとは限らない。実際、第8章で述べるように、そうでないほうが多い。低成長産業のなかにも拡大の余地はある。ビール業界は低成長産業であるが、アンハイザーブッシュはマーケットシェアを奪い、ビール愛好家を他のブランドから転向させて急成長を続けている。ホテル業界は年にわずか二%成長の業界であるが、マリオットはマーケットを拡大し続けて、この一〇年間にわたり二〇%の成長を遂げた。

同様のことがファーストフード業界のタコ・ベルでも、百貨店業界のウォルマートでも、衣料小売業界のGapでも起こった。これらの新興企業は、ある場所で成功した方法を次々に新しい店舗に応用していった。新しい市場への拡大は収益の驚異的増加を生み、株価をはるかな高みに押し上げる。

急成長会社、とくに経営的にも資金繰りにも無理をしがちな若い企業には、多くのリスクが潜在する（資金繰りに苦労する会社については第11章に述べる）。そして、急成長会社がスタミナ切れで低成長会社になった場合、株価は文字通り叩き落とされてしまう。

電力会社がどのように急成長会社から低成長会社へと転じたかについてはすでに説明した。プラスチック産業は、一九六〇年代、急成長していた。ダウ・ケミカルがプラスチックに参入したときは、急成長を遂げ、株も人気化したが、成長の低下とともに動きの鈍い市況関連株になってしまった。

アルミもカーペットも一九六〇年代に入るまではたいへんな成長産業だったが、ひとたび業界が成熟すると、成長率はGNP並みとなって、株価の動きも鈍くなった。

小さな急成長会社に倒産のリスクがある一方で、大きな急成長会社がひとたび停滞を始めたときには、株価急落のリスクがある。急成長会社が大きくなりすぎると、小人国のガリバーのように、どうにも身動きができないジレンマに陥る。

成長を続けられる限りは、急成長会社は株価のほうも急上昇する。私ならば、財務内容がよくて収益性の高い会社を探す。要は、いつ成長が止まるか、そしてどれだけの資金をその成長に賭けるべきかを見極めることである。

市況関連株

市況関連株とは、売上げと利益が循環的に（ただし必ずしも予測どおりとは限らないが）上下する企業の株式を言う。成長産業では業績は拡大を続けるが、市況関連産業では拡大と収縮を繰り返す。自動車、航空、タイヤ、鉄鋼、化学、すべて市況関連株である。防衛産業も、時の政権の政策次第で利益が上下するので市況関連株のようなものである。

アメリカン航空の親会社ＡＭＲ・コーポレーションは、フォード・モーターと同様に市況関連株である。市況関連株のチャートは、嘘つきを嘘発見器にかけたような、あるいはアルプスの地形図のような形になる。低成長株のチャートのような平坦な形とは大違いである。

不況を脱して活況期に入ると市況関連株は元気づき、株価も優良株を上回る勢いで上昇する。これは当然で、好況時には新車を買い、より多くの飛行機に乗り、鉄鋼や化学会社への需要も伸びる。しかし、不況時には市況関連株は打撃を受け、株主の財布も痛手をこうむる。悪いタイミングで市況関連株を買えば、株価が半分になるのはあっという間であり、そのあと何年も反転を待たねばならなくなる。

市況関連株は最も誤解されやすいタイプの株である。不注意な投資家が安全と信じて買って損をするのが市況関連株だ。ほとんどの市況関連株が大きくて有名な会社の株なので、優良株と混同しがちなのである。フォードは優良株だから、同じ優良株のブリストルマイヤーズと同様の動きをすると考

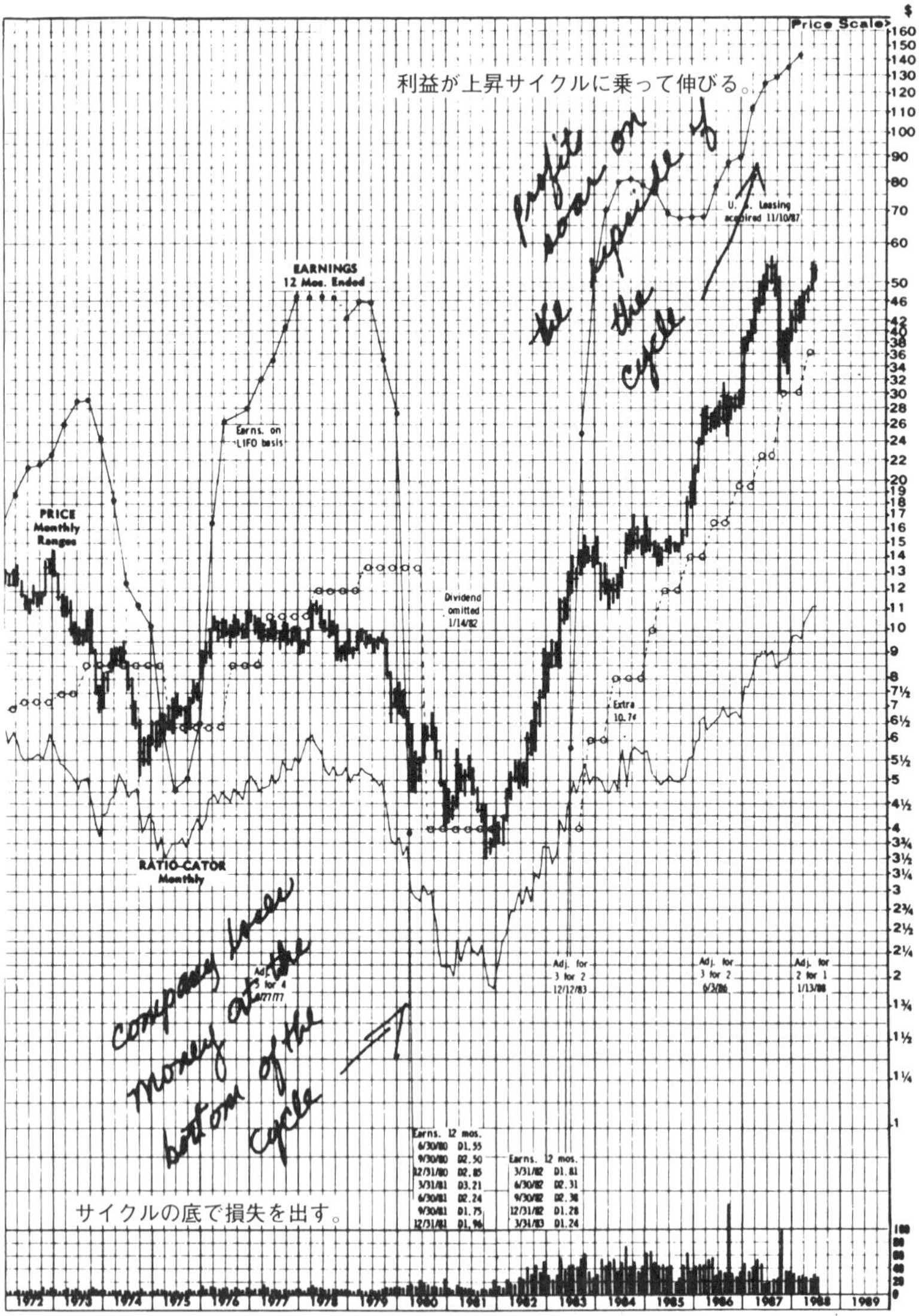
利益が上昇サイクルに乗って伸びる。
profit on soar of the upside of the cycle
Price Scale
PRICE Monthly Ranges
EARNINGS 12 Mos. Ended
Earns. on LIFO basis
Dividend omitted 1/14/82
U. S. Leasing acquired 11/10/87
Extra 10.7¢
RATIO-CATOR Monthly
Adj. 3 for 4
Adj. for 3 for 2 12/12/83
Adj. for 3 for 2 6/3/86
Adj. for 2 for 1 1/13/88
company lose money at the bottom of the cycle
Earns. 12 mos.
6/30/80 D1.55
9/30/80 D2.50
12/31/80 D2.85
3/31/81 D3.21
6/30/81 D2.24
9/30/81 D1.75
12/31/81 D1.96
Earns. 12 mos.
3/31/82 D1.81
6/30/82 D2.31
9/30/82 D2.38
12/31/82 D1.28
3/31/83 D1.24
サイクルの底で損失を出す。
1972
1973
1974
1975
1976
1977
1978
1979
1980
1981
1982
1983
1984
1985
1986
1987
1988
1989

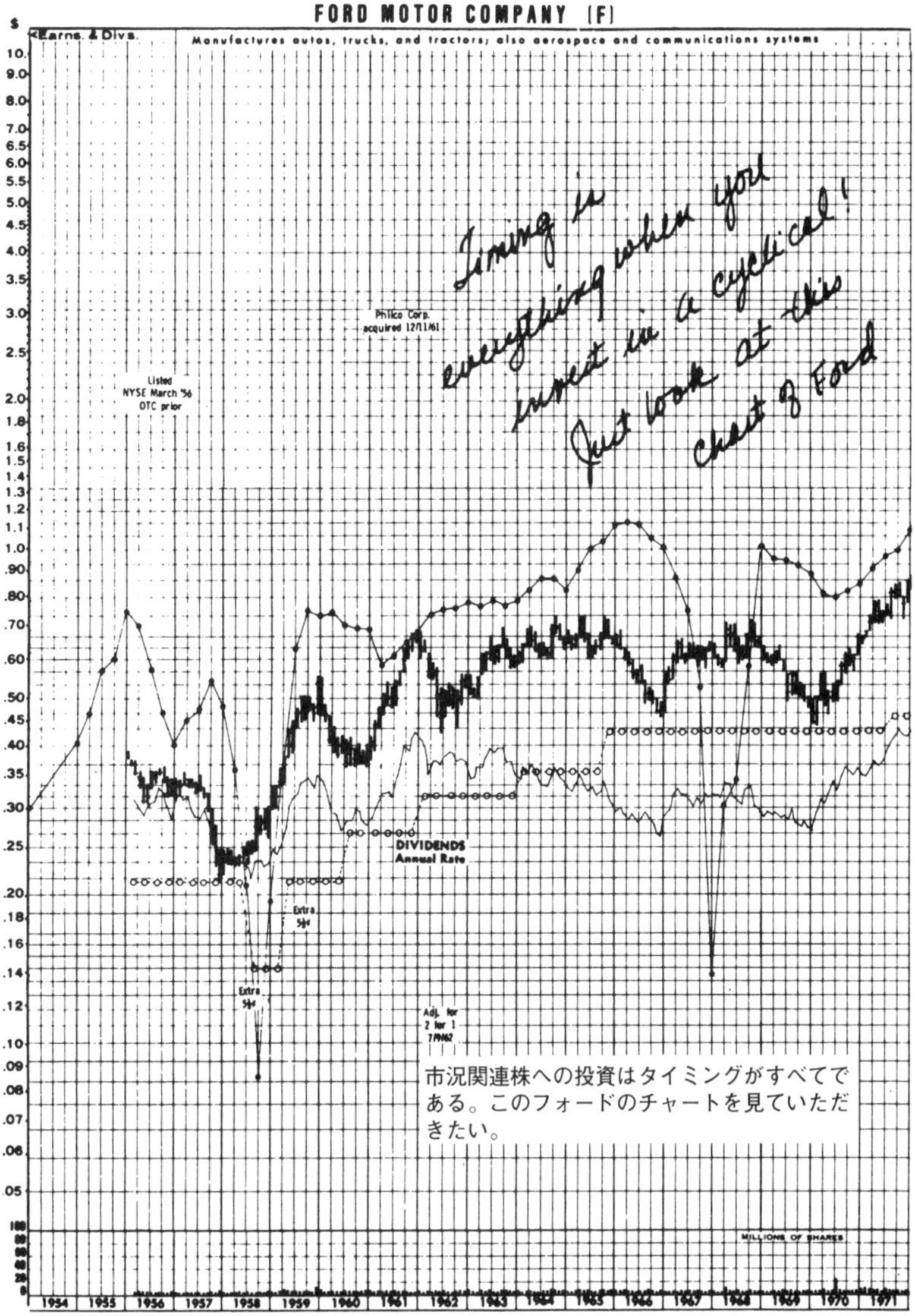

市況関連株への投資はタイミングがすべてである。このフォードのチャートを見ていただきたい。

えがちである。しかしこれは間違い。フォードの株価は、会社が不況時に数十億ドルの損失を出したり、好況時に数十億ドルの利益を出すごとに大きく変動する。もし、ブリストルマイヤーズが相場の悪いときや不況時に株価が半分になるようなことがあれば、フォードのような市況関連株は八〇％も下落するだろう。一九八〇年代の初めにはまさにこうしたことが起こった。フォードを買うのは、ブリストルマイヤーズを買うこととは違うのである。

市況関連株にとってはタイミングこそがすべてで、いつビジネスが落ち込み始めるか、立ち直るのかを知らなければならない。あなたが鉄鋼、アルミ、航空、自動車などの産業で働いているなら、市況関連株への投資にとって重要な知識を得られるこれ以上有利な立場はないだろう。

業績回復株

業績回復株は、会社更生法の世話にはならなかったものの、大いに痛めつけられて、業績不振の淵から立ち直ったというような企業の株である。低成長どころか無成長会社である。反転しつつある市況関連会社ではなく、かつてのクライスラーのような、潜在的に倒産のリスクを持つ会社である。事実、クライスラーは市況関連の会社だったのだが、不況時にあまりに落ち込んだので、もう二度と戻ってこないのではないかと思われたものだ。市況関連産業に属する企業のうちで、経営のよくないところは、潜在的なクライスラーでありうる。ペン・セントラルの破産はウォール街に起きた最も悲劇的な出来事の一つであった。あの優良株が、伝統ある大会社、堅実な企業の倒産は、全く予想だにできないことだった。すべての投資家が自信を失った。しかしこの危機にもチャンスは潜んでいたのである。ペン・セントラルは見事な業績回復株になった。

クライスラー、フォード、ペン・セントラル、ゼネラル・パブリック・ユーティリティーズ（GP

U）など幾つもの会社が証明したように、業績回復株は、きわめて急速に失地を回復する。うまくいった業績回復株に投資する醍醐味は、その株価が相場一般とは無関係なことである。
私はクライスラー株によって、私のファンドの保有者を大儲けさせた。一九八二年初めに一株六ドルで買い始め、二年のうちに五倍、五年で一五倍になり、ある時点では私のファンドの五％がクライスラー株であった。私が買った他の株にはそれ以上に値上がりしたものもあったが、あれほど組み入れ比率の高かった株はなかったので、クライスラー株の与えたインパクトは最大だった。しかも、私はクライスラー株を底値で拾ったわけでもなかったのだ。

他のもっと熱心なクライスラーのファンは、一株一・五〇ドルで買って、三二倍になるというヒットを飛ばした。またロッキードもクライスラー同様、うまくいった。一九七三年には一ドルだったのが、政府による救済後の七七年には四ドル、そして八六年には六〇ドルになっていた。残念ながら私自身はこの株を逃がしてしまった。

絶対額ではクライスラーとペン・セントラルの業績回復で一番大きく儲けた。こうした大会社だけが、私のファンドの成績に影響を与えるほどの株数を買うことができるからである。

記憶がないと、うまくいかなかった業績回復会社のリストをつくるのは難しい。なぜなら、格付け会社の記録からも、チャートブックからも、証券会社の記録からも消されて、二度とその名を聞くことはないからだ。私は買わなければよかったと後悔のタネとなった、うまくいかなかった業績回復会社の長いリストをつくることができるが、それは私の頭痛のタネであるからにほかならない。

それにもかかわらず、たまに出る業績回復株の大当たりはたいへんな儲けをもたらすものである。

業績回復株には幾つかの種類があり、私はそのいずれにも経験がある。クライスラーやロッキードのような、「助けてください、さもないと」式の政府による債務保証頼みのものがあり、コン・エジソンのような「まさか」式の業績回復株がある。コン・エジソンについては、一九七四年に株価が一〇ドルから三ドルに落ちたとき、誰が電力株でこれだけ損をすることがあると思っただろう。そして八七年に三ドルから五二ドルに回復したときにも、電力株でこんなに儲けられるとは誰も信じられなかっただろう。

スリーマイル島のような「予期せぬ出来事」式の業績回復株もある。これは実際以上に大袈裟に扱われた小悲劇で、小悲劇にはいつも大きなチャンスがあるものだ。私はスリーマイル島の持ち主であるGPUの株で大儲けをした。少し辛抱強くニュースを追い、冷静であったなら、誰でも儲けられたはずである。一九七七年の炉心融解事故の後、事態はやがて落ち着いた。八五年になると、GPUは事故以後に停止されてはいたが問題のなかった他の原子炉の運転再開を発表した。運転が再開されたこと以上に、他の電力会社がスリーマイル島事故の処理費用を分担することになったのはよい兆しであった。株価が落ち着いて、これらのよいニュースが出てくるまでの七年間に買いのチャンスがあったのだ。八〇年に底値の三ドル八分の一をつけたあと、八五年には一五ドル、そして八八年一〇月には三八ドルになった。

インドにあるユニオン・カーバイドの工場で起きたボパール災害のように、結果が測り知れないような悲劇は避けるようにしている。これは何千人もの死者を招いたひどいガス漏れ事故で、ユニオン・カーバイドがどれほどの額の補償を行なわなければならないのか、見当もつかない。私自身、ジョン・マンビルに投資したことがあるが、同社の抱えた負債の大きさの見当がつかなかったので、適当なところで損切りをした。

「倒産会社のなかの超優良会社」式の業績回復株もある。たとえばトイザラスは、うまくいっていなかった親会社インターステート・デパートメントストアズから独立して、株価は五七倍になった。

ペン・セントラルのように、「株主を益するためのリストラ」式の業績回復株もある。リストラは最近流行りのようで、それを口にする経営者は株主にウケがよいようだ。しかし私に言わせればリストラとは、もともと買うべきではなかった不採算の子会社を売却することである。こうしたうまくいかなかった子会社を買収したときにも、多角化として大いに賞賛されたものだが、私ならそれを〝多悪化〟と呼びたい。

この多悪化については後で詳しく述べるが、唯一の長所は、多悪化で落ち込んだ企業は業績回復株の候補になることくらいである。グッドイヤーは回復途上にある。石油事業から手を引き、幾つかの業績不振子会社を処分して、最も得意とするタイヤ事業に再び専念している。メルクも、カルゴンやその他幾つかの子会社を手放して、薬品事業に集中している。四つの新薬を臨床試験中で、うち二つはＦＤＡ（連邦食品医薬品局）の認可を受けており、収益も向上している。

資産株

ウォール街の連中は見過ごしていてあなたは知っているというような何らかの資産を持っている会社の株を、資産株と言う。多勢のアナリストや乗っ取り屋が嗅ぎ回っているのに、ウォール街の連中が気づかないような資産など見つかるのだろうか。しかし、この資産株にこそ、地元の利が最大限に生かせるのである。

資産とは、現金のように単純なものもあれば、不動産もある。前述したペブルビーチはその何よりの好例である。一九七六年末の株価は一四ドル二分の一で、発行済株式数が一七〇万株だったので、時価総額つまり会社の値段は二五〇〇万ドルということになる。それが、二年とたたない七七年五月に、二〇世紀フォックスが七二〇〇万ドル（一株当たり四二ドル二分の一）で同社を買い取った。それどころかその翌日には二〇世紀フォックスは、ペブルビーチの資産の一部である砂利採掘所を三〇〇〇万ドルで転売している。砂利採掘所だけでも、七六年末に投資家がペブルビーチ全体に付けていた額よりも価値があったのだ。それ以外の土地、デルモンテの森とモントレー半島の二七〇〇エーカーの土地、樹齢三〇〇年の樹木、ホテル、二つのゴルフコースはタダだったようなものである。

ペブルビーチは店頭株だったが、ニューホール・ランド・アンド・ファーミングはニューヨーク証券取引所に上場されていたので、株価が二〇倍になるさまをつぶさに見ることができた。同社には二つの重要な資産があった。サンフランシスコ湾沿いのカウエル牧場と、ロサンゼルスの中心から北三〇マイルに位置する、もっと大きくて価値のあるニューホール牧場である。ニューホール牧場は遊園地、大きな工業団地、オフィス街などが計画中で、巨大ショッピングセンターも開発中であった。

何百何千というカリフォルニア州の通勤者たちがニューホール牧場の前を通過している。ニューホールのさまざまな事業に参加した保険、不動産関係者は、ニューホールの資産内容や、カリフォルニア州の地価上昇について知っていたはずである。どれほどの人がニューホール牧場周辺に家を持ち、その地価が急騰するのを、ウォール街の連中に先んじて知っていたことだろう。一九七〇年代初頭から比べて二〇倍、一九八〇年に買ったとしても四倍になったこの株を、誰が調べようとしただろう。私がカリフォルニアに住んでいたなら、これを逃しはしなかったはずだ?

以前、フロリダのアリコという小さなありふれた牧畜会社を訪ねたことがある。這い松や棕櫚の茂みと草を食むわずかの牛、そして忙しそうなふりをしている二〇人ほどの従業員がいるだけのところだった。一株二〇ドルで買えた会社が、一〇年後には土地だけでも一株二〇〇ドルに値するということを知らなければ、全く興味の湧かない会社である。ベン・ヒル・グリフィン・ジュニアという人物がこの株を買い続け、ウォール街が気づくまで待っていた。彼は今頃一財産築いているだろう。

バーリントン・ノーザン、ユニオン・パシフィック、サンタフェ・サザン・パシフィックなどの多くの上場鉄道会社は、政府が鉄道王たちに国土の半分を渡してしまった一九世紀以来の大地主でもある。これらの会社は石油、ガス、鉱物の採掘権や森林の伐採権も持っている。

資産株は金属、石油、新聞、テレビ局、特許を持っている薬品、そして時には、出している欠損のなかからも見つけることができる。ペン・セントラルは倒産したあと、巨額の繰り延べ損失を抱えていて、黒字を出すようになっても税金を払わなくてよいのであった。その頃法人税率は五〇％だったから、ペン・セントラルは初めから五〇％の有利なハンデつきで再出発したようなものである。

実際、ペン・セントラルは究極の資産株だったのかもしれない。損失の繰り延べ、現金、フロリダの広大な所有地、その他の所有地、ウェスト・バージニアの石炭、そしてマンハッタンの空中権がある。ペン・セントラルの関係者なら誰でも、これが買うべき株だとわかっていただろう。株価は八倍になった。

現在私はリバティー・コープという保険会社の株を持っているが、この会社のテレビ関連資産だけでも一株当たり三〇ドルの価値がある。今の株価は三〇ドルだから、引き算をすれば、この貴重な保険会社への投資コストがゼロになる計算だということがわかる。

テレコミュニケーションズ株をもっと買っておけばよかったと思う。このケーブルテレビ会社の株価は、一九七七年には一二セントだったものが、一〇年後には二五〇倍の三一ドルになった。私はこの米国最大のケーブルテレビ会社の資産価値を知らなかったので、ほんの少額しか投資しなかった。収益力は弱く、負債は大きく、通常の尺度では魅力的とは言えなかった。しかし、ケーブルテレビの視聴者という資産は、それを補って余りあるものだった。ケーブルテレビ事業に知識のある人は、私を含めて誰でもこのことを知っていたはずである。

悔やまれることに、私はこの事業の関連会社にはごくわずかの投資しかしていなかった。フィデリティのモリス・スミス氏が、何度も私のところに来て強く買い増しを勧めたにもかかわらずである。彼は全く正しかった。

ケーブルテレビの視聴者は、一五年前には会社にとって一人当たり約二〇〇ドルの価値があったのだが、一〇年前には四〇〇ドル、五年前には一〇〇〇ドル、そして今や二〇〇〇ドルとなっている。これは業界の人間にとっては当たり前の情報だった。テレコミュニケーションズ社にとって何百万人もの視聴者は巨大な資産となっていた。

私がこのチャンスを逃がしたのは、ケーブルテレビが私の住む街にきたのが一九八六年、私の家に入ったのは八七年のことだったからだと思う。それまで、この産業の価値を直接知ることがなかったのである。

私の末娘ベスがどれほどディズニー・チャンネルが好きか、次女のアニーがニッケルオデオンを、長女のメリーがMTVをどれほど楽しみにしているか、そしてキャロラインが古いベティ・デイビスの映画に、私自身がCNNとスポーツにどれほど夢中になるかわかっていたなら、ケーブルテレビが、水道や電気のようになくてはならないものだと気づいていただろう。企業やトレンドを分析するのに、個人的な経験がどれほど役に立つかわからない。

資産株の会社はどこにでもある。もちろんその会社の資産について知る多少の努力は必要だが、それさえわかれば、あとは株を買って待つだけだ。

急上昇株と低迷株

企業はいつも同じ状態にあるわけではない。急成長会社も人間と同じように、大きな成功のあと燃え尽きてしまうことがある。いつまでも二ケタ成長を続けられるはずはなく、いつかは一ケタ成長に落ち着くものである。カーペット、プラスチック、計算機とディスクドライブ、コンピュータなどなど、すべてそうであった。ダウ・ケミカルからタンパ・エレクトリックまで、勢いのよかったところが、次には低迷に陥る。ストップ・アンド・ショップは、低成長会社が急成長会社に転じた珍しい例である。

一時は急成長株の先頭に立っていたアドバンスト・マイクロ・デバイシズとテキサス・インスツルメンツは、今や市況関連株と見なされている。

財務危機に見舞われた市況関連株が業績回復株として再浮上することもある。クライスラーはほとんど倒産しかけた市況関連株だったが、業績回復株となり、再び市況関連株に戻った。ＬＴＶは鉄鋼市況関連株だったが、今や業績回復株である。

成長会社が愚かにも多角化を進めて失敗したところは、業績回復株になりうる。ホリデイ・インのような急成長株は必然的にスローダウンするが、その不動産保有額の大きさに誰かが気づいたとき、資産株となる。フェデレイテッドやアライド・ストアズのような小売業者は、一等地に建てられたデパートや、保有するショッピングセンターのため、資産目的の買収を仕掛けられた。マクドナルドは典型的な急成長株であるが、その幾千もの店舗の価値によって、将来の偉大な資産株になる可能性がある。

ペン・セントラルのような会社は同時に二つのカテゴリーに入るし、ディズニーのようにすべてのカテゴリーを経てきた会社もある。かなり以前には急成長株だったディズニーは、やがて優良株となり、次いで不動産や、古い映画や漫画などの資産を評価されるようになった。そして、一九八〇年代中頃に不振に陥った同社の株を、業績回復株として買うチャンスがあった。

インターナショナル・ニッケル（一九七六年からインコ）は、急成長株から市況関連株、業績回復株と変化した。古くからダウ平均の組み入れ会社だった同社は、私がフィデリティの若いアナリストだった頃の成功例の一つである。一九七〇年一二月、インコの株価が四七ドル八分の七のときに売り推奨を出した。ファンダメンタルズが貧弱に思えたからである。ニッケル消費の低下、過剰な生産設備、高賃金といった私の指摘で、フィデリティは値を崩して売値が悪くなるのも承知で、大量に保有していたインコ株を処分した。

株価は四月まで横這いで、四四ドル二分の一程度だった。私はだんだん不安になり、周囲のファンドマネジャーたちも同様だった。しかしやがて一九七一年に二五ドルに、七八年に一四ドルに、そして八二年には八ドルに下がった。私は売りを勧めた一七年後の今、そのインコ株を業績回復株としてフィデリティ・マゼラン・ファンドに大量に組み入れている。

デジタルとウォルマートの圧倒

あなたの持ち株がどのカテゴリーに属するのかわからない場合は、証券会社に相談してみるべきだ。とくに証券会社が勧めた株ならば聞いてみるべきである。あなたが探しているのは低成長株、急成長株、優良株、業績回復株、市況関連株、あるいは資産株のうち、どれなのだろう。

「倍になったら売れ」とか、「二年後に売れ」、または「株価が一割下がったら損切りしろ」というような格言に従うのは馬鹿げたことである。さまざまな異なったタイプの株すべてに当てはまるような一般公式などありえない。

プロクター・アンド・ギャンブルとベツレヘム・スチールを、そしてＤＥＣとアリコを区別しなければならない。業績回復株でない限り、電力株を買って、それがフィリップ・モリスのように上伸すると思ってはならない。ウォルマートのような若い成長会社を優良株と取り違えると、一〇〇〇％上がるものを五〇％で利食ってしまいかねない。逆に、ファンダメンタルズは変わっていないのに株価が倍になったラルストン・ピュリナの株に大きな期待を持ってしがみついているのは馬鹿げている。

ブリストルマイヤーズを値ごろで買って、そのまま二〇年もしまい込んでおくのはよいとして、テキサス・エアで同じことはできない。市況関連産業の会社は不況期に目を離すようなことはできないからである。

まず、第一歩として、株がどのカテゴリーに属するか調べるべきだ。これで少なくともどういうストーリーになるかがわかる。次にそのストーリーの結末を知るべく、細部を詰めていくのである。

第8章　完璧な株、なんて素晴らしい！

基本のビジネスがよくわかっていれば、その会社を理解するのもずいぶん楽である。だから、私は、通信衛星ではなくストッキングに、光ファイバーではなくモテル・チェーンに投資するのである。単純であればあるほど、私は好きだ。「この店はどんな馬鹿でも経営できる」と誰かが言えば、いずれは実際そうなるのだから、これは私にとってはよい材料なのである。

競争の厳しい複雑な産業のなかの優秀な経営陣を抱えた優良会社と、単純だが競争のない産業のなかの平凡な経営陣を抱えた面白味のない会社とのどちらかの選択を迫られたならば、私は後者に投資するだろう。

一つにはそのほうがフォローしやすいからである。ドーナツを食べ続け、タイヤを買い続けているうちに、私はレーザー・ビームやマイクロプロセッサとは比べものにならないほど、ドーナツやタイヤについてわかるようになっている。

「どんな馬鹿でも経営できる」というのは、私が夢見る完璧な会社を示す特性の一つである。完璧な会社を見つけられないにしても、その特性を想定することはできる。以下、投資対象の選別に当たって最も重要な一三項目を掲げる。

(1) 面白味のない、または馬鹿げている社名

完璧な株は完璧な会社の株であり、完璧な会社は完璧に単純な事業をやっていて、完璧に単純な事業は完璧に退屈な名前を持つべきである。退屈なほどよいのだ。オートマチック・データ・プロセシングなどはよい例である。

だがボブ・エバンズ・ファームズにはかなわない。考えただけで眠くなるような面白みのない名前だが、これが成功に導いたのである。ところが、このボブ・エバンズ・ファームズにせよ、ショウニーズにせよクラウン・コルク・アンド・シールにせよ、元気小僧《ペップボーイズ》―マニー、モー、アンド・ジャックの敵ではない。

ペップボーイズ―マニー、モー、アンド・ジャックは、今までで最高の名前だ。面白みがないどころか、馬鹿げている。こんな三馬鹿大将のように聞こえる会社に投資しようと思うだろうか。ウォール街のアナリストやファンドマネジャーが、正気でペップボーイズ―マニー、モー、アンド・ジャックなどという株を推薦できるだろうか。もちろん、彼らがこの会社がいかに儲かっているかを知る頃には、株価は一〇倍になっている。

パーティーの席上でペップボーイズ株を持っていると口を滑らせても注意は惹かないが、インターナショナル・ジーンスプライス（国際遺伝子接合）などと囁いただけで、人の山ができる。実際はインターナショナル・ジーンスプライスの株価は下がり続け、ペップボーイズ―マニー、モー、アンド・ジャックの株価は続伸している。

もし早く見つけることができれば、退屈な名前や奇妙な名前の会社は安く買えるものだ。だから私

はいつもペップボーイズやボブ・エバンズやコンソリデイテッド・ロックのような名前の会社を探しているのである。この素晴らしくわかりやすい社名をコンロック、そしてより聞こえのいいカルマットに変えてしまったのは残念だ。コンソリデイテッド・ロックのままなら誰も気づかなかっただろうに。

(2)変わり映えのしない業容

退屈な名前の会社が退屈な業務を行なっていればもっと結構である。クラウン・コルク・アンド・シール は缶と瓶の栓をつくっている。こんな退屈な名前が他にあるだろうか。クラウン・コルク・アンド・シールの社長のインタビュー記事がリー・アイアコッカ氏の記事と一緒に『タイム』誌に載るとは思えないが、実はこのことがプラスなのである。そうしたこととは反対に、同社の株価の動きは大したものだった。

買い物引換券《クーポン》の処理を行なうセブン・オークス・インターナショナルについては前にも触れたが、同社の株価はいつの間にか四ドルから三三ドルに上がった。自分の車が修理中のときの代車を手配する業務をしているエージェンシー・レンタカーはどうだろう。エージェンシー・レンタカーが上場されたときの株価は四ドルで、ウォール街の連中はほとんど気づかなかった。偉ぶっている人が代車の手配についてなど考えはしないものだ。だが最近の株価はすでに一四ドルになっている。

退屈な業容の会社は退屈な社名と同様に好ましいし、両方揃えば最高である。高収益で財務内容の良好な会社が退屈な業務を行なっていれば、その株を割安なうちに買う時間が十分にある。そしてその株が人気化して高値に達したときに売ればよいのだ。

(3) 感心しない業種

退屈なだけでなく、感心しないような業務を行なっていれば、さらによい。思わず肩をすくめたり、吐き気がしたり、顔をそむけたりしたくなるようなのが理想的だ。たとえばセイフティ・クリーン社。シカゴ・ローハイド《生皮》社の関連会社であったことも好ましい材料である。セイフティ・クリーンは、全国のガソリンスタンドに油で汚れた自動車部品の洗浄機を供給している。これは整備工が手で洗浄する手間を省くので、ガソリンスタンドでは歓迎されている。セイフティ・クリーンは定期的にガソリンスタンドを回って、廃油を洗浄機から回収して石油精製所にリサイクルする。これを人知れず繰り返す。TVなどで紹介されるはずもない。

同社は、自動車部品の汚れだけにとどまらず、レストランの廃油や他の汚れ物にも手を伸ばしている。いったいどのアナリストがこの会社について書きたがるだろう。どのファンドマネジャーがこの会社の株を買いたがるだろう。あまり多くはないに決まっている。だからこそセイフティ・クリーンは魅力がある。オートマチック・データ・プロセシングと同様、この会社は連続増益の記録を持っている。収益は四半期ごとに上昇し、それにつれて株価も続伸している。

エンバイロダインはどうだろう。これを数年前に私に紹介したのはフィデリティのトーマス・スウィーニー氏である。エンバイロダインとは奇妙な名前で、それはそれでよいのだが、環境問題ではなく昼食に関係がある会社なのである。同社の子会社クリア・シールドは、プラスチックのフォークとストローをつくっている。まさに誰にでもできる仕事だが、実際は自社株を大量に保有している一流の経営陣を持っている。

エンバイロダインは最も低コストであることによって、プラスチックナイフで業界二位、ストローで第三位を占めている。

一九八五年に同社は、ホットドッグやソーセージを包む腸製品のトップメーカーであるビスケースの買収交渉を行ない、ユニオン・カーバイドから格安で譲り受けた。その後、八六年には食品用ラップフィルムのトップメーカー、フィルムコを買収した。プラスチックフォーク、ホットドッグの皮、ラップフィルムとくれば、これで結構ピクニックの面倒が見られるというわけだ。

主にこうした買収の結果、一株当たり利益は一九八五年の三四セントから八七年には二ドルになっており、八八年には二・五〇ドルに達した。同社は買収に伴う負債を返済するために、その潤沢なキャッシュフローを使った。私はこの株を八五年九月に三ドルで買ったが、八八年には三六ドル八分の七の高値に達した。

⑷分離独立した会社

企業のある業務部門が分離独立した会社、たとえば、シカゴ・ローハイドから分かれたセイフティ・クリーンや、インターステート・デパートメントストアズから分かれたトイザラスのような会社への投資は、あきれるほどの成果をもたらすことがある。何年も前に合併したダート・アンド・クラフトは、結局は分離してクラフトは再び食品専業となった。タッパーウェアを持つダートはプリマーク・インターナショナルとして再出発し、株価的にも好調である。クラフトも順調だったが、一九八八年にはフィリップモリスに買収された。

大企業は、独立させた部門が失敗することで評判に傷がつくことを恐れる。だから、分離独立する

高い成果

親会社	分離会社	初値（ドル）	安値（ドル）	高値（ドル）	1988年10月31日現在（ドル）
テレダイン	アルゴノート	18	15	52 1/8	43 1/4
	アメリカン・エコロジー	4	2 3/4	50 1/4	12 3/4
クラフト	プレマーク・インターナショナル	19	17 1/2	36 1/4	29 7/8
シンガー	SSMC	13	11 1/2	31 3/8	23
インターレーク	アクメ・スチール	8	7 5/8	24 1/2	23 1/2
ゼネラルミルズ	ケナー・パーカー	16	13 7/8	51 1/2	—[2]
ボルグ・ワーナー	ヨーク・インターナショナル	14	13 1/2	59 3/4	51 5/8
タイム	テンプル・インランド	34	20 1/2	68 1/2	50 3/4

低い成果（期待はずれ）

親会社	分離会社	初値（ドル）	安値（ドル）	高値（ドル）	1988年10月31日現在（ドル）
ペン・セントラル	スプラグー・テクノロジー	15	7 1/8	20	12 1/8
ジョン・ブレア	アドボ・システムズ	6	4	12 3/4	3 7/8
コカ・コーラ	コカ・コーラ・エンタープライズ	15 1/2	10 1/2	21 1/4	14 1/2

会社は、通常良好な財務内容を持ち、独立するに十分な備えを持っている。ひとたび独立するや、新しい経営陣によって、コスト削減や新戦略の導入で収益性の向上を図ることができる。

株主に送られてくる分離独立会社の資料は、普通、大急ぎで作成された退屈で説明不足なものだが、これが実はよいのである。ウォール街の連中もあまり注意を払わない。こうした分離独立会社の株式は、しばしば親会社の株主への無償や株式配当などの形で与えられる。機関投資家はこれを小銭扱いしている。これがまたよい兆候なのである。

とくに最近のM&Aブームのなかで、この分野は、アマチュア投資家にとって絶好の活躍の場である。買収の対象となった企業は、乗っ取り屋と戦うために、ある部門を売却したり分離したりするが、それが後に独立した会社として株式市場で取引されることがよくある。企業が買収された後、ある部門が現金化のため売却され、それが独立会社となるケースもある。もし、分離独立した会社のことを聞いたり、その会社の株式を割り当てられたりしたときには、買い増しの必要があるかどうかを調査すべきである。その会社の独立が完了して一〜二カ月たった時点で、新会社の経営陣がその株式をたくさん買っているとしたら、有望である。

最も素晴らしい分離独立会社は、ＡＴＴの解体に伴って生まれた、ベビーベルと呼ばれる地域ベル会社、アメリテック、ベル・アトランティック、ベル・サウス、ナイネクス、パシフィック・テレシス、サウスウェスタン・ベル、そしてＵＳ・ウェストの各企業である。親会社の株価推移はけだるいものであるが、この七つの新会社の株価は、一九八三年一一月から八八年一〇月の間に平均一一四％上昇した。配当も含めたトータルリターンは一七〇％にもなる。

電信電話事業が自由化されるにしたがって、七つの新会社は収入を向上させ、コストを削減し、高収益を実現した。新会社は各地域の電話事業を引き継いだだけでなく、ＡＴＴの扱う長距離通話収入の半分を手にすることができた。新型設備への更新も完了していたので、新たな設備投資で収益が圧迫されることもなかった。当然のことだが、七つの新会社の間には競争原理が働くようになった。一方、親会社のほうは高収益の設備リースでの勢力を失い、スプリントやＭＣＩといった競合相手に直面し、コンピュータ事業で大きな損失をこうむることになった。

もとのＡＴＴ株主はＡＴＴ株をすべて売却するか、ＡＴＴ株と新会社からの新株を保持するか、あるいはＡＴＴ株を売却して新会社の株だけ保持するかの選択を、一八カ月の間にすればよかった。正解は、ＡＴＴ株を売却して、新会社の株を割り当てられただけでなく買える限り買っておく、という手段であった。

新会社設立についての資料が二九六万人のＡＴＴ株主に送られた。新会社の目的は明白だ。一〇〇万人のＡＴＴ従業員と無数の出入り業者はよくわかっていたはずである。実際、電話加入者なら誰でも大きな変化が起きていることに気づいたはずである。要はそれを活かせるかどうかである。私はこの相場には乗ったが、あまり大規模にではなかった。あのような保守的な会社が、こうも早く改善するとは思わなかったからである。

(5)機関投資家が保有せず、アナリストがフォローしない会社

機関投資家が全く、またはわずかしか保有していない株は穴株である。アナリストが訪問したことのない、または知っていることを認めたがらないような会社の株はさらに穴株である。「この三年来で、あなたが初めて訪ねて来たアナリストです」などと言われたら、興奮してしまう。銀行やS&L、保険会社などは数が多すぎて、これがよくある。またウォール街のアナリスト連中はせいぜい五〇社から一〇〇社しか担当していないからである。

一度は人気があったものの、プロから見切られてしまったような株もよい。たとえば、クライスラーやエクソンは大底を入れる直前に見切られている。

(6)悪い噂の出ている会社

廃棄物処理産業ほど完璧なビジネスは思い当たらない。動物の腸やグリース、廃油より気分の悪いものと言えば、下水と有害廃棄物である。したがって、廃棄物処理会社の重役が訪ねて来たときはたいへん興奮した。町で開催された廃棄物処理業者の集会に出るために来ていたのだった。彼らは見慣れたワイシャツ姿ではなく、胸に「廃棄物」と刺繍したポロシャツを着ていた。誰がそんなシャツを

着るだろう。全く最高の重役たちだ。

ご承知のように、ウェイスト・マネジメント社の株価は一〇〇倍になった。

ウェイスト・マネジメントは信じ難いような二つの点でセイフティ・クリーンを上回る。有害廃棄物それ自体とマフィアである。マフィアがすべてのイタリアンレストラン、ニューススタンド、クリーニング屋、建設現場を牛耳っていると考える人は、ゴミ事業もマフィアの支配下にあると思うことだろう。こんな想像のおかげで、ウェイスト・マネジメント社の株価は、初めの頃、割安に抑えられていた。

廃棄物処理業にまつわるマフィアの噂は、ホテルやカジノ経営へのマフィアの関与について心配する投資家を遠ざけたことだろう。今やカジノの株は人気株である。良識ある投資家は、すべてマフィアに支配されたことになっているカジノには手を出さなかった。しかし、その後カジノの収入と利益は爆発的に伸び、マフィアの噂は立ち消えになった。ホリデイ・インとヒルトンがカジノ事業に参入してからは、突然、カジノ株を持つことが平気になってしまったのである。

⑺気の滅入る会社

この分野で私が気に入っているのは、サービス・コーポレーション・インターナショナル（ＳＣＩ）という退屈な名前の会社である。この会社については、フィデリティ・デスティニー・ファンドのマネジャーだったジョージ・バンダーへイデン氏から教えられた。

ウォール街が有害廃棄物の他に無視したがるのは「死」である。そしてＳＣＩは葬儀屋である。ヒューストンに本拠を置くこの企業は、何年かの間、国中の個人経営の葬儀屋を買収し続けた。いわば、葬儀屋のマクドナルド版である。ＳＣＩは買収の対象として、週に一〇回以上の葬式を行なう葬儀屋だけを選び、暇なところは避けた。

今や、四六一の斎場、一二一の墓地、七六の花屋、二一の葬儀用品製造センター、三つの棺桶配送センターを持っており、総合葬儀会社になっている。大富豪ハワード・ヒューズの葬儀を手がけて以来、同社は大会社の仲間入りを果たした。

人気のある生前積立制度も彼らが始めた。葬儀費用と棺桶代を生きているうちに積み立てておくことで、家族が後で支払いに困ることがない。たとえ葬儀の必要なときまでに費用が三倍になったとしても請求額は変わらず、心配はいらない。これは遺族にとっても同社にとっても有利な契約だった。

ＳＣＩは契約のたびごとに現金を手にし、その現金は雪ダルマ式に増えていった。この契約を毎年五〇〇万ドルずつ販売したとすれば、全部の葬儀を済ます頃には総計数十億ドルの金額に達していることだろう。最近は自社だけでなく、他の葬儀会社のための生前積立契約も取り扱い始めている。過去五年間、生前積立契約は年率四〇％も伸びている。

時として、こうしたサクセス・ストーリーには、さらにすごいオマケがつくことがある。ＳＣＩの場合、同社がヒューストンに持つ土地を買いたがっていたアメリカン・ゼネラル社が好条件を提示した。この土地の代価として、アメリカン・ゼネラル社は、保有していたＳＣＩの株式二〇％のすべてをＳＣＩに戻したのである。ＳＣＩは自社株二〇％を無償で入手しただけでなく、新しい葬儀会社をヒューストンの他の場所に設立するまでの二年間、もとの土地で事業を続けることを許された。

この会社についての最大のメリットは、ほとんどの機関投資家から長年にわたって敬遠されてきたことであった。この信じがたい業績にもかかわらず、ＳＣＩの重役は幾度となく事業の説明に出かけなければならなかった。つまり、内容さえ知っていれば、アマチュアが収益性の確実な会社の株を、人気株よりもはるかに安い値で買うことができたということである。これは完璧なチャンスだ。収益は増加する一方で、間違いなく急成長を遂げ、かつ、ウォール街の連中は気づいていない。

一九八六年に至ってようやく機関投資家がＳＣＩを買い始めて、今や機関投資家の持ち株比率は五〇％を超え、より多くのアナリストが同社をフォローし始めた。予想されたとおり、ウォール街が気づく前にＳＣＩの株価は二〇倍になったが、それ以来の上昇率は市場平均を大幅に下回っている。機関投資家比率の高さと、多くの証券会社が手がけるという重荷に加えて、収益に貢献しなかった二つの買収による棺桶事業への参入失敗で、ここ数年痛手を受けている。さらに、手に入れたいようなよい葬儀会社と墓地の買収費用が急騰しており、生前積立契約の伸びも期待されたほどではなくなった。

⑻無成長産業であること

多くの人が目立つ成長産業に投資したがるが、私は違う。葬儀屋のような無成長産業が見当たらないときには、プラスチックのナイフやフォークといった低成長産業に投資するのである。そうした分野からこそ大化け株が出てくるからである。

急成長産業にある会社の株価は、えてして下がるものだ。一九五〇年代のカーペット、一九六〇年代のエレクトロニクス、一九八〇年代のコンピュータはいずれも急成長産業だったが、無数の大会社・小会社も長期の繁栄を続けることはできなかった。これは、当たった製品が出ると、すぐに頭のよい連中がそれを台湾で安くつくることに精を出すからである。ある会社が世界最小のワープロを発表するや、他の一〇社が一億ドルも投入して、八カ月後にはさらによいものをつくり出すのである。こんなことは、瓶の栓や、ドラム缶回収業や、モーテルのチェーンでは起こらない。

ＳＣＩは葬儀が無成長産業だったからうまくいった。葬儀産業の成長率はたかだか一％で、コンピュータ産業に向かう人たちの興味は惹かない。しかし、確実な需要のある安定したビジネスである。無成長産業でとくに退屈で嫌われるものは、競争の心配がない。他に興味を持つ人がいないのだから、競争相手に対してガードを固める必要もない。ＳＣＩがそうだったように、成長を続け、シェアを高める余裕がある。ＳＣＩはすでに米国の葬儀会社の五％を所有しているが、一〇～一五％を持とうとしても誰も邪魔はしないだろう。一流大学のＭＢＡ連中がＳＣＩに挑戦するわけはないし、あなたも投資銀行の友人に、自分は今度ガソリンスタンドからの廃油回収のビジネスに専念することになったとは言い出さないだろう。

⑼ニッチ産業であること

私なら二〇世紀フォックス株よりも近所の採石会社株を選ぶ。前者は他の映画会社と競合するのに対して、後者は他の業者が入ってくることのない位置を占めているからである。二〇世紀フォックスは、ペブルビーチを買収したとき、採石場もついてきたので、このことがよくわかったはずだ。

採石場を所有するほうが宝石売買より安全なのは確かである。宝石商になれば、町中の、国中の、いや海外の宝石商までが競争相手である。もしブルックリンで唯一の採石場を持っているならばそれは独占事業だし、採石場というものの不人気も利点である。

採石業はいわゆる嵩の張る商売である。トン当たり三ドルがよいところだろう。砂利がオレンジジュース一杯分の代金で買える。

採石場の価値はその独占性にある。二つ隣の町の業者が競争しようにも、輸送コストで利益が消えてしまうのだ。シカゴの砂利がどんなによくても、ブルックリンやデトロイトにまで来ることはない。砂利の重量が独占性を保証するので、弁護士を雇う必要もない。

独占的な商売の持つ価値は、どれほど大きいかわからない。インコは今日も、また五〇年後も世界的なニッケルメーカーだろう。ユタ州のビンガム・ピット鉱山の巨大な採鉱穴を見たとき、これは日本人や韓国人にはつくれないないなと思ったものである。

独占的な商売につけば、価格決定権を握ることができる。採石場の場合、近くの同業者が参入してくるギリギリのレベルまで値下げができる。向こうも同じように値決めをするだろう。さらに、ブルドーザーや砕石機の償却で税金が軽減されるうえ、エクソンなどが石油埋蔵分について許されていると同様の特別償却の特典も得ており、倒産などしようがない。だから、採石場経営ができないとしたら、次善の策は、こうした嵩張るものを対象にした会社、たとえば、バルカン・マテリアルズ、カルマット、ボストン・サンド・アンド・グラベルなどの株主になることである。マーチン・マリエッタやゼネラル・ダイナミクスなどの大企業が不要部門を売却するときも、採石場は必ず残すだろう。

私はいつも独占的な商売を探している。完璧な会社は独占的な商売を持っているものである。ウォーレン・バフェット氏は織物工場を買い取ってビジネスを始めたが、すぐにこれが独占的な商売でないことに気づいた。彼は『ワシントン・ポスト』紙をはじめとする、市場を占有している新聞社・テレビ局の重要性にいちはやく着目して大成功した。私もこの考えに同調して、『ボストン・グローブ』紙を持つアフィリエイテッド・パブリケーションズの株を大量に購入した。『ボストン・グローブ』紙はボストンの印刷広告収入の九〇％を占有しているので、間違いはない。

こうした新聞社やケーブルテレビ局が有利であることを一九七〇年代早々に気づいた投資家は、ウォール街がそれらを取りあげる頃には一〇倍の儲けを手にしていた。『ワシントン・ポスト』紙に働く者なら、レポーターだろうと編集者だろうと同紙の収入と利益について知っていただろうし、その独占性もわかっていたはずである。

医薬品会社と化学会社も独占的製品を持っている。スミスクラインはタガメットのパテントを取るのに何年もかかったが、ひとたび認可されるや、やはり数十億ドルの投資をしていたライバル他社はもう手が出せなくなった。他社は違う薬を開発して、その違いを証明したうえで、三年間の臨床試験を経て、初めて発売できるのである。化学会社は、殺虫薬と除草剤に独占性を持っている。毒性のある薬品の認可を得るのは治療薬の場合より厄介である。しかし、ひとたび認可を受ければ、それはドル箱に転じる。モンサントはよい例である。

ロビタシンやタイレノール、コカ・コーラやマールボロといったブランドは独占的なものである。ソフトドリンクや咳薬への信頼性を確立させるにはたいへんなコストと時間がかかるものだから、新規参入が難しいのである。

⑽買い続けねばならない商品

私は玩具会社よりは、医薬品、ソフトドリンク、剃刀、タバコのような会社に投資する。玩具産業では誰もが欲しがる人形をつくり出すことはできるが、ひととおり行き渡ればそれで終わりである。八カ月もたてば他社のつくった人形に取って代わられてしまう。

安定したビジネスはいくらでもあるのに、こうした当たり外れのあるビジネスを選ぶことはない。

⑾テクノロジーを使う側であること

価格戦争に悪戦苦闘するコンピュータ会社よりは、価格戦争で利益を得る会社、たとえばオートマチック・データ・プロセシングに投資するべきである。値札の自動読取機をつくる会社ではなく、その装置を導入したスーパーマーケットに投資すべきである。その装置でコストが三％も削減できれば、そのスーパーの収益は倍増するであろう。

⑿インサイダーたちが買う株

その会社の人間が自社株を買っているのは、その会社がうまくいっている何よりの証拠である。一般に、企業の人間は自社株を売り越すほうで、通常、買い一株につき売り二・三株となる。一九八七年八〜一〇月の大暴落時、どの企業も売り一株につき四株を買ったことは、企業人が自らのビジネスにまだ自信を持っていた証拠だろう。

企業の人間がクレージーなくらい自社株を買っているとすれば、少なくともその会社が六カ月以内に倒産しないことは確かである。自社株買いをしながらすぐに倒産した会社は歴史上三社とないと言える。

長期的に見ても重要なメリットがある。経営陣が自社株を持っていれば、株主還元が第一義になるが、雇われ重役では自分のサラリー向上しか考えない。大きい会社ほど重役のサラリーも高いので、給与生活者としては、株主の利益に反しても事業拡大を図るのは自然なことである。経営陣が自社株を多く持つ場合にはこの傾向は少ないものである。

一〇〇万ドルクラスの給料をもらう社長が自社株を数千株買うことより、一般従業員が買うことのほうがより大きな意味がある。年収四万五〇〇〇ドルの従業員が一万ドル相当の株を買うのは相当な信頼の証《あかし》である。だから、社長が一人で五〇〇〇株買うより、五人の課長が一〇〇〇株ずつ買うほうが好ましいわけだ。もし、企業の人間が自社株買いをしたあとで株価が下がれば、絶好の買い場である。ただし、インサイダーが自社株を購入する際には、所定の手続きに従ってSECに報告しなければならない。そしてその情報は、専門のニューズレターや新聞・雑誌などで比較的簡単に入手できる。

⒀自社株買い戻し

自社株買いは企業が株主に報いる最も簡単で最良の方法である。もし企業が自社の将来に自信があるのなら、投資家が株を買うように自分も自社の株を買って悪いはずがない。一九八七年一〇月二〇日のブラックマンデーの暴落の際にも、数多くの企業が自社株買いを発表して株価の安定に努めたが、目先の値下がりは食いとめられなかったとしても、長期的には大いに株主に貢献したのである。

自社株買いが行なわれると市場の浮動株は減少するし、発行済株数も減る。当然、マジックのようにPERは好転するし、株価にもマジックが働く。もし企業が発行株数の半分を買い戻せば、利益が変わらなければ、一株当たりの利益は二倍になる。少なからぬ企業が経費を削減したり無駄を省くことによって自社株買いの効果を得ているのである。

エクソンは石油を掘削するよりも自社株買いのほうが安いとばかりに自社株を買っている。もし新しく掘削する石油の価格が一バレル六ドルだとしたら、そしてもし保有する石油資産一バレル当たりの評価として一株三ドルという株価でしかないとすれば、自社株を買い戻すことは、ニューヨーク証券取引所の床に落ちている一バレル三ドルの石油を見つけたのと同じことである。

この賢明な自社株買いの手法も、ごく最近までほとんど聞かれなかった。一九六〇年代にインターナショナル・デイリー・クィーン社が初めて行なったが、ほんの数社しかその後も自社株買いを行なっていない。大いに喜ばしいことに、クラウン・コルク・アンド・シール社は直近の二〇年間にわたって自社株買いを行なっている。

無配当だが儲からない買収などは行なわず、ひたすら自社株買いを続けるこれら各社の株は、いずれ一株が一〇〇〇万ドルもの価値を持つことになるだろう。

テレダイン社では、ヘンリー・シングルトン会長がしばしば証券取引所の株価より高い価格で買い入れを行なっている。株価が五ドルのときは七ドルで、一〇ドルのときは一四ドルでといった具合である。これによってシングルトン会長は株主が有利に株を売るチャンスを与えているのである。このやり方は、期せずして年次報告書の約束事よりはるかにテレダイン社の将来に対して説得力を持っている。

自社株買い以外の方法として①配当を増やす、②新製品の開発、③新規事業の立ち上げ、④他企業の買収、などがある。

ジレット社がこの四つのすべて、なかでも後の三つについて行なってみたことがある。ジレット社は素晴らしく高収益のカミソリ部門を持っているが、他のさして利益のあがっていない事業の買収などによってその地位は相対的に小さくなっている。

もしジレット社が化粧品や浴室用品、ボールペン、ライター、髪のカーラー、ブレンダーや文房具などにその資金を投資する代わりに自社株買いを行なって配当金を増やすことに努めていれば、株価は今の三五ドルではなく優に一〇〇ドルは超していただろう。この五年はジレット社も損失を出す部門を減らしつつあり、本来のカミソリ部門の強化という本道に戻りつつある。

自社株買いの反対は発行株数を増やすこと――希釈化と呼ばれる――である。

インターナショナル・ハーベスター、現在のナビスターだが、農機具部門の壊滅的な打撃から会社を救うため、数百万株の株式を新たに発行している。

クライスラーはご存じのように、事業が好転するにつれ自社株やワラント債を買い入れている。ナビスターの業績は回復したが、異常とも見える希釈化によって一株当たりのインパクトは限定的であり、株主たちはその回復によってもほとんど利益を得るに至っていない。

究極の会社

もしウェイスト・マネジメント、ペップボーイズ、セイフティ・クリーン、採石場、瓶の栓といった最悪の要素を寄せ集めたような夢の会社をつくることができるとしたら、それはケイジャン・クレンザーズになるだろう。ケイジャン・クレンザーズは湿気にやられた家具、古書、カーテンなどのカビ取りという退屈な仕事をしている。最近、ルイジアナ・ベイヨーフィードバック社から分離独立した。

本社はルイジアナの湿地帯《ベイヨー》にあり、そこに行くには飛行機を二回乗り換え、空港からはトラックを雇わなければならない。ニューヨークやボストンのアナリストなど一人も来たことはないし、機関投資家が株を買ったこともない。

カクテルパーティーでケイジャン・クレンザーズと口にしても、何のことかわからずに、そのため、誰からも相手にされなくなる。

湿地帯を中心に急拡大していくうちに、ケイジャン・クレンザーズ社はたいへんな売上げを達成していく。衣服、家具、カーペット、トイレのタイルからアルミ建材まで、そのシミを取る新製品がパテントを取ったため、売上げは急上昇する。このパテントこそ、同社の求めていた独占的商売なのである。同社はまた、シミ抜きの生涯保証を計画している。前もって支払いをしておけば、いかなる家具のシミの面倒も見てもらえるのである。これで莫大な簿外収益が約束されることになる。

エルビス・プレスリーがまだ生きていると思っているような時代遅れの雑誌でしか、ケイジャンが取り上げられることはない。同社株は七年前に八ドルで公募され、すぐ一〇ドルに上がった。その株価で、重役たちは買えるだけの自社株を買い込んだ。

私自身はケイジャン社のことを、しまい込んでおいたレザージャケットのシミ抜きができるのはこの製品だけだと親戚から教えられて知った。リサーチをした結果、ケイジャン社は四年間にわたって収益が二〇％成長を遂げており、減益は一度もなく、借入金もなく、この前の不景気でも影響を受けなかったことがわかった。会社を訪問すると、新しいシミ抜き剤の製造はどんな馬鹿にでもできることがわかった。

私がケイジャン株を買おうとした前日、有名なヘンリー・カウフマン氏が金利上昇を予言し、FRB議長がボウリング場でころんで背中を傷めたために、株式市場は一五％も下落する。ケイジャン株も例外ではなく、私は七・五〇ドルで買うことになる。

まあ、ざっとこんなストーリーが私の夢なのである。

第9章　私が避ける株

私が何より避けたいのは、超人気産業のなかの超人気会社である。ニュースを賑わし、誰もが通勤途上でも耳にし、つい周囲に押されて買ってしまうような株である。

人気化した株は急騰するが、夢を買っているだけなので、落ちるときも急だ。もし人気株を売るだけ利口でないなら（だからこそ逆に買ってしまうわけだが）、すぐに株価は下がり始め、それも急激に、そして買値より下まで落ちていくものである。

ホーム・ショッピング・ネットワークのチャートを見ていただきたい。人気化したテレホンショッピング産業の人気株で、一六カ月のうちに株価は三ドルから四七ドルへ、そして再び三ドル二分の一へと往復した。四七ドルで売った人はよいだろうが、四七ドルで買った投資家はたまったものではない。収益や今後の見通しはどこへ行ってしまったのか。これではルーレットに賭けるようなものだ。

同社は、テレビ局買収のための借り入れで財務内容が急速に悪化しており、電話部門にも問題があり、競争相手も現われ始めていた。またトレーラーハウス、デジタル時計、健康産業のいずれも、人気化して熱い期待が業績を覆い隠してしまった例である。アナリストが永遠の二ケタ成長を予言したときが、落ち込みの始まりなのである。

人気産業を次々と追いかけて投資したりすれば、すぐに生活保護のお世話になるだろう。

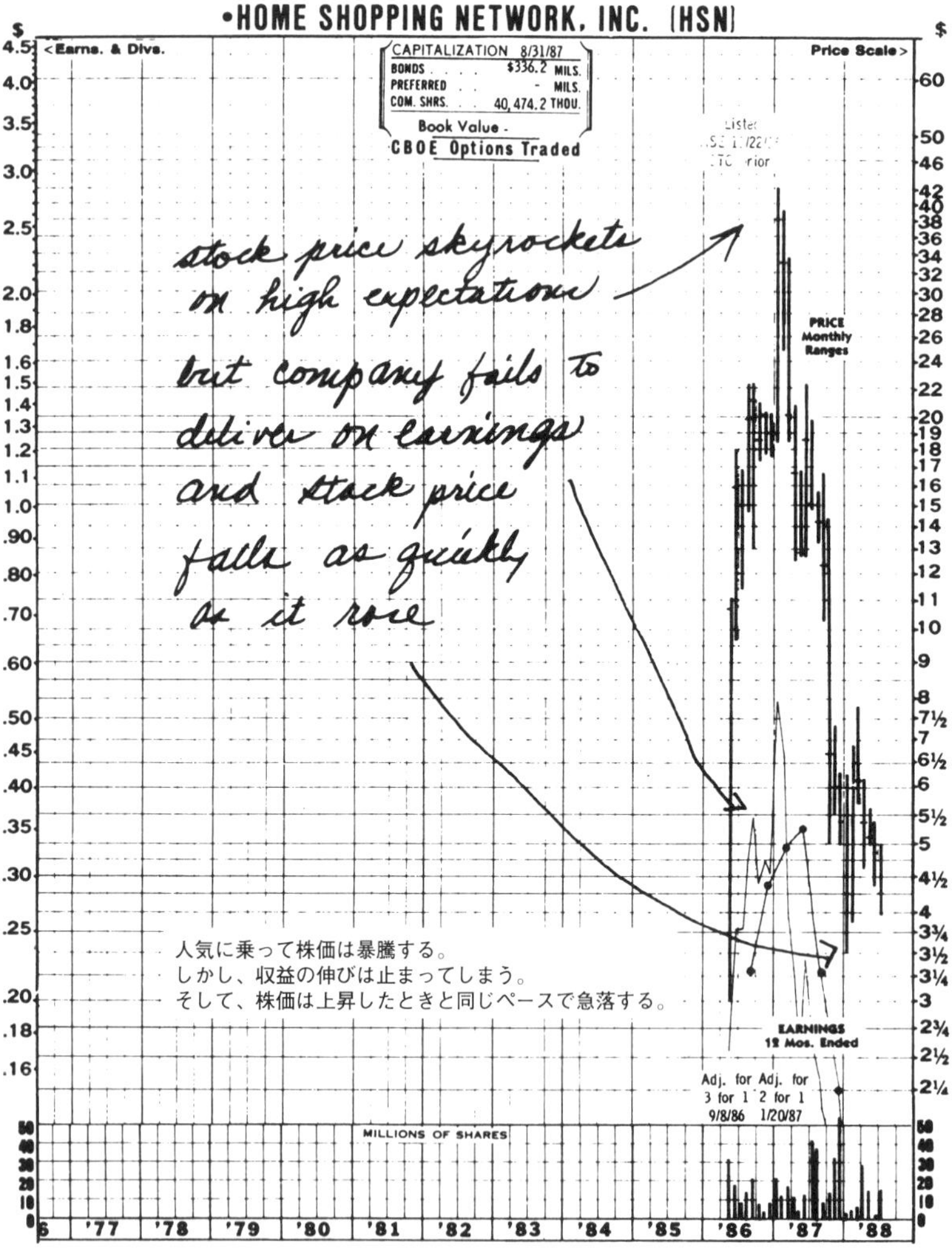
•HOME SHOPPING NETWORK, INC. (HSN)
<Earns. & Divs.
Price Scale>
CAPITALIZATION 8/31/87
BONDS $336.2 MILS.
PREFERRED - MILS.
COM. SHRS. 40,474.2 THOU.
Book Value -
CBOE Options Traded
stock price skyrockets on high expectations
but company fails to deliver on earnings and stock price falls as quickly as it rose
PRICE Monthly Ranges
人気に乗って株価は暴騰する。
しかし、収益の伸びは止まってしまう。
そして、株価は上昇したときと同じペースで急落する。
EARNINGS 12 Mos. Ended
Adj. for 3 for 1 9/8/86
Adj. for 2 for 1 1/20/87
MILLIONS OF SHARES
'77 '78 '79 '80 '81 '82 '83 '84 '85 '86 '87 '88

カーペット産業ほど人気化した例はまずないだろう。私が育った頃、米国の主婦は誰でも床全体にカーペットを敷き詰めるのが夢だった。使用繊維量を大幅に減らす植毛技術が開発され、自動化した織機が出たので、価格は一ヤード二八ドルから四ドルへと下がった。この安価なカーペットは、学校、オフィス、空港、そして国中の家々に敷き詰められた。

板張りはそれまでカーペットより安かったのだが、カーペットのほうが安くなったので、上流階級はカーペットを板張りに替え、逆に大衆は板張りからカーペットへと替えた。カーペットの売上げは驚異的に伸び、五～六社の主要メーカーは使い切れぬほどの収益を得て、急成長した。その頃からアナリストはカーペットブームが永続すると言い始め、証券会社はそれを顧客に伝え、顧客はカーペット関連株を買った。ところが同時に二〇〇社もの新規参入があり、全社が価格競争を始めたため、以後は利益が出なくなった。

急成長産業と人気産業は利口《スマート》な人々の参入を招く。企業家とベンチャー・キャピタリストは、いかに早く参入するか、日夜知恵を絞っている。もしうまいアイデアを思いついて、しかもそれがパテントや独占性で守れないとすれば、成功するや否や追随者が出てくる。ディスクドライブを思い出せば十分である。専門家はこの産業が年率五二％成長すると言ったし、実際そうなった。しかし三五社がひしめきあっていたのでは、利益は生じない。

石油サービス産業の場合はどうだろう。私は一九八一年にコロラドで開かれたエネルギー会議に出席した。ゲストスピーカーはトム・ブラウン氏で、彼は当時人気のあった石油サービス会社トム・ブラウン社のオーナー社長であり、同社の株価は五〇ドルに達していた。彼はある知り合いが同社株をカラ売りした（つまり下がると信じた）ことを紹介したあと、次のように述べた。「わが社の株を売るとは、お金が嫌いなのに違いない。車も家もなくして、クリスマスパーティーには裸で出かけなけりゃなるまい」。ブラウン氏はこの話を繰り返して人々を笑わせたが、その後四年間で株価は五〇ドルから一ドルに下がった。カラ売りした知り合いは一財産築いたことだろう。パーティーに裸で行かねばならなかったのは同社の株主のほうだった。人気産業の人気会社を避けていれば、あるいは少なくともよく調べていれば、こんな目には遭わなかっただろう。トム・ブラウン社には、不必要な石油リグ、怪しげな油田、かなりの負債、そして劣悪な財務内容があっただけだった。

一九六〇年代にはゼロックスが最高の人気株だった。複写機産業は素晴らしいうえ、ゼロックス社がすべてのプロセスを支配していた。「ゼロックスする」という言葉ができたほどだった。一九七二年に株価が一七〇ドルだったとき、アナリストたちはゼロックスが無限に成長を続けると考えていた。やがて日本のメーカーが、そしてＩＢＭやイーストマン・コダックが参入した。すぐに二〇社もの会社が複写機を、それももとの湿式でなく使いやすい乾式のものをつくり出した。ゼロックスはうろたえて、よくわからない他業種の会社を買収する始末となり、株価は八四%も下がった。他の競争相手も同様だった。業界は二〇年にわたり成長産業であり、需要が落ちることもなかったが、複写機のメーカーは決して高収益をあげることはできなかった。

ゼロックスのみじめな株価を、マイナス成長産業であるタバコのフィリップモリスの株価と比べてみると、過去一五年間でゼロックスは一六〇ドルから六〇ドルに落ち、フィリップモリスは一四ドルから九〇ドルに上昇した。フィリップモリス社は海外市場拡大、値上げ、コスト削減により、年々収益を向上させてきた。マールボロ、バージニア・スリム、ベンソン・アンド・ヘッジス、メリットなどのブランドのおかげで、フィリップモリス社は独占性を保てたのである。マイナスの成長産業には競争相手が大挙参入することはない。

第二の何々にご用心

第二のＩＢＭ、第二のマクドナルド、第二のインテル、第二のディズニーともてはやされる会社の株も避けたいものである。私の経験では、演劇でも、本でも、バスケットボール選手でも株でも、第二の何々がうまくいったことはない。第二のウィリー・メイズと言われた野球選手がチームをクビになり、第二の『白鯨』と言われた小説が静かに忘れ去られたりするように、株でも似たようなことが起きる。

実際、第二の何々株と人々が言い出したときは、その株だけでなく、本家のほうもおかしくなり始めるようである。他のコンピュータ会社が第二のＩＢＭと呼ばれたときには、ＩＢＭ自体がすでにまずい時期に入っていた。今日、ほとんどのコンピュータ会社は第二のＩＢＭにならないよう努力しているようだが、これは逆に、ＩＢＭが今後よくなることを示しているのかもしれない。

サーキット・シティ・ストアズ（以前のウォーズ）がエレクトロニクス小売り会社として成功したあと、ファースト・ファミリー、グッド・ガイズ、ハイランド・スーパーストアズ、クレイジー・エディ、フレッターズといった具合に、第二のサーキット・シティが次々に出て来た。サーキット・シティはどうにかＩＢＭの轍は踏まず、一九八四年にニューヨーク証券取引所に上場されて以来、株価は四倍になった。しかし、第二のサーキット・シティたちはみな公開値より五九％から九六％も値下がりした。

第二のトイザラスとされたチャイルド・ワールドもやはり駄目だった。第二のプライス・クラブと言われたウェアハウス・クラブもよくない。

多悪化を避けること

高収益会社はしばしば配当を上げる代わりに馬鹿げた買収を行なって、お金の無駄遣いをする。多角化ならぬ多悪化を行なう会社の犯す過ちは、①高すぎる買収価格、②全く知らない分野の会社の買収、である。これでは損失は保証されたも同然だ。

企業というのはどうも二〇年ごとに、向こうみずな多悪化（派手な買収に数十億ドルかける）と向こうみずなリストラクチャリング（そして買収した会社を買ったときより安く売却する）を繰り返すようだ。

こうして買ってから後悔して売ってしまい、また買って、後悔して、という繰り返しは、流動性の豊かな大企業の株主から、買収される側の小企業の株主へのプレゼントのようなものとして、褒められるべきものかもしれない。大企業のほうは、買収に当たって必要以上の価格で買うからである。どうしてこんなことをするのか、私には全く不可解であるが、経営者にとっては、ただ自社株を買い入れたり配当を増やすよりは、高い買い物ではあっても小企業を買収するほうが面白いようである。たぶん、心理学者に分析させるべきだろう。個人と同様、ある種の企業は繁栄するだけでは満足できないようである。

投資家として見れば、多悪化には二つの利点がある。買収される側の会社の株を持っている場合と、多悪化の対象となって買収された企業が、それをきっかけにリストラクチャリングを行ない、業績を回復するケースである。

多悪化の例は無数にある。モービル石油は、以前マーコー社を買収して悪化した。マーコーの事業の一つは不慣れな分野の小売業であったので、長らくモービルにとって頭痛のタネになった。マーコー傘下の他の主要事業であったコンテイナー・コーポレーションは、後にたいへん安い価格で売却された。モービルはスーペリアー・オイルに高すぎる買収価格を支払ったことで、さらに多額の損失を出した。

一九八〇年に原油価格がピークをつけて以来、エクソン株は二倍になったのに、モービル株はたった一〇％上がっただけである。二件ほどのうまくいかなかった比較的小規模の買収と、結局失敗したベンチャーキャピタル子会社の例を除いては、エクソンは多悪化を避け、本業に励んだ。余分な資金は自社株買いに回した。エクソンの株主はモービルの株主よりずっとよい思いをしている。モービルも新しい経営陣によって立ち直りつつあり、一九八八年にはモンゴメリー・ウォードを売却した。

ジレットの大ドジについてはすでに述べたとおりである。同社は薬品に参入しただけでは足りず、デジタル時計にまで手を出したうえ、その損失を償却すると発表した。大会社が失敗した事業からの撤退を、そもそも誰もその事業に参入していたことを知らない前に発表したのは、私の知る限り唯一のケースである。しかし、そのジレットも大幅な改革を行ない、最近は立ち直ってきている。

ゼネラル・ミルズは中華レストラン、イタリアンレストラン、ステーキハウス、パーカー・ブラザース・トイズ、ラコステ・シャツ、コイン、切手、旅行代理店、エディ・バウアー小売りチェーン、フットジョイを持っていたが、その多くは一九六〇年代に取得したものである。

一九六〇年代は、ローマ帝国がヨーロッパ全土と北アフリカに多悪化を行なって以来の多悪化とも言うべき時期だった。エリートたちが、どんなビジネスでも同様にうまく経営できると信じたこの時期には、ほとんどの優良企業が多悪化を行なった。

アライド・ケミカルは、およそ台所の流し台以外はすべて買ったが、それでも買収した会社のなかには流し台をつくっているものもあっただろう。タイムズ・ミラーも、メルクも、多悪化を行なったものの、それぞれ出版と薬品という本業に戻っていった。

米国の産業は一年に三〇〇〇もの買収を行なったのだから、一日一回の割合である。ベアトリス・フーズは食品から非食品へ参入して、あとは何でもこいということになった。

この大買収ブームが終わったのは一九七三～七四年の市場低迷期であった。このとき、エリートたちも期待されるほど利口ではなく、最も優れた経営者でさえ、買い込んだカエルをお姫様には変えられないことを、ウォール街も悟ったのであった。

もちろん、買収がいつでも馬鹿げているわけではない。本業が思わしくないときにはよい戦略である。もしもウォーレン・バフェット氏が繊維だけに固執していたとしたら、彼の名も、バークシャー・ハサウェイ社の名前も聞くことはなかっただろう。同じことはティッシズにも言えよう。彼は映画館チェーン（ロウズ）から始めて、タバコ会社（ロリヤール）を買い、その利益で保険会社（CNA）を買い、それによってついにCBSの大株主になった。成功のコツは、正しい買収を行ない、それをうまく経営することである。

メルヴィルとジェネスコの例を見ると、一方は多角化に成功し、もう一方は多悪化した。三〇年前、メルヴィルはほとんど自社の販売網トム・マッキャンだけのために紳士靴をつくっていた。同社がKマート・チェーンを中心とする他店への靴部門リースを始めてから、売上げが伸びた。Kマートが大発展を始めた一九六二年、メルヴィルの利益も爆発的に伸びた。そこで長年の安売りの経験をもとに、同社は一連の買収を開始した。いつも、一つ成功してから、次の買収にとりかかった。六九年には安売り薬局チェーンのCVSを買った。七六年には安売り衣料チェーンのマーシャルズ、八一年にはケイビー・トイズを買った。この間、同社は製靴工場の数を、六五年の二二から八二年にはわずか一つ

メルヴィルの多角化は相乗効果を生み、収益の向上とともに株価も上がった。

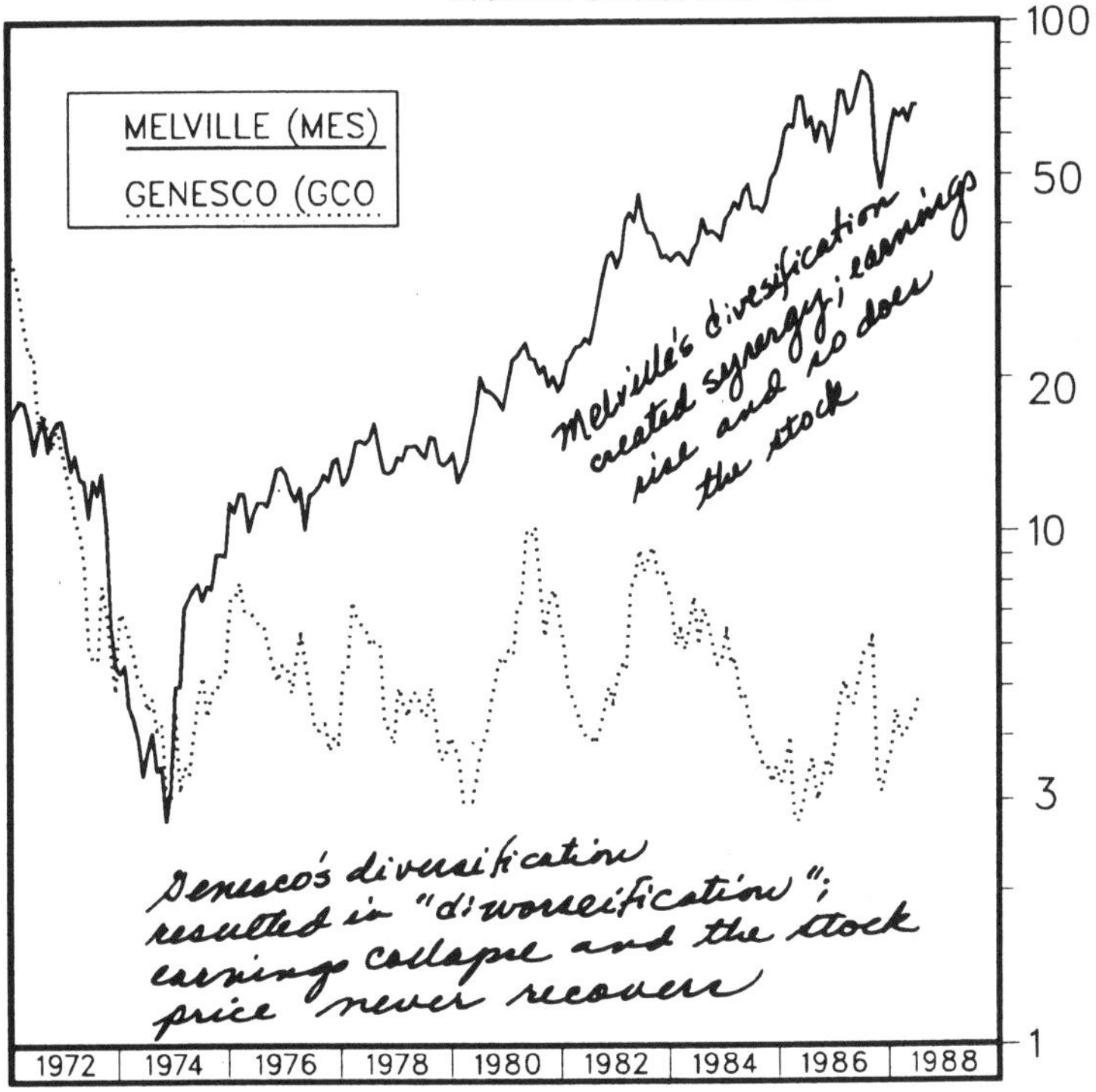

ジェネスコの多角化は多悪化に終わり、収益は悪化して株価も回復しなかった。

へと減らした。こうしてゆっくりと、しかし効率的に、製靴業者から、多角化した小売業者へと変身していったのである。

メルヴィルと違い、ジェネスコは一気に行こうとした。一九五六年以来、ボンウィット・テラー、アンリ・ベンデル、ティファニー、クレスと買収し、そして警備保障、宝石、ニット原料、生地、ブルージーンズ、その他無数の小売・卸売業に参入し、その一方で靴の製造も続けようとしていた。一九五六年から七三年までの一七年間に、ジェネスコは一五〇社の買収を行なった。こうした買収で売上げは伸びたが、これは紙の上での話で、ファンダメンタルズは悪化した。

メルヴィルとジェネスコの戦略の違いは、最終的には両社の収益と株価に表われた。両社とも一九七三～七四年の弱気相場で下がったが、メルヴィルの収益は着実に成長し、株価も反発した。八七年までには三〇倍になったのである。ところが一方のジェネスコは七四年以降、財務状況は悪化を続け、株価も低迷したままである（チャート参照）。

なぜメルヴィルは成功し、ジェネスコは失敗したのか。これには相乗効果の働きが大きい。相乗効果とは、二プラス二が五になるような、関連した事業を合わせて巧みに作用させ、効果を高めることである。相乗効果の理論に従えば、マリオットはすでにホテルとレストランの経営をしているので、ビッグ・ボーイのレストラン・チェーンを買収するのには意味があり、また刑務所と大学に食事を供給する会社もよい対象となる。だが、そのマリオットが自動車部品やテレビゲームについて知っていることは少ないだろう。

実際には買収が相乗効果をもたらす場合と、そうでない場合がある。剃刀メーカーのジレットが髭剃りクリームのメーカーを買収したときには多少の相乗効果があった。しかし、シャンプーやローションの、その他の身だしなみ用品については失敗だった。

もし何かを買収しなくてはならないなら、関連事業でなくてはならないが、いずれにせよ買収は私を不安にさせる。資金の豊富な会社は、往々にして買収に必要以上に金をかけても十分なほどに強力だと過信し、買収に多くを期待した挙げ句、経営上の失敗を招くものである。

耳打ち株に御用心

私に電話をしてくる人のなかには、マゼラン・ファンドのための堅い株を推奨するだけでなく、声を低くして、「すごい株があるんだ。ファンドに組み入れるには小型すぎるけど、個人的に買うには向いている。きっとうまくいくから、調べてみるべきだ」とささやく人がいる。

こうした穴株は耳打ち株とでも呼べるだろうが、私がその話を聞く頃にはあなたも聞いているだろう。パパイヤジュースの抽出物をギックリ腰の薬として売っている会社（スミス・ラブス）、ハイテク製品、牛から取ったモノクローナル抗体（バイオレスポンス）、各種の奇跡的添加剤、物理法則を無視したエネルギー解決策などなど。こうした耳打ちされる会社は、しばしば石油不足、麻薬中毒、エイズといった最新の国家的問題を解決することになっている。解決策のほうはたいへんな想像力を要するものか、あるいは、あきれるほど複雑なものかのどちらかである。

私のお気に入りはKMS・インダストリーズである。一九八〇～八二年の営業報告書によれば、アモルファス・シリコン・フォトボルタイクスを手掛け、八四年にはビデオ・マルチプレクサーとオプティカル・ピンに専念し、八五年には化学的球状爆破による物質処理に向かい、八六年には内封型融合計画とレーザー励起衝撃圧縮と視認免疫診断分析法に没頭していたようである。この間、株価のほうは四〇ドルから二ドル二分の一へと下落した。八株を二株にする株式併合がなければ、株価はセント表示になっていただろう。スミス・ラブスのほうは二五ドルから一ドルへと下落した。

バイオレスポンス社の人がボストンまで私を訪ねて来たあと、私はその本社をサンフランシスコに訪ねた。シスコでもかなり場末にあるオフィスでは、重役と牛が同居していた。私が社長と会計士と話をしている間も、白衣の研究員が牛から血清を採取していた。これはネズミから血清をとる通常のやり方よりも低コストの方法だった。牛二頭から国中で必要なインシュリンをつくることができ、牛の血清一グラムで一〇〇万回分の検査薬がつくれる。

バイオレスポンス社は幾つかの証券会社が調べており、ディーン・ウィッター、モンゴメリー・セキュリティーズ、ファーマン・セルツ、J・C・ブラッドフォードが推奨していた。私はこの株を一九八三年二月の第二次公開のとき、九ドル四分の一で買った。株価は一六ドルまで伸びたものの、今は駄目になっている。幸運にも私はわずかな損切りで逃げることができた。

耳打ち株には催眠術のような効果があって、その話にはつい乗せられてしまう、ジュージューという音にだまされて、つい本当にステーキが出てくると思うようなものだ。こんな株にばかり投資していれば、アルバイトでも始めないと損を埋められなくなる。目先は上がるかもしれないが、長期的にはいつも損をしてきた。

例を挙げればきりがない。ナショナル・ヘルスケア（一四ドルから五〇セントへ）、アルハンブラ・マインズ（とうとう鉱脈を掘り当てなかった）、サン・ワールド・エアウェイズ（八ドルから五〇セントへ）、MGF・オイル（今や一ドル以下）、アスベテック・インダストリーズ（今や八分の一ドル）、プリアム（ディスクドライブには手を出すべきではなかった）、GD・リッチーズ（マクドナルドになりそこねたファーストフード）などなど。これらの会社に共通しているのは、特ダネが実際には何の中身も持たなかったことである。それこそが耳打ち株の正体なのだ。

そもそも収益などないので、収益やその他の数字を調べる面倒もない。株価収益率さえ存在しないので、問題にならない。あるものといえば、おいしそうなストーリーだけなのである。

忘れてしまいがちなのは、もしその会社の見通しがそんなにものすごいのなら、来年か再来年でも投資するのに遅くないということである。会社が実績をあげてからでも間に合う。評価を確立した会社からでも一〇倍株はとれるものである。疑わしきは待てだ。

大穴株と目される株の場合、新規上場時に買わなければ手遅れだと思い込まされがちである。まれには早く買っておいたおかげで、あっという間に大儲けができることがある。一九八〇年一〇月四日、ジェネテック社が三五ドルで公開され、午後には八九ドルの高値を記録し、七一ドル四分の一で引けた。幸運にもマゼラン・ファンドも少数の割り当てを受けた（人気株はいつも手に入るものではない）。

一方、アップル・コンピュータの場合、いくらでも割り当てを受けることができたが、公開したその日のうちに二〇％の利益を取って売ってしまった。なぜなら、公開前日、マサチューセッツ州が、一般大衆が買うにはアップルはリスクが大きすぎるので、一部の経験ある投資家のみが買えると判定したからである。私はその後アップルが下落して、業績回復株になるまでは買い直しはしなかった。

新しい企業の株式を新規上場時に買うのには、どうしても大きなリスクを伴う。私が買ったもののなかにはうまくいったものもあるが（フェデラル・エクスプレスは二五倍になった）、四つのうち三つまでは長期的に見て失望させられるものである。新規上場組のうちでも、他社から独立したものや、すでに業績の安定した新会社などはうまくいくようである。トイザラス、エージェンシー・レンタカー、セイフティ・クリーンなどがよい例である。いずれもすでに軌道に乗ったビジネスで、フォードやコカ・コーラと同様に、内容も調べることができる。

下請け会社には御用心

製品の二五～五〇％を単一の顧客に売っている会社はリスクがある。ＳＣＩ・システムズは健全経営の会社で、ＩＢＭにとって主要なパーツ供給者であるが、ＩＢＭがそのパーツを自社製作するかまたはそれを不要とするようになるかして、ＳＣＩとの契約を打ち切る可能性がある。特定の顧客をなくしただけで破滅するような会社への投資には用心すべきである。タンドンなどのディスクドライブのメーカーは、いつもひと握りの顧客に頼っているので危険である。

契約を打ち切らないまでも、大口顧客は価格交渉などで下請け会社の利益を圧迫する大きな力を持っている。そうした条件のもとでは、投資してもよい結果は期待しにくいだろう。

名前のよい会社に御用心

もしもゼロックスの社名がたとえばデビッド・ドライ・コピーのような怪しげなものだったら、かえってよかっただろう。名前はつまらないのに内容がよい会社は早くから買われることが少なく、二流でもいかした名前の会社は、投資家に誤った安心感を抱かせるものである。名前がハイテクに聞こえたり、よくわからない略語だったりすると人気を呼ぶものである。ＵＡＬは現代人受けしようとアリージスに社名を変更した。クラウン・コルク・アンド・シールが社名変更しなかったのは幸いであった。もし彼らが企業イメージコンサルタントなどと相談して、社名をクラコルシーとでも変えていたら、最初から多くの機関投資家を惹きつけただろう。

第10章 収益、収益、そして収益

たとえば、万引防止装置を発明して、一九七九年から八三年にかけて、ビジネス拡大とともに株価が二ドルから四二ドルに上がったセンサーマチックという会社の株に目をつけたとしよう。自分の持ち株を調べて、二つの優良株と三つの市況関連株があったとして、センサーマチックにせよ自分の持ち株にせよ、何を基準にして株価が上がると言えるだろうか。買うとしても、いくらで買えばよいのか。

それは、その会社がどのくらい値打ちがあるか、そして明日は今日よりどれだけその値打ちが上がるかということである。それには数多くの理論があるが、私にとって重要なのは収益と資産であり、とくに収益である。時として株価が会社の内容に追いつくのに何年もかかり、しばらく低迷して、投資家に株価はもう上がらないのではないかと思わせることがある。だが、会社の内容（値打ち）は必ずいつか正しく評価されるものである。収益と資産をもとに株を分析するのは、コインランドリーやドラッグストアやアパートを買う場合と全く同じである。**株とは、宝くじではなくて、ある会社の部分所有権だということを忘れてしまいがちである。**

別の角度から収益と資産を考えてみよう。あなた自身が株式会社だとすると、投資家があなたにどれだけの価値を見出すかは、あなたの収入と資産次第である。ゼネラル・モーターズ（ＧＭ）を評価するのと同様に、自分自身を評価してみるのはよい練習になる。

あなたの資産とは、不動産、車、家具、衣類、敷物、ボート、工具、宝石、ゴルフクラブ、その他諸々。換金できるものすべてを指す。もちろん、住宅ローン、抵当、自動車ローン、銀行や親類などからの借金、未払い代金、個人的な借りやポーカーの負け金などは差し引かなければならない。その結果が、あなたという人間の決算、つまり純資産である（もしその結果がマイナスの人は次の第11章で取り上げる株の人間版である）。

もしあなたが破産して身売りをしていなければ、もう一つの価値、収入を得る能力があることになる。生涯の間に、給料や働き方によって、人それぞれの金額を家に持って帰る能力のことだが、ここでもトータルではたいへんな違いがある。

ここで自分自身を例の六つの会社のカテゴリーに分類してみるのもよいかもしれない。格好のパーティーゲームになる。

安定した職場だが給料は低く、賃上げも控え目な場合、低成長株と同じである。電力会社の人間版とでも言おうか。図書館員、教師、警官は低成長株である。

企業の中間管理職のように、給料がよく、賃上げも期待できるのは優良株である。コカ・コーラやラルストン・ピュリナの人間版だ。

農民、ホテルやリゾートの従業員、ハイアライの選手、サマーキャンプの従業員、クリスマスツリーの売り子のように、一年のうちごく短い期間に収入のほとんどを得る場合は、市況関連株である。作家や役者も市況関連株であるが、一発当てる可能性を考えれば、潜在的急成長株でもある。

親の遺産頼みで、自分では一切働かないろくでなし、信託財産暮らし、貴族、享楽家などは、産金株や鉄道株などの資産株と言えよう。資産株で問題になるのは、すべての借金を払い終えた後に残るものについてである。

浮浪児、放浪者、落ちこぼれ、破産者、失業者などは、少しでもエネルギーとやる気が残っていれば、潜在的な業績回復株だ。

俳優、発明家、不動産開発業者、小企業家、スポーツ選手、音楽家、犯罪者はすべて潜在的急成長株である。このグループの人は優良株グループの人々より失敗する率は高いものの、もし成功すれば、一夜にして収入は一〇倍、二〇倍、はたまた一〇〇倍となる。タコ・ベルやストップ・アンド・ショップの人間版である。

急成長株を買うときは、将来の儲けに賭けていると言える。弁護士などのコカ・コーラ型に対して、俳優のハリソン・フォードのような初期のダンキン・ドーナツ型を考えてみよう。ハリソン・フォードがまだロサンゼルスで大工をしていた頃には、コカ・コーラ型に投資するほうがよほど常識的だったであろうが、彼が「スター・ウォーズ」の主役で当てたときの収入の変化はたいへんなものだった。

弁護士の場合、大きな離婚訴訟にでも勝たない限り、一夜にして収入が一〇倍増とはならないが、船底のフジツボを削り落としながら小説を書く男は、第二のヘミングウェイになるかもしれない。だから投資家は、必死になって将来の急成長株を探そうとするのである。たとえ現在の収益がゼロでも、または株価に比べて収益が低すぎる場合でもである。

株価と収益を並べたチャートを見れば、収益の重要性は一目瞭然である。チャートブックをパラパラとめくってみれば、どのチャートでも株価と収益のラインが並行しているのがわかるだろう。もし株価のラインが収益のラインから外れていたとしても、そのうちまた収益のラインに近づいてくるものである。

人はよく日本や韓国の投資家の動向を気にするが、結局は収益が株価を決定するのである。また、

そして、ついに株価は1年で86%も下落。

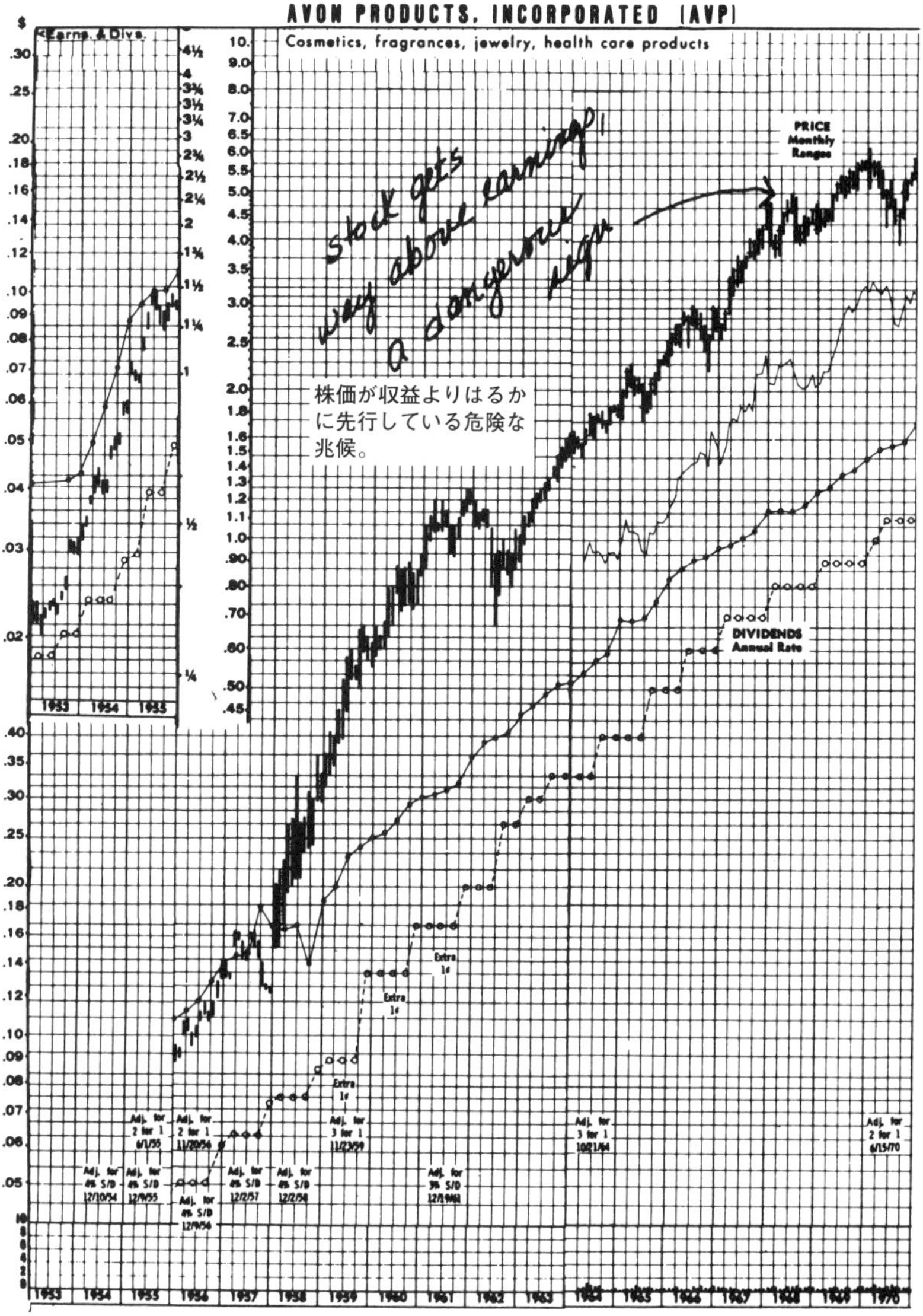
AVON PRODUCTS, INCORPORATED (AVP)
Cosmetics, fragrances, jewelry, health care products
Earns. & Divs.
stock gets way above earnings! a dangerous sign
株価が収益よりはるかに先行している危険な兆候。
PRICE Monthly Ranges
DIVIDENDS Annual Rate
Extra 1¢
Adj. for 2 for 1 6/1/55
Adj. for 2 for 1 11/20/56
Adj. for 3 for 1 11/23/59
Adj. for 3 for 1 10/21/64
Adj. for 2 for 1 6/15/70
Adj. for 4% S/D 12/10/54
Adj. for 4% S/D 12/9/55
Adj. for 4% S/D 12/9/56
Adj. for 4% S/D 12/2/57
Adj. for 4% S/D 12/2/58
Adj. for 3% S/D 12/19/61
1953 1954 1955 1956 1957 1958 1959 1960 1961 1962 1963 1964 1965 1966 1967 1968 1969 1970

短期的な相場のアヤを気にするが、長期的な株価動向は収益にかかっている。時に例外もあるが、自分の持ち株のチャートを調べれば、私の言おうとしていることはわかるだろう。

過去一〇年間、不景気とインフレがあり、原油価格は上下したが、株価は収益を追った。ダウ・ケミカルのチャートを見て欲しい。収益が上がれば株価も上がっている。一九七一年から七五年、そして一九八五年から八八年にかけてはぴったりそうなっていた。そして収益の不安定だった一九七五年から八五年にかけては、株価のほうも不安定だった。

エイボンの場合、一九五八年から七二年の間、収益の上昇につれて、株価は三ドルから一四〇ドルに上がっている。しかし楽観的になりすぎた結果、収益に比べて高くなりすぎた。一九七三年、ついに夢が破れ、収益の低下とともに株価も下がった。『フォーブズ』誌が、下げの始まる一〇カ月前には警告記事を出していたことを見ても、これは予測しえたことであった。

マスコ・コーポレーションの場合、レバー式蛇口を発明したために、三〇年間にわたって増益を続け、一九五八年から八七年の間、収益は八〇〇倍、株価は一三〇〇倍になった。たぶん、資本主義の歴史のなかでも最高の株であろう。

レストラン・チェーンのショウニーズのケースでは、一一六の四半期、つまり二九年間連続増益という滅多にない記録を達成している。もちろん株価もずっと上昇し続けた。チャートでもわかるように、株価が収益に先行すると、すぐに株価のほうが下がって調子を合わせている。

もう一つの成長株マリオットのチャートも同じことを示している。ザ・リミテッドの場合も同じで、七〇年代に収益が低下傾向をたどると株価も下落し、収益が上がれば株価も上がった。一九八三年または八七年のときのように、株価が収益よりずっと先行してしまったときは、一時的に大きな下落を見た。八七年一〇月の大暴落のときは、無数の株が同様な目に遭っている。

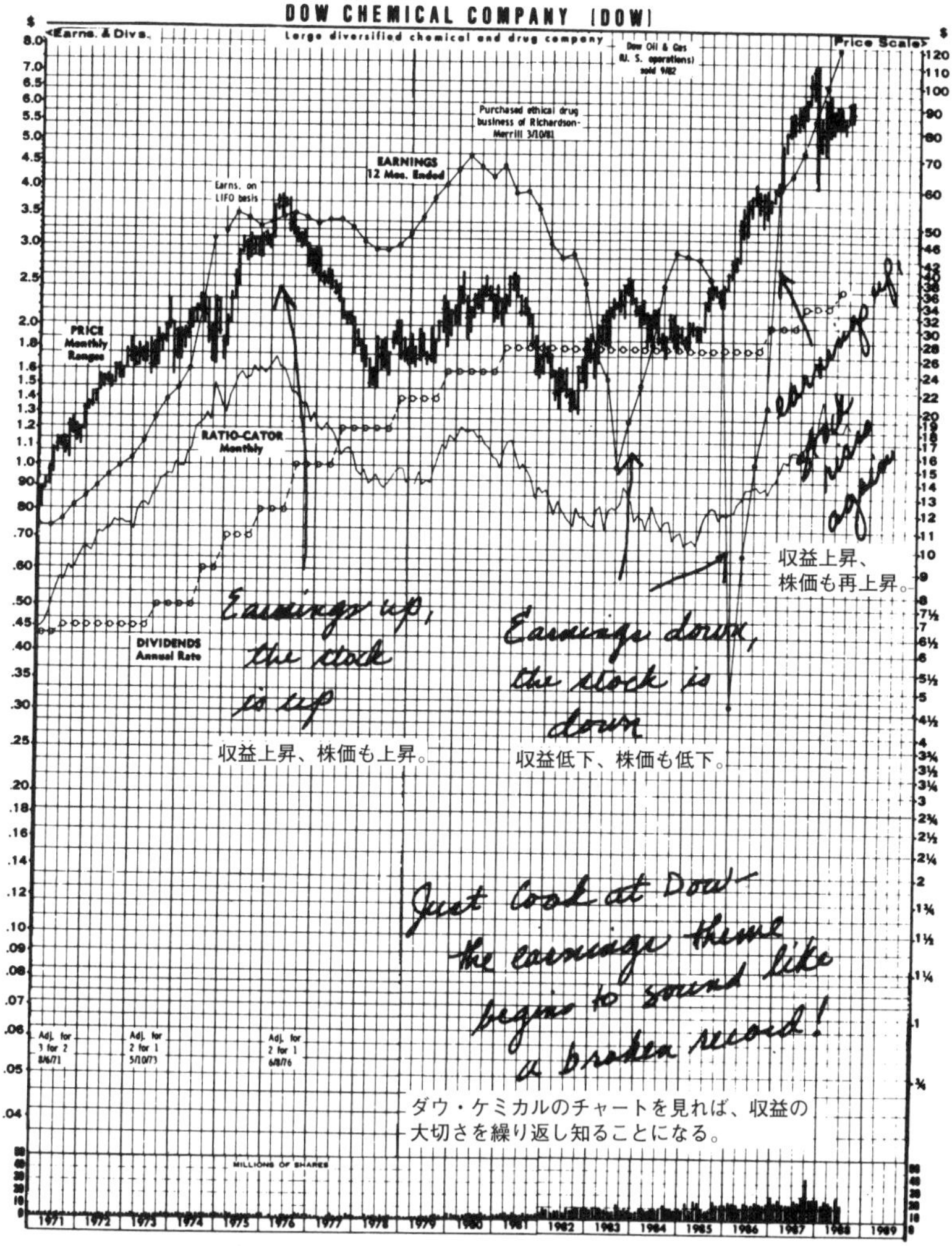
DOW CHEMICAL COMPANY (DOW)
Large diversified chemical and drug company
Earns. & Divs.
Price Scale
Dow Oil & Gas (U. S. operations) sold 9/82
Purchased ethical drug business of Richardson-Merrill 3/10/81
EARNINGS 12 Mos. Ended
Earns. on LIFO basis
PRICE Monthly Ranges
RATIO-CATOR Monthly
DIVIDENDS Annual Rate
Earnings up, the stock is up
収益上昇、株価も上昇。
Earnings down, the stock is down
収益低下、株価も低下。
earnings up!
stock rises again
収益上昇、株価も再上昇。
Just look at Dow — the earnings theme begins to sound like a broken record!
ダウ・ケミカルのチャートを見れば、収益の大切さを繰り返し知ることになる。
Adj. for 3 for 2 8/6/71
Adj. for 2 for 1 5/10/73
Adj. for 2 for 1 6/8/76
MILLIONS OF SHARES
1971 1972 1973 1974 1975 1976 1977 1978 1979 1980 1981 1982 1983 1984 1985 1986 1987 1988 1989

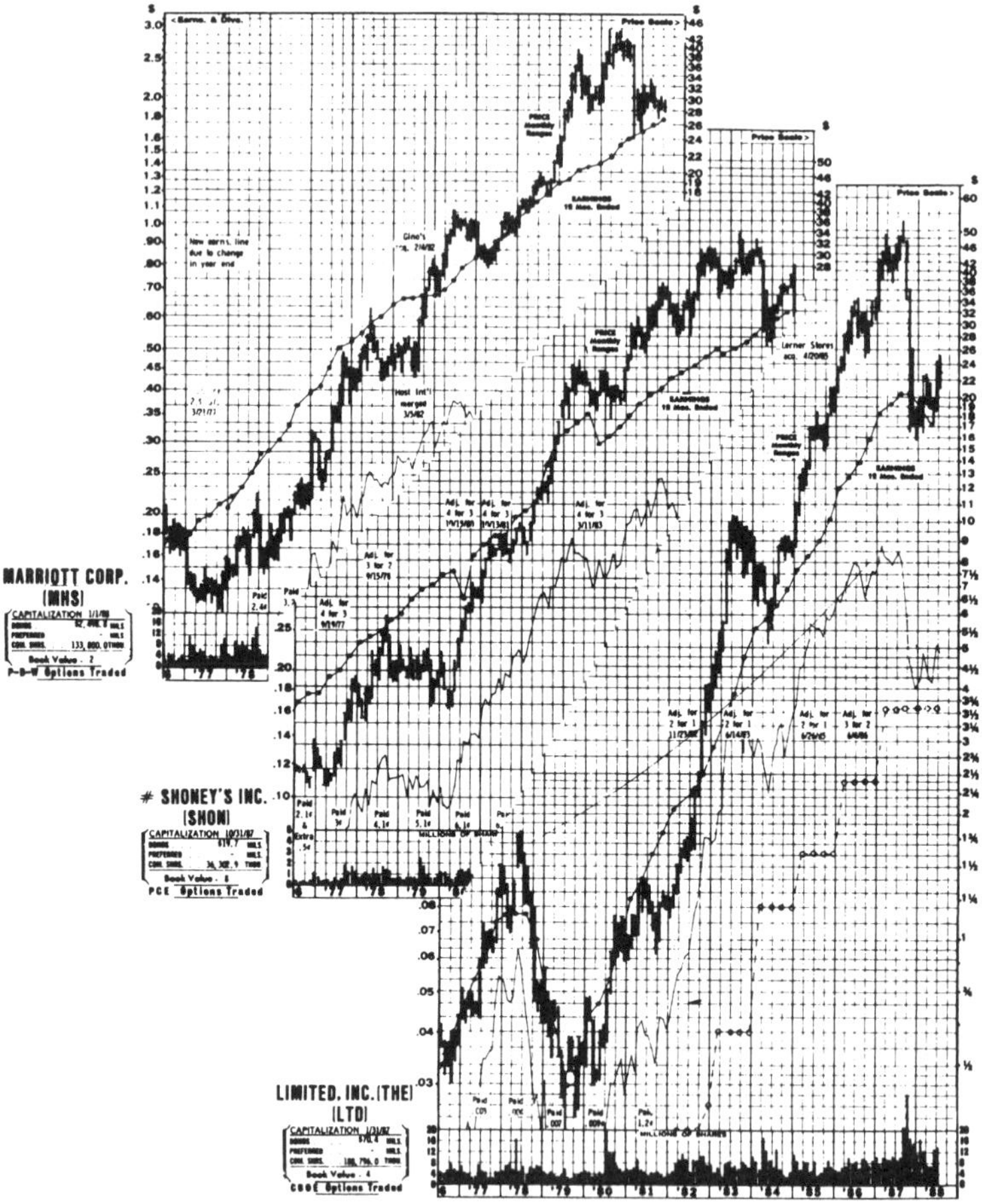
MARRIOTT CORP.
(MHS)
SHONEY'S INC.
(SHON)
LIMITED, INC. (THE)
(LTD)

（株価が高すぎるかどうかを判断する手っ取り早い方法は、株価のラインと収益のラインを比べてみることである。ショウニーズ、ザ・リミテッド、マリオットなどの身近な成長株を、株価ラインが収益ラインを下回っているときに買い、株価が収益よりずっと高くなったときに売れば、うまくいくはずである。別にこの手を推奨するつもりはないのだが、他にこれよりよい方法があるだろうか？）

かの有名な株価収益率

収益について本気で議論しようと思えば、株価収益率（ＰＥＲ）について語る必要がある。これは株価と収益の関係を数字で表現したものである。ＰＥＲはどの新聞にも載っている。これは収益のライン同様、株価が高すぎるか、妥当なのか、安すぎるのかを判断する材料になる。

（新聞に載っているＰＥＲが異常に高い場合があるが、それは長期的に発生した損失を当期の収益から償却したようなケースである。もしＰＥＲが常軌を逸していれば、証券会社にその理由を尋ねてみるとよいだろう。）

たとえば今日の『ウォール・ストリート・ジャーナル』紙を開いて、ＫマートのＰＥＲが一〇倍だったとしよう。これは同社の現在の株価（三五ドル）を、同社の過去一二カ月の収益（一株当たり三・五〇ドル）で割り算すれば出てくる（35÷3.5＝10）。

ある会社の収益が一定と仮定すれば、その会社があなたの投資額を稼ぎ出すのに何年かかるかの目安にもなる。Ｋマートを一〇〇株買ったとしよう。投資額は三五〇〇ドル。現在の一株当たり収益は三・五〇ドルなので、あなたの持っている一〇〇株は年に三五〇ドル稼ぐことになり、当初の投資額三五〇〇ドルは一〇年で取り戻せる。これがＰＥＲが一〇倍ということのもう一つの意味である。

ＰＥＲが二倍の株だと当初の投資額を取り戻すのに二年、四〇倍なら四〇年かかることになる。ということになると、ＰＥＲの高い株をどうしてわざわざ買うのか。それはすなわち、まだ名前の売れる前のハリソン・フォードを探しているからである。企業収益は個人の収入同様、大きく変化するのである。

ある株のＰＥＲが四〇倍で、他の株のほうが三倍だとしたら、それは前者の将来の収益向上に大きな期待が持たれており、後者のほうは疑問視されているということだ。新聞の株式欄を見れば、ＰＥＲが実にさまざまであることに驚かされるだろう。

また、急成長株ほどＰＥＲは高く、低成長株ほど低く、市況関連株はその中間であることにも気づくだろう。電力株の平均は七～九倍、優良株は一〇～一四倍、急成長株は一四～二〇倍といったところである。ＰＥＲの低い割安株だけを買おうとする人がいるが、私には賛成しかねる。リンゴとオレンジを比べるわけにはいかないのだ。ダウ・ケミカルにとって低いＰＥＲが、ウォルマートにとって低いＰＥＲとは限らない。

ＰＥＲ――続き

さまざまな産業や異なったタイプの会社のＰＥＲについて詳しく書けば、それだけで一冊の本になってしまう。ここでは簡単に述べるにとどめる。やはりＰＥＲ分析でも、証券会社がよい相談相手である。まず、自分の持ち株のＰＥＲが産業平均と比べて、高いか、低いか、適当かを聞いてみるのがいい。「これはこの業種では割安です」と言われれば、そのＰＥＲが低いということである。

またある株のＰＥＲの過去の記録も入手できる。株を買う前に過去数年のＰＥＲを調べることで、株価水準もつかめる（新しい会社には当然そうした記録はないが）。たとえばコカ・コーラを買う場合、自分の買値が過去において払われた価格と比べて高いか低いかを知ることができる。

ＰＥＲについての説明を忘れたとしても、異常に高いＰＥＲを避けるべきだということは覚えておいて欲しい。損をせずに済む。ごく少数の例外を除いて、異常に高いＰＥＲは、競馬で鞍にハンデの重量をつけるのと同様にハンデになる。

ＰＥＲの高い会社は、それを正当化するだけの高い収益成長力を持っているはずである。一九七二年にマクドナルドは七五ドルをつけ、ＰＥＲは五〇倍だった。このような過大な期待に応えられるわけはなく、株価は七五ドルから二五ドルに落ち、ＰＥＲも現実的な一三倍に戻った。マクドナルドの業績が悪かったのではない。七二年の七五ドルという株価が高すぎたのである。

マクドナルドが高すぎたのなら、一九六〇年代後半の、エレクトロニック・システムズ（ＥＤＳ）の場合はどうだったろうか。私はこの会社のレポートを読んだとき、とても信じられなかった。ＰＥＲが五〇〇倍！

収益一定として、ＥＤＳへの投資額を取り戻すのに五世紀かかるのである。それだけではなく、そのレポートを書いたアナリストによれば、ＥＤＳのＰＥＲは一〇〇〇倍になるべきなので五〇〇倍は控え目だというのである。もしＰＥＲ一〇〇〇倍の会社なら、アーサー王がイングランドを支配していた頃に投資したとしても、ようやく今日になって投資額を取り戻せるのである。

このレポートをとっておいて、額に入れてオフィスの壁に掛けておくべきであった。隣に後に他の証券会社から送られてきた「倒産により同社株は弊社の会社推奨リストから外します」というレポートと一緒に。

その後ＥＤＳの業績はたいへん良好だった。収益と売上げは急激に伸び、何をやってもうまくいった。しかし、株価のほうは全く違った。一九七四年には四〇ドルから三ドルに下がった。経営が悪かったからではなく、私の知る株のなかでも最高に割高だったからである。よく将来の業績が株価に織り込み済みという表現をする。EDSの株主たちはまさに未来を織り込んでしまったのである。EDSについては後でまた触れる。

エイボンの株価が一四〇ドルだったとき、EDSほどでないにせよ、六四倍という異常に高いPERになっていた。ここで重要なのは、エイボンが巨大企業であったことである。小企業にとってさえPER六四倍を正当化するだけの成長をするのは奇跡的なのだから、すでに売上高が一〇億ドルを超えるエイボンのような大企業は、その一〇〇万倍もの化粧品を売らなければならない。

実際、エイボンのPER六四倍を正当化しようとするには、鉄鋼産業、石油産業、それにカリフォルニア州を合わせたよりも多くの収入を持つ必要があると誰かが計算したくらいだった。そのためには、どれだけのローションやコロンを売らねばならないのだろう。やはり、エイボンの収益は全く成長することはなかった。いや、収益は逆に低下し、株価は一九七四年には一八ドル八分の五まで暴落した。

ポラロイドでも同じことが起きた。同社も過去三二年間にわたる繁栄を誇る優良会社ではあったが、一八カ月で株価が八〇%下落した。一九七三年に一四三ドルだった株価は、翌年には一四ドル八分の一まで落ち、七八年に六〇ドルまで戻したあと再び下落して、八一年には一九ドルになった。七三年の最高値のとき、PERは五〇倍だった。ここまで買われたのは、新製品SX‐70カメラの大成功を投資家が期待したからなのだが、このカメラとフィルムは高すぎたうえに操作性が悪く、人気が出なかったのである。

たとえSX‐70が成功していたとしても、ポラロイドがこのカメラを一家に四台ずつでも売らない限りは正当化できないくらい高いＰＥＲだったのである。カメラが大成功だったとしても駄目だったろう。それが大した成功とはならなかったのだから、株価はあんなものだったろう。

市場のＰＥＲ

個々の会社のＰＥＲだけがポツンと存在するのではない。株式市場全体のＰＥＲもあり、相場が全体として高すぎるのか安すぎるのかを知るよい目安になる。以前、市場の動きは無視するようにとアドバイスしたが、何銘柄かの株が利益と比べて高すぎるときは、他の多くの株も高すぎるものである。それは一九七三～七四年の暴落前にも、また一九八七年の大暴落の前にも起きたのである。

一九八二年から八七年にかけての上昇相場のさなか、市場全体のＰＥＲは八倍から一六倍にゆっくりと上昇していった。これは投資家が、同じ企業収益に対して八二年に支払った価格の二倍を八七年には支払っていたことになり、市場が過熱していることに対する警告だったのである。

投資家は金利が低く債券の魅力が薄いときには株式へ投資しようとするので、金利はＰＥＲに大きな影響を与える。しかし金利はさておき、強気相場における信じがたい楽天主義は、ＥＤＳ、エイボン、ポラロイドなどのような馬鹿げたレベルまでＰＥＲを押し上げる。そのようなとき、急成長会社のＰＥＲは夢の国の水準に上がり、低成長会社のそれは急成長会社並みになり、市場全体では一九七一年の二〇倍といったような高値をつける。

ＰＥＲを学んだ者なら誰でもこれはおかしいと気づいたはずで、誰かがそれを私に教えてくれればよかったのにと思う。一九七三～七四年、市場は一九三〇年以来最悪の下げ相場となった。

将来の収益

将来の収益——これが難問である。現在の利益からわかるのは、せいぜい現在の株価が妥当かどうかといったことである。これにこだわれば、ポラロイドやエイボンをPER四〇倍で買うこともないだろうし、ブリストルマイヤーズ、コカ・コーラ、マクドナルドなどを高値づかみすることもないだろう。だがあなたが本当に知りたいのは、来月、来年、または次の一〇年間の収益なのである。

結局、収益は伸びるべきもので、どの株式の株価もその前提を織り込んでいる。

無数のアナリストや統計学者が、将来の成長性や収益性について質問されて、見事に外れた答えを出しているのは、手許の経済誌を見ればすぐわかるだろう（「利益」という言葉と一緒に最も頻繁に使われるのは「意外な」という言葉である）。

何もあなた自身で収益やその成長性を予測しろというのではない。真剣に相場を見るようになれば、アナリストが機関投資家に収益向上を予言していたために、実際に利益が増えても株価が下がることや、逆に収益低下を見込んでいたために、利益が下がっても時として株価が上がることに驚かされるかもしれない。これは短期的な変動にすぎないのであるが、株主にとっては面白くない現象である。

将来の利益がわからない場合でも、その会社がどのように収益向上を図っているかは調べられる。そうすれば、定期的にその計画が実行されているかどうかをチェックすることができる。企業が利益を増大させるには五つの基本的な方法がある。コスト削減、値上げ、市場拡大、市場占有率拡大、そして赤字部門のテコ入れ、閉鎖、または売却。これらの要素を調査すればよいのである。それらについての知識があれば大いに役立つだろう。

第11章　二分間の訓練

さあ、あなたが低成長株や優良株、あるいは急成長株や業績回復株、資産株、市況関連株のどれかに投資することはもうおわかりだろう。現在の株価が短期的に見て買われ過ぎか、過小評価されているかを知る方法として、ＰＥＲがある程度役に立つこともわかった。次の段階としては、その会社の成長の可能性、あるいはそれを推進する材料は何なのかを知ることが必要になってくる。これが「ストーリー」と呼ばれているものである。

資産株の会社は別として、企業が収益性を保つためには何か画期的なことが必要となる。それが何であるかがわかれば、より深くストーリーを理解できるだろう。アナリストの短い記事はプロの見方を伝えてくれるにすぎず、あなた自身がその会社あるいはその業界を深く知ることができれば、自分のレベルにあった有用で具体的なストーリーをつくることができるだろう。

株を実際に買う前には、その会社の魅力、成長性、弱点などを、もう一度二分間だけ自問自答してみるとよい。子どもにも理解してもらえるまでに理解がこなれていれば、その会社の株に対する投資準備は万全と言えるだろう。

自問自答のパターンとしては次のようなものが考えられる。もし、投資対象が低成長株であるならば、配当に留意したものになるだろう。そこで、「この会社は過去一〇年間収益を伸ばしており、配当利回りもよく、減配、無配の経験もなく、好景気、不景気（ここ三年間のリセッションも含む）にかかわらず増配を続けてきた。この会社は電話事業を行なっており、新しい携帯電話事業は成長性をかなり向上させるきっかけになるかもしれない」。

もし、市況関連株ならば、景気、在庫、市況などを考慮しなければならない。

「自動車産業は三年の不況を経てきたが、今年は状況が変わった。これは、最近では初めて自動車の販売が全面的に回復したことからも明らかである。GMの新型車は売れ行きがよいし、過去一八カ月の間に効率の悪い工場を五カ所閉鎖し、労働コストを二〇％削減し、収益は急上昇寸前である」

もし、資産株ならば、何が含み資産で、どの程度の価値があるのかが問題となる。

「その会社の株価は八ドルしているが、ビデオカセット部門だけでも四ドルの価値があり、不動産の価値は七ドルあるので、時価八ドルの投資はその会社の残りの部分をマイナス三ドルで買うことになる。事情通たちはすでに買い始めている。会社は安定的に利益をあげており、負債の額は取るに足りない」

もし、業績回復株ならば、その会社が変革に熱心であるか、またその計画は十分に機能しているかが問われる。

「ゼネラル・ミルズは凋落一途の状態から立ち直りつつある。一一もあった事業を二つに絞り込み、エディ・バウアー、タルボッツ、ケナー、パーカー・ブラザーズを売却し、その資金を有望な事業に投入し、最も得意とする分野（レストランと包装食品）に特化した。加えて、自社株を何百万株も買い戻している。シーフード分野を担当するゴートンはそのマーケットシェアを七％から二五％へと拡大した。また、同社は低カロリーのヨーグルト、コレステロール抜きのビスケット、電子レンジで焼けるケーキというような新製品を導入しており、収益は急激に上昇している」

もし、優良株ならば、ＰＥＲが最も重要な要素であり、すでに十分株価が上がっているのか、成長性増大の可能性があるのかどうかが注意を要するポイントである。

「コカ・コーラの株価はこの二年間ＰＥＲの下限のあたりにある。同社はいろいろな形で改善を示しており、持ち株のコロンビア映画の半分を手放し、ダイエット飲料は目を見張る勢いで伸びている。昨年の日本におけるコーラの消費は対前年比三六％の伸び、スペインでは二六％上昇し、海外での売上げは全般に驚異的な好調ぶりである。また同社はコカ・コーラ・エンタープライズ社の株式と引き換えに、多くの独立した地域販売会社を買い取ったので、地域別の販売体制をコントロールしやすくなった。以上のような理由により、コカ・コーラは人が考えている以上に業績が改善するだろう」

もし、急成長株であるならば、どの分野でどの程度まで今のスピードで成長し続けられるかが注目される。

「ラ・キンタはテキサスに始まったモーテル・チェーンの会社で、テキサスはもちろんアーカンソーやルイジアナでも成功を収めている。昨年は対前年比二〇％増のモーテルをつくり、収益は毎四半期増大している。同社は将来もかなり早い成長を見込んでおり、負債もそれほど大きくはない。モーテル業界は低成長産業であり、競争も激しいが、同社は何か特別なものを持ち合わせているようだ。しかし、市場を十分開拓し尽くすまでには、まだかなりの時間がかかるだろう」

以上はストーリーの基本的なテーマの一部であるが、詳しく知れば知るほどよいのだから、自分自身で必要なだけ付け加えればよかろう。常にそうだとは言わないが、私はストーリーの組み立てに数時間を費やす。私自身の経験を二つ挙げると、一つは事前の十分な検討が功を奏した例で、一五倍に上昇したラ・キンタがそうであり、他の一つは検討が不十分だった例で、一五分の一に下落したビルドナーズである。

ラ・キンタの検証

私はある観点から、モーテル業界は景気変動の転換点にさしかかっていると思っていた。最大のフランチャイズであるホリデイ・インを展開しているユナイテッド・インズにすでに投資していた私は、追加投資する機会を探していた。私は同社の副社長との電話インタビューで、彼らの最大の競争相手はどの会社かと尋ねた。このように競争相手のことを尋ねるやり方は、有望な株を見出すための私の好きな方法の一つである。ある会社の幹部が他の会社を魅力的に感じていると認めるようであるならば、その会社には賭けてもよいものがあると思っていい。競争相手からの賞賛を得られるような会社であればなおさらである。「ラ・キンタ・モーター・インの事業は非常に好調です。実際、彼らはヒユーストンとダラスでは私たちを上回る勢いです」というユナイテッド・インズの副社長の声には実感が込もっていて、大いに興味をそそられた。

そのとき初めてラ・キンタのことを聞いたわけだが、この興奮を覚える新しい情報に、私は受話器を置くやいなや、サン・アントニオにあるラ・キンタ本社のウォルター・ビーグラー氏に電話をした。彼はハーバードでのビジネス会議のために二日後にボストンにやって来るので、その機会に、会って話をしてくれることになった。

ユナイテッド・インズの幹部からのヒント、そしてその五分後に、ラ・キンタのビーグラー氏がたまたまボストンにやって来るという情報が入る――何もかもが私に何百万株かを買わせるために仕組まれた罠のように感じられた。しかし、ビーグラー氏の話を聞いて、同社の株を買わないのは得策ではないと考えるに至ったのである。

同社のコンセプトは単純だ。部屋の大きさ、設備（ベッド、バスルーム）、プールなど、あらゆる点でホリデイ・インと質的に同程度のものを三〇％安い料金で提供する、というのである。私はこのようなことがどうして可能なのか疑問を持った。ビーグラー氏の説明は続く。同社は結婚式場、会議室、大きな受付、キッチン、レストランなど、コストがかかる割に利益に貢献しない余分なスペースを削った。各モーテルの隣にデニーズとか、それに類似する二四時間営業のレストランを招致し、食べ物に関しては他人に任せようと考えたのである。ホリデイ・インの料理はさして有名ではなかったので、ラ・キンタのこの戦術はセールスポイントを失うことにはならなかった。ほとんどのホテルやモーテルはレストラン部門が赤字であり、苦情の九五％はレストランに関係するものであるということで、同社が大規模な資本投下を避けたのは大きな損害を受けずに済んだことにもなるだろう。

私は投資に関する対話のなかから、常に何か新しいものを得ようと心掛けているが、ビーグラー氏からも数々の知識を得た。それによれば、ホテルやモーテルの宿泊者は、その部屋の価値のほぼ一〇〇〇分の一に当たる一泊の料金を払っているということである。ニューヨークのプラザ・ホテルの一部屋の価値が四〇万ドルだったとしたら、あなたは一泊四〇〇ドル払うことになるだろう。もしノーテル・モーテルの一部屋が二万ドルでできているとしたら、一泊の料金は二〇ドルになるだろう。ラ・キンタは一つのモーテルをホリデイ・インよりも三〇％安く建てることができるわけだから、一泊の料金が三〇％安くなることは容易に想像できる。

それでは、道路の分岐点ごとにある多数のラ・キンタのモーテルのセールスポイントは何か。ビーグラー氏によれば、ラ・キンタはターゲットを若いビジネスマンに絞っているというのである。彼らは安いモーテルに泊まることを気にしないし、ホリデイ・インと同程度のサービスを受けられるのだから、あえてホリデイ・インに固執する必要はないのである。また、ラ・キンタのモーテルは、移動の多いビジネスマンにとっては、より便利な立地になっている。ホリデイ・インはすべての旅行者にとって便利であるように、しばしば主要高速道路のインターに隣接する場所にあるが、ラ・キンタのモーテルはビジネス街、官庁街、病院、あるいは工業地帯の近くに位置しており、ビジネスマンを対象としている。ビジネスマンたちは、観光旅行者と違って、事前に予約を入れる確率が高いので、このことが、安定した予想のつく顧客を抱えることができるという利点を、ラ・キンタにもたらしている。このような、ヒルトン・ホテルと木賃宿の中間に位置する分野は、いまだ誰も独占していない。また、ウォール街が注目する前に、他の新しい競争相手がラ・キンタの前に躍り出るというのは不可能であろう。それが、ハイテク株よりもレストランやホテルの株を私が好きな理由である。あなたが新しい技術のハイテク株に投資したとたんに、それ以上の新しい技術が現われてくる。しかし、一夜にして一〇〇ものレストランやホテルをつくることは不可能である。レストランやホテルのチェーンには原型があり、どこかで最初につくられなければならないし、また、どこか他の地域だったら、ビジネスに影響するわけでもない。

コストについてはどうか。小規模で新しい会社がホテル建設というような物入りな計画を遂行する場合、その借り入れが何年も重荷となるものだ。この点についてはビーグラー氏も指摘しており、彼らは、二五〇室ではなく、一二〇室のモーテルの建設をグループ内でまかなう、という形でコストダウンを図っている。一二〇室のサイズは、住み込みの退職者の夫婦によって管理でき、これによって人件費を節約できる。

そして、最も印象的なのは、利益の配分を見返りとして、大手の生命保険会社から、有利な条件ですべての資金の融資を受けていることである。万一資金不足が起きたとしても、保険会社は、運命共同体として倒産に陥るような事態は避けるように動いてくれるだろう。事実、このような生命保険会社との関係によって、資本集約型の業界にあっても、ラ・キンタは多額の銀行借り入れに頼ることなく、急速に成長しているのである。

私はビーグラー氏や彼の部下たちがあらゆることを考え抜いていることに満足しており、ラ・キンタについては、たぶんという曖昧なものではなく、十分確信の持てるストーリーを得ていた。

もし同社がアイデアを実行に移していなかったならば、投資は考えなかっただろうが、ビーグラー氏が私のオフィスを訪ねたときには、ラ・キンタはすでに四～五年間営業をしており、同社のモーテルの原型は数回にわたり、数カ所に展開されていた。同社は年間五〇％という目覚ましい成長をしており、株価は一〇倍という低いPERで、たいへんな割安圏内に放置されている。私は同社が新しいモーテルを何カ所も新設することを知っていたので、その将来の発展を見逃すことはなかった。

なんといっても私が嬉しかったのは、一九七八年にラ・キンタを推奨していた証券会社は三社にすぎなかったこと、同社株の機関投資家の保有比率が二〇％以下であることを発見したことだ。同社について唯一困ったことは、この会社の魅力にとりつかれてしまったことである。私は同社についてさらに徹底的に事実を確認すべく、三カ所のモーテルに三泊し、すべての面でホリデイ・インの質と同等であることを知り、そして満足した。

ラ・キンタについてのストーリーはあらゆる点について詳細の検討を重ねたが、それでも買うかどうかについては徹底的に悩んだ。株価は前年比二倍の上昇をしていたが、成長率に比べてPERは低く、安値に放置された状態だったので気にならなかった。私を悩ませたのは、幹部の一人が時価の半分の値でその持ち株を売却したという事実であった（後日、この人はラ・キンタの創立者一族の一人で、単にポートフォリオの多様化のために売却したものとわかった）。

幸いにも私は、インサイダーの売却によってその株を嫌いになることは全くつまらないことだと考え直し、マゼラン・ファンドにできる限り組み入れた。それによって私は、産油諸州の景気後退が始まるまでの一〇年間に、一一倍という成果をあげたのであった。最近のラ・キンタ株は含み資産と業態変容の絶妙の組み合わせで注目されている。

ああ、悲しいかな、ビルドナー

ラ・キンタでは犯さなかった過ちを、私はJ・ビルドナー・アンド・サンズではやってしまった。私はこの会社について最も大事な点を見落として、致命的な痛手をこうむったのである。

ビルドナーは特製の食品のストアで、私のオフィスのちょうど向かいにあり、今はなくなったが同じ町にもう一店舗あった。同社は食通向けのサンドイッチと温かい加工食品を、三ツ星レストランとコンビニエンスストアの中間あたりのレベルで提供している。私は数年間、昼食にそのサンドイッチを食べていたので、その味についてはよく承知していた。それはビルドナーに関する私の強みであり、彼らの店が、ボストンでも最高のパンとサンドイッチを売っているという情報を直接手にしていたのである。同社は他の町への拡大を計画しており、そのために株式公開による資金調達を計画していることは、私にはよい材料と映った。

プラスチックの容器に入って電子レンジ調理するようなサンドイッチでは我慢できない、しかし料理もしたくない、という多くのホワイトカラー層に、ビルドナーの店は受け入れられるようになっていた。また、同社のテイクアウトの品々は、疲れていてちゃんとした料理をする気はないが、何か気のきいた食事を望む共働きの夫婦にとっては、救世主的な存在であった。彼らは郊外の自宅に帰る前に立ち寄って、出来合いの料理か、さらに追加する気があるならばフレンチ・ビーン、ベアネーズ・

ソース、アーモンドなどを買って帰ればよいのである。

清潔で効率的な、ヤッピー向けのセブン‐イレブンとでも言うべき通りの向こうの店内をじっくり見て回り、私は十分調査を重ねていた。その店はたいへんな高収益をあげていることもわかり、店舗網を拡張するために株式公開を行なうと聞いたとき、私は当然興奮した。株式公開の目論見書により、その会社は銀行借入れに多くを頼らない方針であることがわかった。この点はプラスであり、また新しい店舗のための用地は購入によらずリースによることも、プラスだった。しかしこれ以上の詳しい調査もしないで、私は一九八六年九月に、同社の株を公募価格の一三ドルで購入した。

株式公開後間もなく、ビルドナーはボストンの二つのデパートに新店舗を開設したが、失敗に終わった。それから、マンハッタンの中心部に三カ所新しい店を開いたが、これもまたデリカテッセンに負かされた。同社はアトランタのような遠く離れた町にも店舗網を拡張していったが、株式公開によって調達した資金を上回る勢いで急速に拡大したため、財務面で破綻状態に陥った。一度に一つか二つの失敗はそれほど大きなダメージとはならないが、ビルドナーの場合は、慎重さに欠ける動きにより多数の失敗を同時に引き起こして大事に至ったと言えよう。同社はこれらの失敗から多くのことを学んだことは明らかで、ジム・ビルドナー氏も賢明で熱心な働き者であったが、資金が底をつくに及び、二度とチャンスは訪れなかった。非常に残念である。何となれば、ビルドナーは第二のタコ・ベルとなるだろうと私は考えていたからである。

株価は八分の一ドルで底入れし、事業規模は初期の状態まで縮小した。同社の新しい目標は倒産を免れることだったが、最近ザ・チャプターを買収した。私は五〇～九〇％の損を出しながら、その株を徐々に売却していった。

今もビルドナーのサンドイッチを食べ続けているが、そのたびに自分の犯した過ちのことを思い出す。私は近所で成功している名案が他所でも通用するかどうか見極めるまで待たなかった。事業拡大の成功例としては、地方のメキシコ料理店がタコ・ベルに加わったり、地方の洋服店がザ・リミテッドに衣替えした例があるが、その事業拡大がうまく展開していることを証明してくれるまでは、何もその会社の株を買うことはないということだ。テキサスに設立された会社が、イリノイ州やメイン州でも成功することを確認できるまでは、その会社の株を買うのは避けたほうが賢明である。このことを、ビルドナーの例では忘れていた。他の場所でも、その会社のオリジナル・コンセプト、つまり基本の考え方が通用するのか、熟練した店長が不足していないか、資金源や初期の失敗から立ち直る能力などについても思いを馳せる必要があった。

十分調査されていない会社の株に投資するのに遅すぎるということはない。もし私がビルドナーを買うのをもう少し待っていたならば、私はその株を全く買わなかったろう。さらに言うならば、もっと早く売るべきだった。ボストンの二つのデパートやマンハッタンでの失敗により、ビルドナーが問題を抱えていたことは明らかだったので、事態が悪化する前に手を引くべきであった。あるいは、何もしないほうがよかった。

それにしても、ビルドナーのサンドイッチはうまい。

第12章　事実を手に入れる

ファンドマネジャーであることにはさまざまな不利な点があるものだが、一方では、いろいろな会社から、もし望むなら週に何度も話を聞くことができるという利点もある。数多くの企業の人たちから、自分の会社の株を一〇〇万株も買って欲しいと望まれる。人々の期待をひしひしと感じることは驚くほどだ。

私は東海岸から西海岸へと飛びまわり、次から次に会社を訪問する機会を得た。会長、社長、副社長、そしてアナリストたちが、設備投資、事業拡大計画、経費削減計画その他、将来の業績につながる多くの事実を教えてくれる。仲間のポートフォリオ・マネジャーが、会社から聞いたことを教えてくれることもあるし、もし私が会社訪問ができないようであれば、会社のほうからやって来てくれることもある。

また、アマチュアの投資家にしても、知っていれば役立つ情報が、入手できないというものはないのではないのだろうか。関係のある事実は、すべて、いつでも、容易に知りうる状態にある。近年、企業はその内容のほとんどすべてに近いものを、目論見書、四半期報告書、年次報告書のなかで明らかにするよう求められている。各業界の協会などは、刊行物のなかでその業界の一般的な見通しなどをレポートしていく（会社によっては自社のＰＲ誌を快く送ってくれるし、そのなかのちょっとした話題のなかには意外に役に立つ情報があるものだ)。

噂というものは、公の情報よりもわくわくさせてくれるもので、「グッドイヤーが動いてるよ」などというレストランで耳にした断片的な会話のほうが、グッドイヤー自体が出したパンフレットよりも重要視されるものだ。「情報源が神秘的であればあるほど、その教えは説得力を持つ」という古いご託宣の習わしどおり、壁の落書きのほうに目が行きがちとなる。そのため、会社からの事業報告書が定型便だったり、質素な茶色の帯封で送られてきたりしたら、たぶんそれを受け取った人は流し読みするだけだろう。

年次報告書によって得ることのできない情報は、あなたが付き合っている証券会社に聞くか、会社に電話したり、会社を訪問するか、または、草の根をわけるように、あるいはタイヤを蹴って始業点検をするかのように、十分な調査をすることによって得ることができる。

証券会社を最大限に利用する方法

あなたが証券会社を通して株の売買を行なっているのだったら、手数料を払っているのだから、季節の挨拶状をもらったり、最新の投資情報をもらう程度で満足していてはいけない。証券会社にとって、あなたの注文を伝票に書いて取引所で執行することなど、何ほどの手間でもないのだから。セルフサービスではないガソリンスタンドでオイルをチェックしてもらったり窓を洗ってもらうことがガソリン代に含まれていると信じて疑わない人が、証券会社のサービスに対してなぜ不満を抱かないのだろうか。そういう人は、たぶん証券会社の担当者に週に一~二度電話して、持ち株について、あるいは市場全体についての意見を聞くことくらいはするだろう。しかし、自分のポートフォリオの目先の価値だけに気をとられていては、本当の意味で投資に役立つ調査はできない。

証券会社の役割は親のようなものであったり、市場の予言者であったり、あるいは株価が思わしくないときの精神安定剤のようなものであると、私は理解している。しかし、このようなサービスであなたが実際に有望株を見つけ出すことは難しいだろう。

一九世紀初期の英国の叙情詩人シェリーは、証券ブローカー（少なくともそのなかの一人）が非常に献身的な助力をしてくれるのを知り、「私の知る限りでは唯一人の金持ちで気前のよい人が、証券ブローカーだというのは奇妙な感じがする」と言っている。現在の証券会社は顧客から求められない限り、それほどの献身的なサービスをすることなどないだろうが、当たり株を見つけ出すための情報源としては十分役に立つだろう。証券会社はS&Pのレポートや投資情報、事業報告書その他の会社情報、『バリュー・ライン』の株価動向の比較調査結果、アナリストの調査メモなどを提供してくれるからである。

証券会社に、PER、収益予想、買いの手口、株主構成などを尋ねてみよう。あなたが本気であるとわかれば、喜んで答えてくれるはずだ。証券会社にアドバイザーとしての役割を期待することは一般的には無謀なことだが、時として価値があるので、推奨銘柄について二分間のコメントを求めてみるのがよい。あなたはたぶん次のように会話を進めて、証券会社の社員の話をリードしなければならない。典型的な会話はこうだ。

社員「私どもはゼイルを推奨いたします。この株には、特別な材料があります」

あなた「君は本当にその株が有望と思うか？」

社員「ええ、もちろんです」

あなた「素晴らしい。それでは買うことにしよう」

――しかしこれは、次のような会話に持っていくべきだろう。

社員「私どもは、ラ・キンタ・モーター・インをお勧めいたします。この株は、私どもの買いのリストに入っているのです」

あなた「君は、その株をどの分類に入れるのか。市況関連株、低成長株、高成長株、それとも何なのか？」

社員「もちろん、高成長株です」

あなた「どの程度、高成長なのか。最近の収益の伸び率はどれくらいなのか？」

社員「用意しておりませんので、今ここでお答えはできません。のちほど調べることはできます」

あなた「そうしてくれ。では、PERの過去の水準との比較で教えてもらいたい」

社員「かしこまりました」

あなた「ラ・キンタの株を今買うべき理由は何なのか。株価水準はどうなのか。利益は伸びているのか。何によって利益を伸ばしているのか。負債の状態はどうか。増資して一株当たり利益を薄めることなしに、どのようにして財務内容を向上させるのか。インサイダーの買いは入っているのか？」

社員「私どものアナリストのレポートのなかにほとんどの回答が含まれていると思います」

あなた「私に一部送ってくれ。それを読んで、また質問する。ところで、過去五年間の収益に対する株価の比較チャートが欲しいのだが、もしあれば、配当についても知りたい。たとえば過去に無配があったかどうかとか。それから、機関投資家の持ち株比率も教えてもらいたい。それにもう一つ、この株を君の会社のアナリストは何年くらい手がけているのか？」

社員「以上でしょうか」

あなた「レポートを見てから、連絡しよう。それから、その会社に電話してみようとも思っている」

社員「あまり長くお考えにならないほうがよいでしょう。今が絶好の買いタイミングですから」
あなた「今すぐ、一〇月に？　君は、マーク・トゥエインが次のように言っているのを知っているだろう。『一〇月は株に投資するにはとくに危険な月の一つだ。その他にも危険な月は、七月、一月、九月、四月、一一月、五月、三月、六月、一二月、八月、そして二月だ』……」

会社に電話をかけてみる

プロの投資家はいつでも会社に電話をするが、アマチュアの投資家にはそんなことは思いもよらない。もしあなたが特別の質問を持っているなら、ＩＲ（インベスター・リレーションズ）の担当者に相談してみるとよい。証券会社は、あなたにその電話番号を教えてくれるだろう。多くの会社は、カンザス州のトペカとかにいる一〇〇株程度の小株主とでも、意見を交換することを歓迎してくれるだろう。もしそれが小さな会社だったら、社長と直接話せるかもしれない。ＩＲ担当者に冷たくあしらわれるということなど滅多にないが、もしそうなった場合には、あなたは現在二万株を保有していて、今二倍にしようかどうか考えているなどと言えばよいのだ。そして何気なく、あなたの株は証券会社名義であると言えばよい。そうすればスムーズに運ぶだろう。こうした些細な嘘をつくなどということは誰でもが考えつくことだが、もちろん私はそのようなことを勧めたくはない。しかしこのケースでは、そのためにどうにかなるということは全くない。会社側は二万株持っているということを、そのまま受け取らざるをえないのである。なぜなら、証券会社に預けられた株は、証券会社名義でひとまとめにして保有されているからである。

会社に電話をかける前に、質問事項を準備しなければならないが、決して「御社の株価はどうして下がっているのですか」などという質問から始めてはいけない。そのような質問はあなたを株式投資の初心者であると決定づけるもので、真剣な回答が期待できなくなるだろう。会社にはなぜ株価が下がっているのかなどはわからないことが多いのだから。

収益のことを聞くのはよい話題と言えようが、どれくらい利益があがりそうかなどという直接的な質問は、全くの他人があなたの年収を聞くのと同じくらいエチケットに反することだろう。「あなたの会社の来年の利益は、ウォール街の推定値ではどのくらいでしょうか」というような直接的でない微妙な言い回しが受け入れられやすいだろう。

すでにおわかりのことと思うが、将来の収益を予想することは非常に難しいものである。アナリストの予想も大きくばらつくものだし、会社自体としても、どのくらい利益をあげられるか確信は持てない。プロクター・アンド・ギャンブルは、八二種類の製品を一〇〇のブランド名で一〇七カ国で販売しているが、それらの収益の変動がある程度打ち消し合って、かなり正確な利益予想ができるようだ。しかし、レイノルズ・メタルの場合、アルミニウムの価格変動に左右されるので予想は難しいだろう。もしあなたがフェルプス・ドッジ社に来年の利益予想を質問したとしたならば、あなたは反対に来年の銅の価格動向を聞き返されるだろう。

あなたがIR担当者から本当に得たいことは、その会社に対するあなたのストーリーが正しいか否かということのヒントだろう。あなたがもし、タガメットという薬がスミスクラインに繁栄をもたらすかどうか質問したければ、会社側はそれに答えてくれるだろうし、タガメットの最近の売上高を教えてくれるだろう。

グッドイヤーの受注残は二カ月分もあるのか。タイヤ価格はあなたが思っているように本当に上昇しているのか。今年、タコ・ベルは何軒くらいの新店舗をつくるのだろうか。バドワイザーはマーケットシェアをどのくらい伸ばしたのか。ベツレヘム・スチールの工場はフル稼働しているか。ケーブルテレビの資産価格はどのくらいに見積もられているのか。

もしあなたのストーリーの輪郭が明確になったら、次に何をチェックすべきかがわかるだろう。あなた自身が何を調べているかを相手にわからせるような質問から始めるのもよい。たとえば「貴社の昨年の年次報告書に五億ドルの負債を削減したとありますが、何かこれ以上の負債削減案をお持ちでしょうか」という質問である。こういった質問によって、あなたは仮に「負債に関して何か手を打っていますか」と質問したとき以上に真剣な回答を得られるだろう。

あなたがたとえストーリーの筋書きを持ち合わせていないとしても、「今年の有望な点は何ですか」「今年の気がかりな点は何ですか」という二つの質問をすれば、何かを得ることができるだろう。たぶん、会社側は、ジョージアの工場は昨年一〇〇〇万ドルの赤字を出したがすでに閉鎖したこと、非生産的部門を売却したことなどを話してくれるかもしれない。成長性を増大させるような新製品が完成したことも教えてくれるかもしれない。一九八七年に遡れば、スターリング・ドラッグのＩＲ担当者はアスピリンに関する医学上のニュースによって売上高が急増したことを話してくれただろう。

労働コストが上昇したこと、主要な製品に対する需要が低下したこと、業界に新しい競争相手が出現したこと、ドル安（ドル高）で利益が低下するだろうことなど、否定的な面がわかることもある。もし、アパレル・メーカーに電話したとしたら、今年の製品は売れ行きが悪く、在庫が積み上がっているという芳しくない情報になるだろう。

最終的には、あなたは会社側の楽観的な話、悲観的な話を総合的に判断し、その会社に対する考えをまとめざるをえないのである。多くの場合、あなたは予想どおりのことを聞くことになる。とくにあなたがそのビジネスに精通していればなおのことである。しかし、よくも悪くも想像と違ったことがわかったら、株の取引ではたいへん有益だろう。私は一〇回の電話の取材のうちで、一回くらいは何か普通ではないものを見つける。もし業績の悪い会社に電話をしたとすると、一〇社のうち九社まででは、業績が悪くて当然という確認をすることができる。しかし、残る一つのケースでは、一般に思われているのとは違う、将来に何か明るさを感じさせるものが見つけられるものである。業績がよいと思われている会社についても、同様の割合で反対のことが起きる。一〇〇回電話すれば一〇回、一〇〇〇回であれば一〇〇回の驚くべき状況に出くわすことができるのである。

会社側の話を額面どおり信じられる？

会社というものは、株主に対しては正直に、率直に答えてくれるものである。会社の実情は遅かれ早かれ、次の四半期報告書によって明らかになるわけだから、ワシントンで見られるように隠しだてなどする意味は何もないことを、会社側はよく知っているのである。私の長年の経験からしても、故意に誤解させられたことはほとんどない。したがって、会社側の話は全く正しいと思って間違いはないだろう。とはいっても、同じことを話すにしても、会社によって多少のニュアンスの違いがあるのはやむをえない。

一九世紀以来存続している繊維会社を例にとってみよう。一八九九年設立のJP・スチーブンス、一八六六年設立のウエスト・ポイント・ペッパレルは、いわば米国愛国婦人会（独立戦争当時の米国人子孫によって一八九〇年に設立）に相当する会社組織なのである。すなわち、米国愛国婦人会の精神を十分身につけた繊維会社のIR担当者は、どんなに事業が絶好調であろうと努めて平静を装うだろう。業績が好調のときにはあえて抑え気味に振る舞うのである。もし業績が不振であれば、インタビューの雰囲気から、まるで会社の幹部か誰かが首でも吊っているのではないかと思わせられることさえある。

ウーステッドの事業について聞けば、普通ですという返事がくるだろう。ポリエステルの混紡のシャツについては、それほどでもと言う。デニム製の衣服については、まあまあという答えになるだろう。しかし、具体的な数字が出てくるようであれば、それは業績が素晴らしいことを意味する。このようなことは、繊維業界のような成熟産業一般に言えることである。**同じ空を見ても、成熟産業の人は雲を見るし、未成熟産業の人は何か素晴らしいものを見るのである**。

アパレル業界を見てみよう。繊維から最終製品をつくりあげるアパレルの会社は取るに足らない存在で、とくに金融関係者の眼中にはほとんどない。何度倒産しても平気だし、業績が悲惨な状況でも、アパレル業界の人から控え目な発言など聞くことはない。最悪の時期にあっても、基本的には大丈夫と言うだろうし、業績が基本的には大丈夫なときには、素晴らしい、信じられない、想像を絶する、この世のものとは思えない、と言うだろう。

技術者、ソフトウェア関係の人たちも、極端な楽天家である。会社が取るに足らなければ足らないほど、より楽観的に美辞麗句を使用する傾向にあることに気づくだろう。ソフトウェア関係者の言うことを聞いていれば、ソフトウェア業界は、今まで一度も業績不振の年を経験したことはないように思われる。もちろん、彼らが楽天的であっていけない理由もない。ソフトウェアの世界は競争が激しく、自信がなさそうに見られると契約を他社に奪われるので、楽天家を装う必要があるのだ。

しかし、会社の使用する言葉の意味を読み取ることで時間を浪費する必要などない。あなたは、ただ形容詞を無視すればよいのである。

本社を訪問する

株主であることの最大の楽しみの一つは、その企業の本社を訪ねることである。もし、会社が近くにあるのであれば、約束をもらうのは容易なことだろう。会社は二万株の株主に対しては喜んで見学の便を図ってくれるだろう。もし国の反対側にある会社ならば、夏休みにでも訪ねられる。

私が企業の本社を訪問して最も手に入れたいと思う情報は、訪ねた場所から受ける感じである。事実とか数字は電話でも確認できるわけだから、貸借対照表のことなどは忘れるべきだ。タコ・ベルの本社がボウリング場の裏にくっついて立っていて、役員たちが恐ろしく小さなオフィスで働いているのを見て、私は身震いするほどの好感を持った。明らかに、彼らはオフィスの見晴らしなどに無駄な金を使っていないのだ。

（ところで、企業を訪問して私が最初に聞くことは、直近にアナリストやファンドマネジャーが訪ねて来たのはいつかということである。メリディアン・バンクのように、二二年間も連続増益で、素晴らしい増配の記録を持ちながら、同社がこの二年もの間アナリストやファンドマネジャーの訪問を受けていなかったことを知って、私は興奮してしまった。）

ボウリング場の真裏でなくても、証券アナリストが行きたがらないような、評判のよくないところに立地する本社を持つ会社を探してみよう。夏休みに来ていたアルバイトの学生たちにペップボーイズを見に行かせたところ、タクシーの運転手も行きたがらない会社だと聞いて、私はたいへんな好感を持った。クラウン・コルク・アンド・シール社は、社長室の窓からは缶の列しか見えず、リノリウムの床は色あせており、家具は軍隊のものよりみすぼらしい会社だった。何に金を使うべきかを知っているこの会社の株に何が起きたかおわかりだろうか。過去三〇年間で二八〇倍という値上がりを示しているのである。質素な本社と大きな利益という絶妙の組み合わせが存在するのだ。

寄宿制の私立学校のようにコネチカットの丘の上にあるユニロイヤル社をあなたはどう思うだろうか。立地の素晴らしさ、そのうえ素晴らしいアンティークな家具、だまし絵の入った厚地のカーテン、磨き込まれたクルミ材の壁板などは、業績が悪化することを暗示していると言えるだろう。このようなことはよくあることで、ゴムの木を室内に入れるようになった会社の収益は悪化すると思ったほうがよい。

自分のためのＩＲ

大会社の幹部に会う方法は、何も会社を訪問することだけではない。株主総会や、その他の非公式な集まりに出席することなどは、有益なつながりを見出す最もよい機会になる。いつもそうとは限らないが、時には会社の幹部がその会社の将来性を教えてくれるように感じることもある。

私が、競争の激しいフロッピーディスク業界というだけであまり重きを置いていなかったタンドン社を訪問したとき、あるＩＲ担当のスタッフと面白い出会いをした。会社の役員たちの保有株数、年俸などの載っている有価証券報告書を見たとき、折り目正しく、おしゃれで、話し上手なこのＩＲ担当者が、在籍期間が短いわりには、直接の買い付けやストック・オプションを通じて、相当額（二〇〇〇万ドル）の株式保有者であることを発見した。この普通の人が、タンドンのおかげでこれほどにお金持ちになっているということは、まっとうなこととは思えなかった。株価はすでに八倍になり、ＰＥＲも高くなっていたが、さらに二倍になれば、彼は四〇〇〇万ドルの資産家になることになる。

私がこの株で儲けることは、すでに私がふさわしいと思う以上に裕福になっている彼が、その倍の金持ちになるということを意味する。ほかにも理由はあったが、このインタビューのおかげで、私はタンドンへは投資しなかった。株価は三五ドル四分の一から、株式分割調整済みで一ドル八分の三まで下落した。

テレビデオ社の創業者で大株主だった人について、もう一つ同様な例がある。ボストンの昼食会で会ったこの人は、コンピュータ周辺装置業界の同社株を一億ドル相当保有しており、PERも高くなっていた。私がこの株で一〇〇%儲ければ、彼は二億ドルの資産家になることになる。これは現実的ではないという考えのもとに、私は投資を避けた。株価は一九八三年の四〇ドル二分の一から八七年には一ドルにまで下がった。この判断について論理的な説明はできないが、その会社の幹部がどうしてそんなに裕福になったのかわからないようであれば、その会社の株に手を出さないほうがよい。

実地検証をする

妻のキャロラインがスーパーでレッグスを見つけ、私がタコ・ベルを発見したときから、店舗を歩き回って実際に味見をしたりすることは、投資戦略を立てるための基本の一つであると信じている。もちろん、ビルドナー社のときのように直接会社に対して的を射た質問をすることに優るものはないが、ストーリーを組み立てようとしているときには、実際に自分で調べてみることで再確認をすることができる。

トイザラスについては、友人のピーター・デロース氏から聞いていたが、近所の販売店に行ってみて、同社は玩具の売り方をよく知っていると確信した。客にこの店が好きですかと聞けば、全員がまた来たいと答えるように見えた。

ラ・キンタを買う前には同社のモーテルに三泊したし、ピック・アンド・セイブを買う前にはカリフォルニアにある同社の店に立ち寄り、そのバーゲンセールに感動した。ピック・アンド・セイブの戦略は、製造中止の商品を通常の販路から外し、破格値で提供するというものであった。

こうしたことはＩＲ担当者からも聞き出すことはできるが、実際にブランド商品のコロンが一本七九セントという価格に客が絶句している姿を自分の目で見るのは、ひと味違うものである。ピック・アンド・セイブが、ドッグフードから撤退したキャンベル・スープ社から、何百万ドルも出してラッシー・ドッグフード社を買い取って、巨額の利益を得て転売した事実は、アナリストから聞くこともできるが、客がドッグフードで一杯になったカートを押しながら行列している様子を見れば、同社の戦略の正しさがわかるだろう。

カリフォルニアにあるペップボーイズの新しい販売店を訪れたときのことである。私はちょっと見るだけのつもりだったのだが、セールスマンが非常に熱心で、もう少しでタイヤ四本を買わされそうになった。彼のような常軌を逸した情熱ある人材を見るにつけ、ペップボーイズは商品が何であってもうまく売れるとわかった。事実、彼らはその力を十二分に持ち合わせている。

アップル・コンピュータの社内がばらばらになり、株価も六〇ドルから一五ドルに下がったときには、同社がこの危機を転じて業績回復につなげられるかどうかと考えたものである。アップルの新型「リサ」は、儲かる事務用機器市場への参入の期待を背負っていたが、全くの失敗に終わった。しかし、私の妻や子どもたちがもう一台アップルが欲しいと言ったり、フィデリティのシステム・マネジャーが、会社として新たに六〇台を導入すると話してくれたとき、私はアップルはまだ国内市場で人気があり、事務用機器市場へ新しく食い込みつつあることがわかった。そこで、私は何百万株という投資をしたが、後悔するようなことは起きなかった。

自動車業界の復活、クライスラーのコストダウンの成功、商品ラインアップの改善などの立て役者であるリー・アイアコッカ氏とのインタビューで、私はクライスラーに対する信任を強めた。本社社屋に入る前、私は幹部用の駐車場の半分が空いていることに気づいた。これも、前進を表わす一つの証拠であった。しかし、本当に興奮を覚えたのはショールームで、レーサー、ニューヨーカー、ルバロン・コンバーチブルに乗ったり降りたりして試してみたときである。長い間、クライスラーは時代遅れの車に固執しているという評判だった。しかし私が見た限りでは、最近のモデルには明らかに華やかさが加わっている。とくに、従来のルバロンのハードトップの、屋根を取りはずしたほろ型車はそうだ。

私はクライスラー社製の車のなかで最も売れたミニバンを見落としていたが、とにかくクライスラーが何か正しいことをしているとは感じていた。最近、ミニバンは利用者の要望に答えるかたちで大き目のエンジンを搭載して強力化され、今では全米の乗用車・トラックの売上げの三％のシェアを占める唯一の車となった。私も一一年も乗っているＡＭＣ・コンコードが駄目になったら、ミニバンを買うかもしれない。

スキー場のロッジ、ショッピングセンター、ボウリング場、教会などの駐車場でも、自動車産業に関して驚くほど多くの調査ができる。私はクライスラーのミニバンやフォードのトーラス（フォードはまだ私の所有する株の大きな部分を占めているが）に乗っているドライバーを見るたびに、次のような質問をすることにしている。「その車をどう思いますか」「何年乗っていますか」「その車を買うことを勧めますか」と。今までのところ、答えは一〇〇％肯定的で、クライスラーやフォードにはよい前兆と言える。

社会が同質化すればするほど、一つのショッピングセンターで人気のあるものは他のショッピングセンターでも人気化する可能性は高まる。あなたが売れるか売れないか正確に予想できたブランド名や商品を思い出して欲しい。オシュコシュのオーバーオールを多くの子どもたちが着ていたときに、なぜその会社の株を買わなかったのだろう。私の妻の友人がリーボックの靴で足を痛めたとこぼしていたがために、どうしてその会社の株を買うのをやめたのだろう。五倍にまで上がった株を、隣人の悪評ゆえに逃がしたというケースを想像してもらいたい。それほど、株を選ぶというのは難しいことなのである。

アニュアルレポートを読む

多くの年次報告書（アニュアルレポート）が屑籠行きとなることに、何の不思議もない。光沢のあるページの内容は理解しやすい部分だが、一般的に役に立たない。後ろのほうの数字は理解しにくいものだが、重要なものと考えられる。しかし、年次報告書から数分間で何かをつかむ方法がある。ちなみに、私は一冊の年次報告書に数分を費やすだけである。一九八七年度のフォード社の年次報告書を例に挙げよう。その素晴らしい表紙は、トム・ウォノウスキーの撮ったリンカーン・コンチネンタルの後部の写真で、見開きにはヘンリー・フォード二世への讃辞と、彼の祖父ヘンリー・フォード一世の肖像画の前に立つ彼の写真がある。また、内部には株主への親しみのこもったメッセージや社風に関する論文があり、ピーター・ラビットの創作者ベアトリックス・ポッターの作品展のスポンサーになった事実についても述べてある。私はそれら全部をめくり飛ばして、安っぽい紙でできた二七ページ目にある連結貸借対照表を見る（表参照）。年次報告書に限らず、一般的にすべての出版物につ

Consolidated Balance Sheet

December 31, 1987 and 1986 (in millions)
Ford Motor Company and Consolidated Subsidiaries

Assets	**1987**	**1986**
Current Assets		
Cash and cash items	$ 5,672.9	$ 3,459.4
Marketable securities, at cost and accrued interest (approximates market)	4,424.1	5,093.7
Receivables (including $1,554.9 and $733.3 from unconsolidated subsidiaries)	4,401.6	3,487.8
Inventories (Note 1)	6,321.3	5,792.6
Other current assets (Note 4)	1,161.6	624.5
Total current assets	21,981.5	18,458.0
Equity in Net Assets of Unconsolidated Subsidiaries and Affiliates (Note 6)	7,573.9	5,088.4
Property		
Land, plant, and equipment, at cost (Note 7)	25,079.4	22,991.8
Less accumulated depreciation	14,567.4	13,187.2
Net land, plant, and equipment	10,512.0	9,804.6
Unamortized special tools	3,521.5	3,396.1
Net property	14,033.5	13,200.7
Other Assets (Note 10)	1,366.8	1,185.9
Total Assets	$44,955.7	$37,933.0

Liabilities and Stockholders' Equity		
Current Liabilities		
Accounts payable		
Trade	$ 6,564.0	$ 5,752.3
Other	2,624.1	2,546.1
Total accounts payable	9,188.1	8,298.4
Income taxes	647.6	737.5
Short-term debt	1,803.3	1,230.1
Long-term debt payable within one year	79.4	73.9
Accrued liabilities (Note 8)	6,075.0	5,285.7
Total current liabilities	17,793.4	15,625.6
Long-Term Debt (Note 9)	1,751.9	2,137.1
Other Liabilities (Note 8)	4,426.5	3,877.0
Deferred Income Taxes (Note 4)	2,354.7	1,328.1
Minority Interests in Net Assets of Consolidated Subsidiaries	136.5	105.7
Guarantees and Commitments (Note 14)	—	—
Stockholders' Equity		
Capital Stock (Notes 10 and 11)		
Preferred Stock, par value $1.00 a share	—	—
Common Stock, par value $1.00 and $2.00 a share, respectively (469.8 and 249.1 shares issued)	469.8	498.2
Class B Stock, par value $1.00 and $2.00 a share, respectively (37.7 and 19.3 shares issued)	37.7	38.6
Capital in excess of par value of stock	595.1	605.5
Foreign-currency translation adjustments (Note 1)	672.6	(450.0)
Earnings retained for use in business	16,717.5	14,167.2
Total stockholders' equity	18,492.7	14,859.5
Total Liabilities and Stockholders' Equity	$44,955.7	$37,933.0
Memo: Stockholders' Equity a Share*	$36.44	$27.68

The accompanying notes are part of the financial statements.

*Adjusted to reflect the two-for-one stock split that was effective December 10, 1987.

10-Year Financial Summary

(dollar amounts in millions)
Ford Motor Company and Consolidated Subsidiaries

Summary of Operations	1987	1986	1985	1984	1983	1982	1981	1980	1979	1978
Sales	$71,643.4	62,715.8	52,774.4	52,366.4	44,454.6	37,067.2	38,247.1	37,085.5	43,513.7	42,784.1
Total costs	65,442.2	58,659.3	50,044.7	48,944.2	42,650.9	37,550.8	39,502.9	39,363.8	42,596.7	40,425.6
Operating income (loss)	6,201.2	4,056.5	2,729.7	3,422.2	1,803.7	(483.6)	(1,255.8)	(2,278.3)	917.0	2,358.5
Interest income	866.0	678.8	749.1	917.5	569.2	562.7	624.6	543.1	693.0	456.0
Interest expense	440.6	482.9	446.6	536.0	567.2	745.5	674.7	432.5	246.8	194.8
Equity in net income of unconsolidated subsidiaries and affiliates	753.4	816.9	598.1	479.1	360.6	258.5	167.8	187.0	146.2	159.0
Income (loss) before income taxes	7,380.0	5,069.3	3,630.3	4,282.8	2,166.3	(407.9)	(1,138.1)	(1,980.7)	1,509.4	2,778.7
Provision (credit) for income taxes	2,726.0	1,774.2	1,103.1	1,328.9	270.2	256.6	(68.3)	(435.4)	330.1	1,175.0
Minority interests	28.8	10.0	11.8	47.1	29.2	(6.7)	(9.7)	(2.0)	10.0	14.8
Net income (loss)	4,625.2	3,285.1	2,515.4	2,906.8	1,866.9	(657.8)	(1,060.1)	(1,543.3)	1,169.3	1,588.9
Cash dividends	805.0	591.2	442.7	369.1	90.9	—	144.4	312.7	467.6	416.6
Retained income (loss)	$ 3,820.2	2,693.9	2,072.7	2,537.7	1,776.0	(657.8)	(1,204.5)	(1,856.0)	701.7	1,172.3
After-tax return on sales	6.5%	5.3%	4.8%	5.6%	4.3%	*	*	*	2.7%	3.7%
Stockholders' equity at year-end	$18,492.7	14,859.5	12,268.6	9,837.7	7,545.3	6,077.5	7,362.2	8,567.5	10,420.7	9,686.3
Assets at year-end	$44,955.7	37,933.0	31,603.6	27,485.6	23,868.9	21,961.7	23,021.4	24,347.6	23,524.6	22,101.4
Long-term debt at year-end	$ 1,751.9	2,137.1	2,157.2	2,110.9	2,712.9	2,353.3	2,709.7	2,058.8	1,274.6	1,144.5
Average number of shares of capital stock outstanding (in millions)	511.0	533.1	553.6	552.4	544.2	541.8	541.2	541.2	539.8	535.6
Net income (loss) a share (in dollars)	$ 9.05	6.16	4.54	5.26	3.43	(1.21)	(1.96)	(2.85)	2.17	2.97
Net income assuming full dilution	$ 8.92	6.05	4.40	4.97	3.21	—	—	—	2.03	2.76
Cash dividends	$ 1.58	1.11	0.80	0.67	0.17	0	0.27	0.58	0.87	0.78
Stockholders' equity at year-end	$ 36.44	27.68	21.97	17.62	13.74	11.20	13.57	15.79	19.21	17.95
Common Stock price range (NYSE)	$ 56⅛ $ 28½	31¾ 18	19¾ 13⅜	17⅛ 11	15½ 7⅝	9¼ 3¾	5¾ 3½	8 4	10⅛ 6½	11½ 8⅜
Facility and Tooling Data										
Capital expenditures for facilities (excluding special tools)	$ 2,268.7	2,068.0	2,319.8	2,292.1	1,358.6	1,605.8	1,257.4	1,583.8	2,152.3	1,571.5
Depreciation	$ 1,814.2	1,666.4	1,444.4	1,328.6	1,262.8	1,200.8	1,168.7	1,057.2	895.9	735.5
Expenditures for special tools	$ 1,343.3	1,284.6	1,417.3	1,223.1	974.4	1,361.6	970.0	1,184.7	1,288.0	970.2
Amortization of special tools	$ 1,353.2	1,293.2	948.4	979.2	1,029.3	955.6	1,010.7	912.1	708.5	578.2
Employee Data—Worldwide(1)										
Payroll	$11,669.6	11,289.7	10,175.1	10,018.1	9,284.0	9,020.7	9,536.0	9,663.4	10,293.8	9,884.0
Total labor costs	$16,567.1	15,610.4	14,033.4	13,802.9	12,558.3	11,957.0	12,428.5	12,598.1	13,386.3	12,631.7
Average number of employees	350,320	382,274	369,314	389,917	386,342	385,487	411,202	432,987	500,464	512,088
Employee Data—U.S. Operations(1)										
Payroll	$ 7,761.6	7,703.6	7,212.9	6,875.3	6,024.6	5,489.3	5,641.3	5,370.0	6,368.4	6,674.2
Average number of employees	180,838	181,476	172,165	178,758	168,507	161,129	176,146	185,116	244,297	261,132
Average hourly labor costs(2)										
Earnings	$ 16.50	16.12	15.70	15.06	13.93	13.38	12.75	11.45	10.35	9.73
Benefits	12.38	11.01	10.75	9.40	8.54	9.79	8.93	8.54	5.59	4.36
Total	$ 28.88	27.13	26.45	24.46	22.47	23.17	21.68	19.99	15.94	14.09

Share data have been adjusted to reflect stock dividends and stock splits.
*1982, 1981, and 1980 results were a loss.
(1) Includes unconsolidated finance, insurance, and land subsidiaries.
(2) Per hour worked (in dollars). Excludes data for subsidiary companies.

いて言えることだが、安っぽい紙であればあるほど、そこにある情報はより高い価値があるものである。

貸借対照表には資産と負債が掲載されており、私にとっては決定的に重要なものである。流動性資産の項には、五六億七二〇〇万ドルの現預金と、四四億二四〇〇万ドルの市場性のある有価証券が計上されている。また、以上の二つを加えると、現在の手元流動性は約一〇一億ドルであるとわかる。前年の八六年の現預金と比較すると、会社が金を貯えていることがわかる。これは、盛業を意味するだろう。

貸借対照表の下半分に視線をおろすと、長期負債の項がある。八七年の長期負債は一七億五〇〇〇万ドルで、前年よりかなり減少したことがわかる。負債の減少は、もう一つの繁栄のしるしである。現預金が負債に比較して増加していればそれは貸借対照表の改善であり、反対の場合は悪化である。

手元流動性から長期負債の額を差し引けば、八三億五〇〇〇万ドルというフォードの「ネット・キャッシュ」（使用可能なキャッシュ）になる。現預金が負債を上回っている限り、何があろうとフォード社が倒産することはないだろう（一八億ドルに及ぶ短期負債は前述の計算に考慮されていないことに気づかれたことと思うが、在庫などのその他の資産が短期負債を補って余りあるので、複雑化を避けるためにあえて考慮しなかったにすぎない）。長期負債が手元流動性を上回ってしまうということも、同様に起こりうる。流動性が悪化し負債が増えるということは、企業の財務基盤が弱いことを示す。その強弱を知ることがこの簡単なチェックの目的である。

次に三八ページ目の一〇年間の経過（前ページの表を参照）を見ると、発行済株式数は五億一一〇〇万株であり、過去二年間にわたってその数が減少していることがわかる。これは自社株を買い戻しているということで、もう一つの好材料である。ネット・キャッシュの八三億五〇〇〇万ドルをこの発行済株式数五億一一〇〇万株で割れば、一株当たりのネット・キャッシュの額は一六・三〇ドルということになる。この数字が重要であることは、次章でわかる。

その次に私がやることは……。もうすでにかなり混み入ってきてしまった。「こうした作業にはあまり興味がない、それよりヘンリー・フォードの伝記でも読んでいたほうがよい」という読者は、証券会社のセールスマンに質問をすればよいだろう。フォード社は自社株を買っているか、現預金は長期負債の額を上回っているか、そして、一株当たりの現金の額は、などなど。

ここではもっと現実的になろう。私は会計報告書をあれこれと分析するという労力を要する探求に、あなた方を導こうとしているわけではない。ただ会社の状況を知るための重要な数字というものはあるということだ。そして、それが年次報告書から抽出できれば言うことはないのだが、もし駄目ならば、S&Pのレポート、証券会社、『バリュー・ライン』などから手に入れることもできる。『バリュー・ライン』は貸借対照表より読みやすいので、もし見たことがなかったならば、これから参考にして欲しい。流動資産と負債、前回の不況の際に会社はどうなったかという長期的な記録の要約、収益は上昇傾向にあるか、配当は常に支払われているか、などについて書かれている。また、会社の財務内容の健全性について五段階での格付けまであるが、これは私はあまり重要視していない。

さて、年次報告書はこのくらいにして、重要な数字について、それぞれに考えてみることにしよう。

第13章　知って役に立つ幾つかの数字

売上げに対する比率

　個性のある商品を持つ企業（たとえばレッグスやパンパース、バファリン、プラスチックのレクサンなど）に対する私の最初の興味は、その商品がその企業にどれほどの影響を与えているかである。総売上高のなかのその商品のシェアは何％なのか？　なんとなれば、レッグスによってヘインズの株価は大きく上昇したが、それは同社がまだ小さな会社だったからであり、パンパースはもっと儲かる商品だったが、プロクター・アンド・ギャンブルのような大企業にとっては大した影響を与えていないからである。

　ＧＥがレクサンの製造元であると知って、年次報告書（アニュアルレポート）などで調べてみると、レクサンはＧＥの売上げの六・八％しか占めていない化学部門のなかの一つの製品でしかないことがわかれば、レクサンはパンパース同様に、ＧＥの株主にとって大きな意味を持つものでないことがわかる。どこがレクサンをつくっているのかと自問自答してみれば、レクサンにこだわっても仕方がないことに気づくだろう。

株価収益率（PER）

すでにこれについては触れているが、改めて知り直すことはきっと役に立つ。適正に評価されたPERは、どの企業についても同様に、その会社の成長率を表わしている。ここで言っているのは利益の成長率についてだが、あなたはそれをどのようにして見つけているだろうか？

PERを尺度にして、成長率とは何かと証券マンに聞いてみなさい。

もしコカ・コーラのPERが一五倍なら、この会社は年率で一五％の成長を期待できるし、もしPERが成長率より低ければ、それはバーゲン価格である。仮に年率一二％で成長する会社があるとして、そのPERが六倍なら大いに魅力的である。一方、成長率が六％でPERが一二倍ならこれは魅力に欠けるし、いずれ株価は下がるだろう。一般的に、PERが成長率の半分だときわめて魅力的だし、PERが成長率の二倍なら非常に危ない。われわれのマゼラン・ファンドではこの方法で株式を評価している。

もしあなたの取引する証券会社が成長率を教えてくれなければ、自分でバリューラインやS＆Pのレポートを利用して弾き出すこともできる。この方法さえわかっていれば、株価が買われ過ぎていないかどうかを計る他の方法はいらない。これで、何にもまして重要な将来の成長率に関して、あなたの推測は私と同じである。

配当を考慮した利益の成長率の、やや複雑な算出法もある。まず成長率を算出し（仮に一二％として）、それに配当利回りを足し（三％とすると）、それをPERで（一〇倍とする）割れば、（12＋3）÷10＝1.5となる。

この答えが一以下なら見込み薄だし、一・五ならまずまずだろう。しかし、あなたが本当に探しているのは二以上である。ある会社の成長率が一五%、配当利回りが三%でPERが六倍なら、まずは望ましいという答えが出る。

キャッシュ・ポジション

フォード社の八三億五〇〇〇万ドルのネットベースでのキャッシュについては先に触れた。会社が膨大なキャッシュを保有しているときには、絶対それについて知ろうと努めることだ。なぜかって？　そのフォードの株は一九八二年の四ドルから、分割調整後の価格で八八年には三八ドルに上昇した。その過程で、私は五〇〇〇万株を買った。三八ドルならすでに巨額な利益を得たことになる。その間ウォール街は、二年にわたってフォードの株価は上がり過ぎだと言い続けていたものだ。多くのアドバイザーたちは、フォードは市況関連株であり、もうこれ以上に上がることはない、次は下がるだけだと忠告してくれていた。私も何度か売りたくなったものだ。

しかし、年次報告書を見ると、先に指摘したように、借入れを差し引いて一株当たり一六ドル三〇セントものキャッシュがあることに気づいた。私の持つフォード株の一株には、まるで隠されたリベートと同じような一六ドル三〇セントものボーナスがある。

この一六ドル三〇セントのボーナスはすべてを変える。その意味するところは、私はこの自動車会社の株を時価の三八ドルで買うのではなく、二一ドル七〇セント（三八ドルから一六ドル三〇セントのキャッシュを差し引く）なのである。アナリストたちは、フォードがその自動車の販売によって一株当たり七ドルの利益をあげることを期待していた。だとすれば、三八ドルで計算したPERは五・

四倍だが、二一ドル七〇セントならPERは三・一倍である。

PER三・一倍は、市況関連株であろうとなかろうと、大いに関心を誘う数字である。だとしても、肝心のフォードがいい加減な経営状態だったり、フォード車の最新型に対して人々がそっぽを向いていたりしていたら、たぶん何の関心も惹かなかっただろう。しかし、フォードは立派な会社である。人々はフォードの乗用車やトラックを愛用していたのである。

このキャッシュの状態は、フォードを保有し続けるのに十分な自信となった。そして売らないと決めてから、さらに四〇％も株価は上昇したのである。

そのほかに（フォードの立派な年次報告書の五頁に記載されている）関連会社であるフォード・クレジット、ファースト・ネーションワイド、USリーシングやその他の金融会社が、一九八七年に一株当たり一ドル六六セントの寄与をしていたのである。フォード・クレジットは一社だけで一ドル三三セントの貢献をしていて、しかも、なんと一三年連続して増益であった。

仮にフォードの金融会社のPERを一〇倍として計算すると（金融業界の平均PER）、これらの子会社群の一株当たり利益の一ドル六六セントは、一六ドル六〇セントとなる。そうすると一株三八ドルのフォードに対して一六ドル三〇セントのキャッシュと一六ドル六〇セントの子会社の価値を加えると、自動車事業そのものの価値は五ドル一〇セントということになる。そして、この会社は一株当たり七ドル稼いでいるのである。フォードに投資するのは危ないことなのだろうか？　たとえ一九八二年から一〇倍になっていたとしても、フォードは明らかにタダ同然である。

ボーイングもまたキャッシュリッチな会社である。同社の株価は、一九八七年の初めには四〇ドル台の前半で動いていた。しかし、一株当たり二七ドルのキャッシュがあるのなら、実際には一五ドルで買うのと同じとなる。そこで私は、まず一九八八年の初めに少し買ってみて、キャッシュの他にも膨大な受注残があることも材料として、どんどん持ち株を増やしていった。

もちろんキャッシュだけで十分というわけではない。他にも心配しなければならないことは山ほどある。シュルンベルジェはキャッシュを大量に保有しているが、一株当たりでは大した額ではない。ブリストルマイヤーズは二億ドルの長期負債に対し一六億ドルものキャッシュを持っていて、確かに興味を惹く数字ではある。しかし、二億八〇〇〇万株の発行済株数に対しては負債を差し引いた一四億ドルのキャッシュは一株当たり五ドルでしかない。四〇ドルの株価に対し五ドルのキャッシュでは魅力に欠ける。株価が一五ドルにでもなれば話は別だが。

いずれにしても、会社を調べる際には、その一環としてキャッシュ・ポジションをチェックすることをいつもお勧めしている。あなたがいつフォードでつまずくことになるかは誰にもわからないのだから。そのキャッシュでフォードが何をしようとしているのかを頭に入れておけば、キャッシュが積み上がるにつれて、それで会社が何をするかは株価に関係してくるのである。

今のところフォードは、増配や自社株買いをすごい勢いで行なっているが、それでもまだ余る大量な資金を巡って、誰でもやりたがる買収を行なうのではないかと投資家を心配させている。だが、これまでのところフォードは買収には慎重である。

フォードはすでにクレジット会社やS&L（貯蓄貸付組合）を持ち、ハーツ・レンタカーをパートナーシップでコントロールしている。ヒューズ・エアロスペース社に買収を仕掛けたが、提示価格が低過ぎて逃がしている。自動車部品やエレクトロニクス関係の大手で自動車用のエアバッグもつくっているTRW社がシナジー効果があるとされている。しかし、もしフォードがメリル・リンチやボーイングを買うようなことがあれば、これは最悪である。

負債項目

その会社の負債はいくらあって、資産はいくら持っているのか？　負債対資本の比率は？　これについては銀行の貸付係があなたの信用度を調べて貸すことと同じである。

通常、バランスシートは二つに分かれる。左側には在庫や売掛け債権、設備などの資産、右側にはこれらの資産がどのような資金で手当てされているかが記載されている。

会社の資金力を見る一つの手っ取り早い方法は、バランスシートの右側の負債と資本を比較することである。

負債と資本の比率は簡単に出てくる。フォード社の一九八七年のバランスシートによれば、株主資本の合計が一八四億九二〇〇万ドル、その数行上に長期負債が一七億ドル（短期負債もあるが十分なキャッシュがあれば私は無視することにしている）と記載されている。普通の会社のバランスシートでは、七五％の資本と二五％の長期負債が一般的である。フォード社の場合はなんと一八〇億ドル対一七億ドルであり、資本対負債の比率は目も眩むような九一％対九％となっている。これはきわめて健全なバランスシートである。

業績が急転している会社やトラブルのある会社については、私はとくに負債を注意して見ている。その会社が生き残ることができるか、それとも倒産するかは一にかかって負債なのであり、創業まもない、負債の多い若い会社には常にリスクがつきまとう。

その昔、ＧＣＡとアプライド・マテリアルという半導体製造装置をつくっている二つの会社に注目したことがある。高度なハイテク企業は避けて通るべき会社のなかの一つだが、この両社は崖から転げ落ちることでそのことを見事に証明してくれた。

一九八五年末頃にGCAは二〇ドルから一二ドルへ、アプライド・マテリアルはそれよりもっと下げて一六ドルが八ドルになった。この違いは、GCAが経営不振に陥ったとき、一億一四〇〇万ドルの負債があったが、そのすべてが銀行からの借入れだったことによる。

もう少し説明を続けよう。同社はキャッシュを三〇〇万ドルと七三〇〇万ドル分の在庫を持っていた。しかし、この変化の速い業界では、今の七三〇〇万ドルの在庫が、翌年には古くなってしまって二〇〇〇万ドルになってしまうこともあり、実際にいくらで売れるかは神のみぞ知るというものだ。一方、アプライド・マテリアルはわずか一七〇〇万ドルの負債に対し、三六〇〇万ドルのキャッシュを持っていた。

半導体関連業界が回復してくるにつれ、アプライド・マテリアルは八ドルから三六ドルまで跳ね上がったのに対し、GCAはそうはならなかった。一方が四倍にもなったのに対し、こちらは結局駄目になって、一株一〇セントで買収されてしまった。負債の重荷が明暗を分けたのである。

どの程度の負債があるかによって、危機に際して勝者と敗者の分かれ目になるのであり、それを決定するのはどんな負債なのかによる。

負債には銀行借入れと市場から調達した負債とがある。銀行借入れは（GCAのように、これが最悪だが）返済を迫られる。何も銀行借入ればかりではない。コマーシャルペーパー（手形の一種）のこともある。重要な点は、返済日がすぐやってくることである。時には先方の都合で返済を迫られる。会社が危ないとなるとすぐ返済を迫ってくるのがこの種の負債である。そして債務が返済不能になると会社更生法（チャプター・イレブン）入りとなる。債権者たちによって会社は丸裸にされ、株主には何も残らない。

市場から調達する負債は利子を払い続けている限り、会社が多少おかしくなっても支払いを迫られることはない（株主の立場から言えばこれがベストの負債となる）。元本に関しては、一五年どころか二〇年、三〇年後に支払えばいい。

市場から調達する資金は通常社債の形となることが多く、満期日は長期である。社債は、時として格付けが上がったり下がったりすることもあるが、何が起きたとしても、社債の保有者が銀行のようにすぐ返済しろと言ってくるわけではない。たまたま利息支払いが遅れたりするほどの危機に見舞われたとしても、社債なら、会社は危機を脱するに十分な時間が与えられているのである（一般的な年次報告書の脚注に、社債の利率や満期日が記載されている）。

クライスラーのような業績回復株については、負債の総額はもちろんのこと、その負債の内容についてはとくに注意して見ることにしている。クライスラーが負債に喘いでいたことは誰でも知っている。有名なクライスラー支援策では、ストック・オプションと引き替えに政府が一四億ドルの負債を保証したことが重要な鍵となった。後に政府はこのオプションを売却して大きな利益を得たのだが、当時は誰もそんなことは予想できなかった。しかし、あなたでも気がついたであろうことは、このクライスラーの負債に関する救済策は、会社にまだ動ける余地を与えたということである。

他に私が気づいたことは、クライスラーは一〇億ドルのキャッシュに加えて、戦車部門をゼネラルダイナミックス社に三億三六〇〇万ドルで売却したことである。

実際にクライスラーは少しずつだが赤字を出していたが、キャッシュと政府からの借入れによって、銀行がこの一～二年の間に同社を倒産に追い込むことはできなくなったのである。

もしあなたが私と同じように、自動車産業は回復しつつあって、クライスラーが大胆な体質改善によって低コストの製品をつくり出せるようになっていると信じれば、クライスラーが生き残るという自信が持てたはずである。新聞が報じるようなリスクは実際にはなかったのである。

配当

私のたった一つの楽しみをご存じですか？　それは配当が配達されてくるのを見ることです。

――ジョン・D・ロックフェラー（一九〇一年）――

配当のある会社の株は、無配株と比べて、エキストラの収入を期待する投資家たちに歓迎されることとなる。まことに結構なことで、何の異論もない。郵送されてくる配当はジョン・D・ロックフェラーだって楽しみなのだから。しかし、私の見るところでは、有配もしくは無配の場合も含めて、配当がその会社の価値にどんな影響を与えているかが最も大切なのである。

配当の利点の一つは、下げ相場に際して、無配だったら際限なく下げそうな状況で株価を支えることである。一九八七年のブラックマンデーの暴落のときでも、高配当の株は無配株の約半分しか下げていない。このことも、かつての優良株や低成長株を私が好んでポートフォリオに組み入れている理由である。

株価が二〇ドルの株が二ドルの配当をしていれば利回りは一〇％だが、一〇ドルに下がれば利回りは二〇％となる。したがって、投資家が配当率に納得できるのであれば、高配当ゆえにその株に投資することもあるだろう。当然、株価の下支えとなる。ブルーチップと呼ばれる株が危機に際して人気を集めるのは、配当を継続して支払い、増配なども行なっているという歴史によるのである。

ただし、繰り返すが、小資本の会社が配当を支払わないとしても、配当を支払わないがために、より高い成長をすることも大いにあり得る。彼らはその資金を事業の拡大に注ぎ込む。企業が株式を発行する理由は、その資金によって（銀行借入れなどによる重荷なしに）成長するためである。

電力会社や電話会社は主要な有配の会社である。景気低迷期には新たな設備投資は不要だから、手元のキャッシュは豊富になる。景気がよくなればなったで、高い配当率は必要な設備投資のための資本を惹きつけることになる。

コンソリデーテッド・エジソン（コン・エドと呼ばれる）が余分に必要な電力はカナダから買えるのに、建設に必要な認可のために高い費用まで払って、発電機を買わなければならない理由はない。だからコン・エドは、あり余る資金で自社株を結構な価格で買い上げているし、継続的に増配をしている。ゼネラル・パブリック・ユーティリティーズ社も、あのスリーマイル島の原発事故から立ち直り、今や一年前のコン・エドと同じように自社株を買い、増配に努めている。

それは報われるか？

もし配当によって株を買いたいと考えるのなら、不況期や、もっと悪い時期にも配当をできるのかどうかを調べる必要がある。では、フリート・ノースター（かつてのインダストリアル・ナショナル銀行）はどうだろう？　同社は一七九一年以来配当を続けている。もし低成長株が無配になれば、不振な状況に陥った会社に打つ手は限られているから、それはあなたにとって困った事態となる。二〇年も三〇年も連続して配当を支払っている会社があなたには最適だろう。

配当にこだわるのであれば、三回も戦争があっても、八回もの不況があっても配当を支払い続けているケロッグやラルストン・ピュリナが最適なチョイスであろう。過大な債務を抱え、事実、不動産投資の失敗によって一一ドルから三ドルにまで下げているサウスマークなどは、ほとんど債務のないブリストル・マイヤーズとは大違いである。

市況関連株も、いつも配当を支払うわけではない。フォードは一九八二年に無配になったし、株価は四ドルを下回って二五年来の安値となった。しかし、フォードがすべてのキャッシュを失わない限り、今はフォードの配当については誰も心配していない。

簿価

たぶん一番わかりやすい数字だということもあるのだが、簿価は最近とみに注目を集めている。今ではどこにでも溢れている感さえある。ごく一般的なコンピュータ・プログラムが、何社が一株当たりの資産より株価が下回っているかを弾き出している。人々はこれに基づいて、簿価が二〇ドルで株価が一〇ドルなら半値で買えることになる、と計算して投資している。この欠点は、公表されている簿価がしばしば過大もしくは過小に評価されていて、実際の企業価値との関連が少ないことである。ペン・セントラルが倒産したときの簿価は、一株当たり六〇ドルだった！

一九七六年末現在のアラン・ウッド・スティール社の公表されていた簿価は三二〇〇万ドルで、一株当たりでは四〇ドルだった。にもかかわらず同社は六カ月後にはあえなく倒産している。問題は、帳簿上では三〇〇〇万ドルの価値とされていた新鋭設備に欠陥があり、操作上の欠点もあって、実際には無価値だったのである。負債の何がしかを支払うため、この圧延設備はルーケンズ社へ約五〇〇万ドルで売却されたが、その他の設備はスクラップとして売られた。

繊維会社が一ヤード四ドルの布地を倉庫一杯持っていたとしても、実際には一〇セントでも売れないかもしれない。この業界には他にも不文律があって、製品を調べれば調べるほど、小売りの価値は予測できなくなる。綿の値段を知っていたとしても、オレンジ色のコットン・シャツについては不明だし、鉄の値段がわかっても、フロアスタンドの価格まではわかるまい。

数年前に、投資の神様とされているウォーレン・バフェット氏が、かなり以前に投資したなかの一つであるニューベッドフォード・テキスタイル社を閉鎖したときのことを思い出してみよう。同社の経営陣は、簿価で八六万六〇〇〇ドルの織機を売ればかなりの金額になると期待していた。しかし、競売に出してみたらたったの一六万三〇〇〇ドルにしかならなかった。

過大評価されてバランスシートの左側に記載されている資産は、右側に記載されている負債も大きいときにはきわめて危険である。資産が四〇〇万ドルで負債が三〇〇万ドルだとすると、差し引きの簿価は一〇〇万ドルとなる。しかし、負債は実際の数字であり、もし四〇〇万ドルの資産が投げ売り状態で二〇〇万ドルでしか売れなかったら、実際の簿価はマイナス一〇〇万ドルとなり、会社の価値は紙切れでしかない。

これは不幸な投資家の身に降りかかった実例だが、フロリダの開発会社ラダイス社は、当時一株当たり五〇ドルの資産があるとされ、ニューヨーク市場で一〇ドルの値がついていた。しかし、変な会計制度により、開発された土地にかかわる利息は開発が終わってその土地が売却されるまでは資産とされたこともあって、同社の資産の多くは絵に描いた餅みたいなものだった。

それでも開発が成功していれば何の問題もない。しかしラダイス社は有力な買い手を見つけることができず、債権者（銀行）は資金の返済を求めてきたのである。会社が過大な債務を抱えているときに銀行が返済を要求してきたために、バランスシート上の左側にある資産はたちまち消えてしまい、負債だけが残ることとなった。株価はあっという間に七〇セントまで下がり、実際の価値は一株当たりマイナス七ドルとなったことが知られるにつれ、株は全く見捨てられてしまった。私がこのことを知っているのは当たり前で、マゼランは大株主だったのである。

簿価を基準にして株に投資するなら、この簿価の意味するところを十分に知っておくべきである。ペン・セントラル鉄道の場合も、山中のトンネルや用途のない貨車まで資産として計上されていたのである。

含み資産について

資産がしばしば過大評価されるように、同時に過小評価されることも多い。

土地や森林、石油、貴金属などを所有している会社の場合、その資産の価値のほんの一部しか帳簿には出てこないこともある。たとえば一九八七年の貴金属加工業のハンディ・アンド・ハーマン社の簿価は、金や銀、プラチナなどの在庫も入れて一株当たり七ドル八三セントだった。しかし、簿価に表示されている価格は購入時のものであり、それは三〇年前という可能性もあった。金の一オンス四一五ドル、銀の同六ドル四〇セントという現在の対価なら、一株当たり一九ドルとなる。となればハンディ・アンド・ハーマン社の一株一七ドルはお買い得ということにならないだろうか?

われらが友人ウォーレン・バフェット氏はそう考えたのである。そこで彼は、大量の同社の株を長期間にわたって持ち続けたのである。しかし、収益は伸びず、多角化も成果をあげず、株価はパッとしなかった。最近バフェット氏は同社株を手放したと報じられ、このハンディ・アンド・ハーマン社への投資はその含み資産の持つ可能性にもかかわらず彼のたった一つの失敗だったと言われている。

しかし、もし金や銀の市況がドラマチックに上昇すれば、株価も大幅高となるだろう。

含み資産には、金や銀以外にもたくさんある。コカ・コーラや咳どめ薬のロビタシンといったブランドネームは、帳簿にその価値は記載されていないがたいへんな価値を持っているし、医薬品の特許やケーブルTVのフランチャイズ権——テレビ局やラジオ局も——も取得原価が記載されているだけで、当初の投資額は償却され、バランスシートの資産の項目からは消えてしまっている。いまだにくやしくて仕方がないが、前述したペブルビーチ・ゴルフコースの件は典型的な資産をベースとした投資（アセット・プレイ）である。

他にも同様の例は山ほどある。鉄道もその好例だろう。前述のバーリントン・ノーザン社やサンタフェ・サザン・パシフィック社は膨大な土地を保有しているが、その土地の原価はゼロ同様である。サンタフェ・サザン・パシフィック社はカリフォルニアの民間では最大の地主であり、州の面積一億エーカー中の一三〇〇万エーカーを保有している。全国では、ロードアイランド州の四倍にもなる合計で三〇〇〇万エーカーを一四州にまたがって保有している。

石油会社や石油精製会社は、往々にして、テディ・ルーズベルト大統領の時代に取得した価格の資産を、地下に四〇年以上も持っていることもある。

こんな会社が設備を売り払い、従業員をレイオフし、石油だけを売ることにすれば、あっという間に株主たちを大金持ちにすることができるだろう。なにせ石油だけでも株式の時価総額より多額なのだから。石油を売るには衣類のような苦労はない。石油ならその年代などに関係なく売れるのである。

数年前にボストンのTV局のチャンネル5が四億五〇〇〇万ドルで売却された。たぶんそれが当時の相場だったのだろう。しかし、開局に際して二万五〇〇〇ドルの放映権や、TV塔に一〇〇万ドル、スタジオに一〇〇万～二〇〇万ドルかかったとしても、全部合わせて二五〇万ドルが当初の簿価だが、それは償却されている。売却時のこの会社の価値は、簿価の三〇〇倍ぐらいになるのだろうが、それでも低過ぎるぐらいだ。

放送局のオーナーが新しくなったために、新しい簿価は買い値の四億五〇〇〇万ドルとなり、わかりやすくなった。帳簿上の価格の二五〇〇万ドルに対し、四億五〇〇〇万ドルを支払えば、この差額の四億四七五〇万ドルは「のれん代」（グッドウィル）ということになる。この「のれん代」は、新しく帳簿に「のれん代」として記載され、いずれ償却されていく。このことが再び簿価をベースとした投資の材料となる。

「のれん代」に関する会計手法は、多くの会社が資産を過大評価していた一九六〇年代の後半に変更されている。今は当時とは様変わりで、まるで反対になってしまった。たとえばコカ・コーラがそのボトリング事業のために設立した新しい会社コカ・コーラ・エンタープライズ社は、その帳簿にコカ・コーラの「のれん代」を二七億ドルの価値として記載している。この二七億ドルはボトリングのフランチャイズ料として設備や在庫以外に計上され、それがフランチャイズの目に見えない価値なのである。

今の会計手法では、コカ・コーラ・エンタープライズ社は、このこのれん代を四〇年間で償却しなければならないのだが、実際のフランチャイズの価値は年ごとに上昇しつつあるが、当面の償却費用は同社の収益を圧迫することになる。一九八七年は一株当たり六三セントの利益となっているが、他に五〇セントが償却費に回っている。このことは、帳簿上の数字よりも事業はうまくいっているということでもあるが、同時に、含み資産が日増しに拡大していっているということでもある。

医薬品の場合も含み資産の好例である。他の誰も今後一七年間製造できない薬の場合（特許の期間）、もし会社がそれに多少の改良を加えて新しく特許をとれば、またさらに一七年間の特許を保有できるが、帳簿の価値はほとんどゼロに近い。

他にも子会社の価値が反映されていない親会社（フォードなど）もあるし、デュポンとシーグラムのような例もある。デュポンに興味があれば、デュポンの株の二五％を持つシーグラムを買うほうが合理的なこともある。

キャッシュフロー

キャッシュフローとは、会社が事業を行なって得るキャッシュの量である。すべての会社がキャッシュを手に入れるが、ある会社は他社に比べてキャッシュを得るための支出が多いことがある。これが、フィリップモリスを安心して投資できる会社だとするのに対し、製鉄会社が信頼できないという決定的な違いとなる。

ピッグ・アイアン社の場合、インゴットの在庫すべてを処分して一億ドルになったとする。それはそれでたいへん結構なことだが、同社は高炉の改修に八〇〇〇万ドル必要としている。これはよくない。最初の年に高炉の改修のために八〇〇〇万ドルの支出をしなかったら、最新の設備を持つ会社に負けてしまう。キャッシュを得るためにキャッシュを使うのであれば、その結果は知れている。

フィリップモリスにはこの問題はないし、ペップボーイズもマクドナルドも同じである。だから私は、設備投資にキャッシュを使わなくても事業ができる会社に投資するのが好きである。入ってくるキャッシュが出ていくキャッシュとせめぎ合う必要がない（資金繰りに困ることはない）からだ。フィリップモリスのほうが、ピッグ・アイアンよりキャッシュを得るのが簡単なのである。

たくさんの人がキャッシュフローの数字を株式の評価に用いている。たとえば二〇ドルの株価に対して、標準とされている一〇対一の、二ドルのキャッシュフローがあるとする。キャッシュで一〇％

のリターンは、長期に株を保有する人が期待する最低で一〇%のリターンとうまく噛み合う。二〇ドルの株価で四ドルのキャッシュフローがあれば二〇%のリターンとなるし、これは素晴らしい。もし株価二〇ドルで一〇ドルものキャッシュフローがあれば、家を担保に入れても買えるだけの株を買うべきだろう。

この計算法には、これが絶対というものはない。しかし、もしあなたが株を買う理由がこのキャッシュフローであれば、キャッシュフローがフリー・キャッシュフローであるかどうかは気をつけるといい。フリー・キャッシュフローとは必要な支出を差し引いたものであり、使わなければならないキャッシュではない。ピッグ・アイアンはフィリップモリスに比べると使えるキャッシュはほとんどない。

時として私は、収益は大したことはないが、そのフリー・キャッシュフローによって投資に値する会社であることに気づくことがある。それは、多額の償却が可能な古い設備なのに、新しく入れ替える必要もない会社であることが多い。この会社は設備の更新などに費用を必要とせず、しかも長期間税制の恩恵を受けることができる（償却費は税から控除される）。

コースタル・コーポレーションは、フリー・キャッシュフローの絵に描いたような例である。どの尺度を用いても妥当な二〇ドルの株価の、一株当たり二ドル五〇セントの収益で、PERは八倍（これは業界の標準値）である。しかしこれとは別に、目に見えないところに素晴らしいチャンスがある。同社はアメリカン・ナチュラル・リソーシス社を買収するために、二四億五〇〇〇万ドルを借り入れている。パイプラインの魅力は維持費が安いことである。したがってパイプラインには気を使わなくてもいい。そこにただあるだけなのだから。そのうちに償却してしまえる。

同社は不況下のガス業界にあって、一株当たり一〇～一一ドルのキャッシュを持っていた。そして、設備に投資した後で七ドル残った。この七ドルはフリー・キャッシュフローである。帳簿上では来る一〇年間の収益はゼロだが、株主は一株当たり毎年七ドルのキャッシュのメリットが期待できる。二〇ドルの投資で七〇ドルのリターンである。この株はキャッシュフローだけで大きく上昇する可能性がある。

よく勉強している資産株を好む投資家は、フリー・キャッシュフローを大量に持っていて、その経営者が多角化など考えていない会社を探している。それは、一二年で償却できるコンテナーを大量に持っているリース会社かもしれない。ほとんどの会社は古いコンテナー会社と契約を結び、利益を大幅に縮小しキャッシュを確保することを考えているのである。これからの一〇年で経営者は工場を縮小し、コンテナーを償却して膨大なキャッシュを積み上げるだろう。一〇〇〇万ドルの事業から、こうすれば四〇〇万ドルが生み出せるようになる（この方法はコンピュータ産業向きではない。なぜなら、値段の下げるスピードのほうがこの方法より速いからである）。

在庫

在庫の内容については、年次報告書の経営者からのメッセージに記されている。私はいつも在庫が増えていないかどうかに注目している。メーカーや小売りを問わず、在庫が増えるというのは悪いサインである。在庫の増加率が売上げの伸びを上回っていれば、これはもうレッドカードである。

在庫の計算法にはＬＩＦＯとＦＩＦＯという二つの方法がある。ＬＩＦＯとＦＩＦＯとはまるでつがいのプードルのような呼び方だが、ＬＩＦＯは後入れ先出し法で、ＦＩＦＯは先入れ先出し法のことである。

ハンディ・アンド・ハーマン社が三〇年前に一オンス四〇ドルの金を買い、昨日は同四〇〇ドルで買い、そして今日は同四五〇ドルで売ったとすると、さて利益はどうなるだろう。ＬＩＦＯでは四五〇ドル引く四〇〇ドルで五〇ドル、ＦＩＦＯなら四五〇ドル引く四〇ドルで四一〇ドルとなる。

どの方法を使うにしても、今年のＬＩＦＯとＦＩＦＯの価値を昨年のそれと比べてみることで、在庫が増えているのかそれとも減っているのかを知ることができる。

あるときアルミ関係の会社を訪ねたら、室内はもとより駐車場にまで原材料が山積みとなっていて、社員たちは駐車するのに往生していた。これは典型的な過剰在庫である。ある会社の売上げが一〇％増加したとしても、在庫が三〇％増えていれば、あなたは「ちょっと待てよ、いずれ在庫を整理するために値下げをするようになるだろう。しかし、それができなければまた来年苦労することになる。そしてそれの繰り返しになるかもしれない。新しい製品をつくれば在庫の古い製品を廃棄することになるし、在庫処分を迫られれば当然利益も落ちる」と考えるべきである。

自動車に関しての在庫はさして大きな問題でもない。なぜなら、新車の価値はそんなに落ちないからである。三万五〇〇〇ドルのジャガーの新車が三五〇〇ドルになることはない。しかし三〇〇ドルの紫のミニスカートは三ドルでも売れないかもしれない。明るい見方としては、業績が落ち込んでいて在庫が減少し始めれば、それは好転の最初の兆しである。

初心者やアマチュアの投資家にとっては、在庫について、またそれが何を意味するのかを知るのはたいへんだろう。しかし、業界通の投資家なら、どう考えればいいかがわかるはずである。五年前には必ずしもそうしなくてもよかったのだが、今は企業は四半期ごとに株主に報告しなければならないので、株主はその動向を定期的にチェックすることができる。

成長率

成長と拡大はウォール街で誤解されている同意語の一つであり、そのためかなり優秀な人たちですらフィリップモリスのような本当の成長株をしばしば見落とす。

煙草の消費が毎年二%減っている産業が、成長しているとは思えないのも無理はない。実際には、米国の喫煙者が減っている分を外国でカバーしているのである。ドイツでは四人に一人がフィリップモリス製のマールボロを吸っているし、日本へは毎週何機ものジャンボ一杯のマールボロが送り出されている。しかし、外国の売上げがフィリップモリスの輝かしい成功の理由ではない。成功の鍵は、経費を削減し、値上げを行なうことで、収益を増加させていることである。この収益の伸びこそ最も重要な成長なのである。

フィリップモリスは煙草の製造設備を効率化し、一方で煙草業界は値上げを毎年行なっている。コストが四%の上昇に対し、六%の値上げなら、この二%が利益率に加算される。すべてがこのようにいくわけではないが、収益率が一〇%なら(フィリップモリスのように)収益率の二%の改善によって収益は二〇%増となる。

もし、顧客を失うことなく毎年のように値上げができるビジネス(たとえば習慣性のある煙草のような)を見つけられれば、それは最高の投資物件である。衣料品やファーストフード業界がフィリップモリスのような値上げをすれば、たちまち倒産してしまうだろう。しかし、フィリップモリスは着実に金持ちへの道を進み、今や積み上がったキャッシュの使い道を探すのに懸命である。同社は高炉に投資する必要もないし、少ししか返ってこないもののために多額の資金を投下する必要もない。さらに政府による煙草のTV広告の規制によって、経費を大幅に削減することもできた。広告費は下手な多角化以上に株主にとっては無駄な浪費となっていたのである。

フィリップモリスはミラー・ビールを買収し、そこそこの成果しかあげられず、次いでゼネラルフーズの買収で同じようなことを繰り返した。セブン・アップの買収も新たな失望でしかなかったが、それでもフィリップモリスの株価は堅調だった。一九八八年の一〇月三〇日に、食品会社のクラフト社を一三〇億ドルで買収と発表した。この金額はクラフト社の八八年の利益の二〇倍もの額だったが、同社のキャッシュフローがきわめて好調であり、これらの買収に要した資金は五年以内に回収できるとして、市場は株価を五％下げたにとどめた。

同社は四〇年以上も好業績を続けていて、訴訟や反煙草キャンペーンがなければ、PER一五倍以上に買われてもおかしくないのに、投資家たちは近寄らない。しかし、私も含めてバーゲンハンターにとっては、この種の感情的な世間の反応はむしろ好ましいことである。すべての指標はこれ以上よくなることはないほど好条件が揃っている。今でも、このチャンピオンとも思える会社をPERの一〇倍、成長率の半分で買える。

成長率に関していま一つ付け加えると、すべてが同じだとすれば、たとえば二〇％の成長率でPER二〇倍の会社と、一〇％の成長率でPER一〇倍の会社なら、前者を買うほうがいい。これは何だか秘法のように聞こえるかもしれないが、成長企業の利益が株価を押し上げる要因であることを理解しておく必要がある。同時に一株当たり一ドルの利益でスタートしたとして、二〇％成長する会社と一〇％成長の会社でいかに差が広がるかを見てみよう。

まず最初は、A社の株価は二〇ドル（一株当たり利益は一ドルだからPERは二〇倍）だが、一〇年後には一二三ドル八〇セント（一株当たり利益六ドル一九セントでPER二〇倍）。B社の最初の

1株当たり利益の比較

	A社 （20%成長、PER20倍） 1株当たり利益（ドル）	B社 （10%成長、PER10倍） 1株当たり利益（ドル）
当初	1.00	1.00
1年後	1.20	1.10
2年後	1.44	1.21
3年後	1.73	1.33
4年後	2.07	1.46
5年後	2.49	1.61
7年後	3.58	1.95
10年後	6.19	2.59

株価は一〇ドル（一株当たり利益一ドルだからPERは一〇倍）、そして一〇年後に二六ドル（一株当たり利益二ドル六〇セントでPER一〇倍）となっている。

もし、投資家がそんな高成長が続くはずはないとして、A社のPERを二〇倍から一五倍に下げたとしても、それでも一〇年後の株価は九二ドル八五セントとなる。どちらにしても、あなたはB社よりA社を持ったほうがいい。

また、A社が一〇年後の一株当たり利益が九ドル三一セントになる二五%成長の会社だとすれば、非常に控え目にPER一五倍で計算しても一三九ドルになる（三〇%以上の成長を三年間続けるのは難しいだろうし、一〇年もというのはとても無理なので、三〇%成長のケースはここでは計算していない）。

以上は何倍にもなる株をつかむために必要な鍵の要約である。二〇%成長の株が、とくに長期保有の場合、市場でいかに大きな夢をもたらすかということである。ウォルマートやザ・リミテッドが一〇年間で大きく上昇したのも決して偶然ではない。複利計算した収益という根拠に基づいているのである。

ボトムライン

最近はそこいらじゅうで「ボトムライン」という言葉が聞こえてくる。スポーツでもビジネスでも、さらにはプロポーズの際ですら「ボトムラインは何だ」の大合唱である。さてそれでは、何が本当のボトムラインなのだろうか。それは、損益計算書の最後に書かれている税引後の利益のことである。

企業の収益力ということについては、この業界でもかなり多くの人が誤解しているようだ。ある調査によれば、学生や若いビジネスマンは、企業の平均的な利益率を二〇～四〇%と答えているが、実際には五%かそこらである。

税込利益とも呼ばれている税引前利益が、私が会社を分析するときの大切な道具である。これは、売上高から償却費や金利も含めた諸経費を差し引いた残りである。一九八七年のフォードは売上高が七一六億ドルで税引前利益は七三億八〇〇〇万ドル、同利益率は一〇・三%だった。かなり優良な小売業でも利益率は製造業より小さい（たとえば強力なドラッグストア・チェーンのアルバートソンは、税引前でたったの三・六%といった具合だ）。これに対し、メルクのような高収益な薬を持つ会社は常に二五%以上の税引前利益をあげていた。

税引前利益を異なるさまざまな業種で比較してみても、それはあまり意味がない。なぜなら、それぞれの概念が異なっているからである。手近な方法は、同業種間で比較することである。最も高い利益率をもたらしたものが最少の経費によるものであれば、経費の少ない会社は事業

A社

	現在	回復後
売上げ	100ドル	110.00ドル（10%アップ）
コスト	88ドル	92.40ドル（5%アップ）
税引前利益	12ドル	17.60ドル

B社

	現在	回復後
売上げ	100ドル	110.00ドル（10%アップ）
コスト	98ドル	102.90ドル（5%アップ）
税引前利益	2ドル	7.10ドル

環境が変化したときでも生き残れるチャンスの大きい会社ということになる。

ここに、税引前利益率一二％のA社と、同二％のB社があるとする。環境が悪化して、売上げを維持するために一〇％の値下げを余儀なくされたとすると、両者とも売上げは一〇％減となる。この場合、A社はそれでも二％の税引前利益があるのに対し、B社は八％の赤字となる。そしてB社は生き残りが危うくなってくる。

さまざまな投資技法にこだわらずとも、税引前利益は不況期に企業が生き残れる可能性を計るうえでの有効な手法である。

ただし、これは時として欺されやすいことでもある。なぜなら、好況になって会社の業績が回復してくると、最も低い利益率しかなかったところが最も高い変化率となるからである。売上げ一〇〇ドルに対して次の仮定の二社を比較してみよう（表参照）。

回復期にはA社の利益の伸び五〇％に対して、B社のそれはなんと三倍以上になる。これで、なぜ不況期に惨たんたる有り様だった会社が好況に転じると最大の勝者となるかがわかるだろう。このことは、鉄鋼、自動車、化学、紙、航空、エレクトロニクス、非鉄などの産業で繰り返し起きている。同様のことが今不況に陥っている介護ホーム、天然ガス、そして多くの小売業に見てとれる。

そこで、もしあなたが好不況にかかわらず長期に保有するのなら、総じて高い利益率の会社を、そして業績回復株をねらうのなら低い利益率のところ、ということになる。

第14章　ストーリーを再チェックする

数カ月おきに会社に関するストーリーを再点検してみるとよいだろう。最新の『バリュー・ライン』や四半期報告書を読むことで、利益が予想どおりに保たれているかどうかといった収益の状況を調べること。それに、商品がまだ魅力を失っていないか、繁栄している雰囲気があるかどうか、店に行って調べてみるのもよいだろう。新しい事態が起こっていないか、とくに急成長会社の場合は、何が今後の成長を支えていくのかを問い直してみることも必要である。

会社の成長過程には三段階がある。本業の発展を成し遂げる始動段階、新規事業へ進展していく急上昇段階、もうこれ以上成長が難しい飽和状態に近づきつつある成熟段階、の三つである。これら三段階は、それぞれがだいたい七年くらい続く。

第一段階での投資は、企業の成功が明確になっていないという意味で最も危険なものである。第二段階は、第一段階での成功パターンを繰り返す最も利益をあげられる、安全な時期である。第三段階は、企業が限界に近づきつつあり、それ以上の成長のためには他の方法を模索しなければならないという意味で、最も不確かな段階である。持ち株を定期的に再点検するなかで、その企業がある段階から次の段階へ移っているのかどうかを再検討したくなるだろう。小切手を電算機処理する会社のオートマチック・データ・プロセシングを例にとれば、同社の商品はまだ市場で過剰供給に陥ってはいないので、第二段階にあると言える。
センサーマチック社は、万引探知システムを店から店へ次々に売り込み（第二段階）、株価は二ドルから四〇ドルへと上昇したが、結局そのシステムを売る新規の店がなくなるという限界まで達した。そして同社は、成長の勢いを維持する新しい方策を考えつかないまま、株価は一九八三年の四二ドル二分の一から、八四年に最安値の五ドル八分の五をつけた。この第三段階が近づきつつあるとき、新しい計画は何なのか、成功のチャンスが本当にあるのかどうかを確認しなければならなかったのである。

主要な大都市に進出し尽くしたシアーズは、他にどこへ行くことができるだろう。またザ・リミテッドが、最も主要な七〇〇の商店街のうちの六七〇カ所に立地した時点で、同社が成長を続けるためには、現存する店により多くの顧客を引き寄せることのみが最後の手段として残ることになった。そのことによってストーリーが変わってしまっていたのである。ラーナーとレーン・ブライアントを買収したとき、同社の急成長期は終了したと思われた。実際、同社は第二段階ですべての資金を投資していたので、その後どうしていいかわからなくなったのである。

ウェンディーズの隣にマクドナルドができたとしたら、ウェンディーズに残された成長手段は、マクドナルドの顧客を奪い取ることだけ。アンホイザー・ブッシュがビール消費市場の四〇%を占めてしまったとしたら、成長を続けられる可能性は、どこにあるのだろう。国民の一〇〇%がバドワイザーを飲むことはありえないし、少なくとも硬派を気取る少数派の人たちは、どんなことがあってもバドワイザー・ライトは注文しないだろう。遅かれ早かれアンホイザー・ブッシュの業績は低下し、それに伴って株価もPERも下落するだろう。しかし、もしかしたらアンホイザー・ブッシュも、マクドナルドと同様の成長維持のための方法を考えつくかもしれない。一〇年前、投資家はマクドナルドの信じがたい成長はもう過去のものになったのではないかと心配し始めた。至るところにマクドナルドは溢れており、PERは急成長会社として三〇倍から、安定成長会社のそれへと一二倍にまで低下した。こうした株価の先行きに対する不信任によって、一九七二〜八二年の間の株価は低迷したが、収益力には非常に根強いものがあった。マクドナルドは企画力を働かせて成長を維持したのである。

同社はまず、車で乗り入れられる売り場の窓口(ドライブルスー)を設け、今ではそれが全売上げの三分の一を占めている。それから、通常は閑散な時間帯である早朝に朝食を出すことにより、売上高はその分まるまる拡大した。非常に低いコストで、二〇%以上のレストラン売上げの増大を実現できたのである。それに加えて、サラダとチキンを導入した。この二つによって、同社は増益ばかりか、牛肉市況からの独立を達成したのである。牛肉価格が上昇すればマクドナルドは決定的打撃を受けると想像する人がいるかもしれないが、それは昔の話になったのだ。店舗網拡大のペースが落ちるにつれて、同社は、現存の体制のなかで十分成長を維持できることを立証した。同社は海外でも急拡大しており、一〇年もすれば英国や西ドイツのあらゆる街角にマクドナルドが出現するだろう。比較的低いPERにもかかわらず、マクドナルドは健在なのである。

ケーブルテレビ業界の会社の株を買っていたら、継続的な成長を見ることができただろう。第一に、地方のネットワーク、第二に、HBO、シネマックス、ディズニー・チャンネルなどの有料サービス、第三に、都市のネットワーク、第四に、ケーブルテレビ会社が売上げ商品ごとに手数料を得るホーム・ショッピング・ネットワークのようなプログラムからあがる使用料、最後に、将来莫大な利益を生む可能性のある有料広告、などなどからの収益の増大である。ストーリーは、ますますよくなるだろう。

航空会社のテキサス・エアは五年の間にストーリーが悪くなり、そして、よくなり、そしてまた三転して悪くなった例である。私は、その主要資産であるコンチネンタル航空だけに目をつけて、一九八三年の半ばに、テキサス・エア株を少額買った。その後株価は一二ドルから四ドル四分の三へ下落し、またテキサス・エアが大株主であるコンチネンタル株は三ドルまで下がった。しかし私は、業績回復の可能性がまだ残っていると考えて注意深く見守った。結局、テキサス・エアはコスト削減を行ない、コンチネンタル航空は乗客数の回復に成功し、絶望的な経営状態から脱却し、八六年までに両社の株は三倍になった。

一九八六年二月には、テキサス・エアはイースタン航空の主要株主となったと発表したが、このことも有望な発展としてとらえられた。その一年の間に、テキサス・エア株は再び三倍の上昇を示し、五一ドル二分の一の高値を実現した。これで、一九八三年の問題を解決した時点に比べて株価は実に一〇倍になったのである。

このとき、私の同社に対する業績見通しは自己満足的になっていた。イースタン航空とテキサス・エアの潜在的な収益力が素晴らしかったので、目の前の現実に注意を払えなくなっていたのである。テキサス・エアがコンチネンタル株の残り全部を買い取った際、私は、保有するコンチネンタル株の半分以上と転換社債のいくらかを現金化せざるをえなかったのだが、それは一種の幸運となり、かなりの利益を手にした。しかし、残りを売り抜けてしまうどころか、一九八七年二月に四八ドル四分の一で買い増ししたのである。貸借対照表は見るべきところがなく、航空会社を買収したことによる負債は数カ国の発展途上国の負債をたぶん上回っていたほど巨額にのぼっていたし、航空会社というのは不安定な市況関連産業だというのに、なぜ売らないで逆に買ったのだろうか。私は、直近の改善されたテキサス・エア株のストーリーにほれこみ、基本的条件が崩れているにもかかわらず、株価が上昇しているということだけにとらわれていたのである。

その新しく改善されたストーリーとは、次のようなものだった。テキサス・エアは燃料を節約した運行と、大幅に削減した労働コストによって利益を得ている。イースタン航空への資本参加に加え、フロンティア航空とピープル・エクスプレスを買収し、コンチネンタル航空を生き返らせたのと同様の方法で、それらの航空会社をよみがえらせようとしている。不調の航空会社を買い取り、経費を削減すれば、利益は自然についてくるというストーリーはよかったのだが、実際は違っていたのである。

私は、まるでドン・キホーテのように将来への展望の魅力にとりつかれていたので、駄馬に乗っているということを忘れてしまっていた。一九八八年の一株当たり一五ドルという利益予想だけに目を奪われていて、毎日のように新聞を賑わしていた紛失手荷物、めちゃめちゃなスケジュール、到着の遅延、顧客の怒り、イースタン航空の従業員の不満などの警告的な信号を見落としていたのである。

航空会社は、レストランと同じ市況関連産業である。また、少しでも悪い評判が立てば、五〇年もかかって築き上げた素晴らしい評判も台無しになる。イースタンとコンチネンタルは少なからぬ悪評を立てられていたし、種々さまざまな組織が円滑に統合されることも望めなかった。賃金と待遇についてのイースタンでの不平不満は、経営陣と各労働組合の間の決裂の兆候だった。労働組合は激しく抵抗した。

テキサス・エアの収益は一九八七年初期に悪化を始め、イースタンの経営費用の四億ドルを削減するという対策が打ち出された。しかし、私は、この削減策はまだ実行されていないので、実際には行なわれない可能性も十分あると自分自身に言い聞かせざるをえなかった。当時の労働協約はその後数カ月間有効だったので、労使間の争いは続いた。ついに正気に戻った私は、一七〜一八ドルで売り始めた。八七年の終わりまでに株価は九ドルまで下がったが、まだ多少残っている。塩漬けにせざるをえないだろう。

私が犯した過ちは、イースタンの窮状が明らかになり、それが一九八八年まで続いていくことが決定的になった八七年の夏に、その親会社のテキサス・エア株を減らさなかったことだ。さらにそれに加えて、この情報をもとに他の有望株であったデルタ航空を買わなかったことだ。デルタ航空はイースタン航空の主な競争相手であり、イースタンの経営問題、つまり恒久的に経営規模を縮小するという計画が実現したら、最も大きなメリットを受ける会社だったのである。私はデルタ株を多少保有するだけだったので、保有比率を上位一〇社以内にまで高めるべきだった。デルタ株は一九八七年の夏の間に四八ドルから六〇ドルに上昇し、一〇月には三五ドルまで下がり、年末時点では三七ドルにすぎなかったが、八八年の半ばまでに五五ドルまで急回復した。多くの人たちがイースタン航空とデルタ航空を利用し、私と同じ経験をしているわけで、〝初心者の大当たり〟を取れるチャンスもあったのである。

第15章 最終チェックリスト

今まで述べてきたような方法で、調査をすべて行なうとしても、一社につき二〜三時間費やすだけである。知れば知るほどよいわけだが、会社訪問は必須事項でもない。また、古文書研究者のような非常な集中力をもって年次報告書を研究する必要もない。よく知られている財務比率などの数字の幾つかは、ある特定のカテゴリーの株にしか当てはまらないし、当てはまるにしても完全に無視して構わないだろう。

以下は六つのカテゴリーの株についてあなたが知っていて損のないチェックリストである。

株式全般について

- ＰＥＲは当の会社としては高いか低いか。また、同業他社との比較においてはどうか。
- 機関投資家の持ち株比率はどうか。低ければ低いほどよい。
- インサイダー（内部者）が買っているか、あるいはその会社自体が自社株の買い戻しを行なっているかどうか。両方とも、よい兆候である。
- 今までの最高の利益はどれくらいか。利益の上昇は偶発的なものか、あるいは安定的なものか（利益が重要性を持たない唯一のケースは資産株である）。

●その会社の貸借対照表は、負債資本比率から見て健全かどうか。また、財務面の強さはどの程度に評価されるか。

●流動資産比率はどうか。一株当たりの流動資産一六ドルのフォードの株価は、一六ドルを底値としてそれ以下には下がらない。

低成長株

●このような株を買うのは配当を得るのが目的なので、配当が常に支払われているか、増配が定期的に行なわれているか、入念に調べたいものである。

●可能ならば、収益の何%が配当として支払われているかという数字、つまり配当性向を確かめること。もし低い比率ならば、景気の悪化にも耐えうる余裕を持っており、収益が減っても配当を維持できることになる。高い配当性向の会社は、配当継続に関してより高いリスクがある。

優良株

●これらの会社は、廃業に追い込まれる可能性が少ない大会社である。最も重要なのは株価で、PERを調べることにより割高がどうかがわかる。

●将来、収益減を招くような多角化ならぬ多悪化の可能性があるかどうかを調べる。

●長期的な成長率と同じ業況を最近保っているかどうかを調べる。

●長期間保有するつもりならば、過去の不況や市場の低迷をいかに乗り切ったかを調べてみる（マクドナルドは一九七七年はうまく乗り切り、八四年には低迷した。八七年の大暴落時には他の株同様に破滅的に下落したが、全般的には守勢に強い株と言えるだろう。ブリストルマイヤーズは、七三

〜七四年に主として買われ過ぎのレベルにあったという理由で急落したが、八二、八四、八七年にはうまく切り抜けた。ケロッグは七三〜七四年を除いて、比較的堅調に生き残ってきた）。

市況関連株

●在庫および需給関係について注意深く見守る必要がある。市場への新規参入会社がある場合は、不利な状況となるので注意しなければならない。

●景気回復にもかかわらず、PERが低下することも覚悟しなければならない。つまり、利益がピークに達したときには、景気循環の最終期にさしかかっていると考えなければならない。

●あなたが身近な市況商品について知っているならば、市況関連業種についての理解に有利となる（たとえば、誰でも自動車産業には景気循環があることを知っている。結局、三〜四年の下降期の後には、三〜四年の上昇期があることになる。常にそうなる。車は次第に古くなるので、買い替えが必要になる。これは一〜二年は延期できるが、遅かれ早かれ買い替えは行なわれるのである。不景気の状況が悪ければ悪いほど、景気の回復も大きなものになる。ときどき私は、いつが最悪の売上げになるのかを考える。というのは、最悪の状態の後には必ず、長く堅調な回復期が訪れるからである。最近の五年間は車の販売状況がよかったので、好景気の真ん中か、たぶん若干終わりの段階に近寄ったところにあると考えられる。しかし、市況関連産業の回復期への突入は予想しやすいものだが、下降期への転換の予想は非常に難しいものである）。

急成長株

●会社に利益をもたらすとされている商品が、その会社にとって主要商品であるかどうかを調べる必要がある。レッグスの場合はそうだが、レクサンの場合は違った。

● 最近の収益の成長率はどうなのか（私は、二〇～二五％の範囲が好ましいと思っている。二五％以上の会社については警戒を要する。五〇％の会社も絶好調な産業には見受けられるが、そのような会社がどうなるかは、もうあなたは十分想像がつくことだろう）。

● 成功した事業を一つ以上の都市や町に拡大展開したとしたら、その拡大戦略が有効かどうか考えてみる。

● まだ拡大の余地が本当にあるのだろうか。私がピック・アンド・セイブを初めて訪ねたとき、南カリフォルニアでは地盤を確立してしまったので、北カリフォルニアへの拡張を検討し始めたところだった。同社には未進出の州がまだ四九も残っていたが、シアーズはすでに至るところにあった。

● 株価が成長率にふさわしい水準になっているかどうか。

● 拡大のスピードが上がっている（昨年は新しいモーテルを三カ所、今年は五カ所建設）か、下降している（昨年が五カ所で、今年は三カ所）か。たとえば剃刀の刃のように顧客が買い続けなければならない商品とは違って、商品の性格上、基本的に一回勝負の販売に頼るセンサーマチック・エレクトロニクスのような会社の株にとって売上げの低迷は致命的なものになる。センサーマチックの成長率は、七〇年代後半と八〇年代初頭にかけては目を見張るものがあったが、収益を伸ばすためには常に新しいシステムを毎年、前年よりも多く売る必要があった。一回限りの購入に終わるとはいえ、基本の電子監視システムからの収入のほうが確立された顧客へ小さな部品をいくら売るよりもはるかに大きいので、一九八三年に成長率が落ちた際には、収益はただ下がるというだけでなくまさに急降下してしまった。株価もしかりで、一年間に四二ドルから六ドルにまで急落した。

● 機関投資家の持ち株比率が小さく、アナリストもほとんど関心を寄せなかったような会社が急上昇の展開を示しているならば、ますます有望である。

業績回復株

- 最も重要なことは、債権者からの攻勢に耐えられるかどうかということである。現金がどれくらいあり、負債の額はどうか(アップル・コンピュータは、経営が危機に陥った際にも二億ドルの流動資産を有しており、負債はなかったので、事業から撤退する必要はなかった)。

　負債構成はどうなっていて、問題が起こった際に、倒産することなく赤字のままでどれくらい持ちこたえられるか(インターナショナル・ハーベスター、現在のナビスターには業績回復の可能性があったが、新株発行による多額の資金調達を行なったので投資家を失望させた。株式の希釈化を伴う資金調達のおかげで業績は回復したが、株価は低迷したままだった)。
- もし倒産したとしても、何が株主のものとして残るか。
- どのような方法で業績を回復させようとしているか。不採算部門を整理することは、収益に大きな変化をもたらす。たとえば、一九八〇年のロッキードの防衛産業部門からの収益は一株当たり八・〇四ドルだったが、民間航空機部門では旅客機(L1011トライスター)のために六・五四ドルの損を出していた。L1011トライスターは素晴らしい飛行機だったが、中型機市場ではマクダドネル・ダグラスのDC10との競争に悩まされ、長距離機市場ではボーイング747に敗北する寸前までいっていた。こうした不利な状況は一向におさまる気配もないまま、八一年一二月、ロッキードはL1011の製造停止を発表したのである。これにより莫大な額の償却をしなければならなかった(一株当たり二六ドル)が、ただそれは一回限りの損だった。八二年にロッキードが防衛部門から一株当たり一〇・七八ドルを稼いだとき、処理すべき損はもはや残っていなかった。一株当たりの利益は、二年の間に一・五〇ドルから一〇・七八ドルまでに急回復した。L１０１１からの撤退発表のときの株価は一五ドルだったが、四年の間に四倍の六〇ドルまで上昇したのである。

テキサス・インスツルメンツも典型的な業績回復企業の一つである。同社は一九八三年一〇月、競争相手が非常に多く存在する好調業界である家庭用コンピュータ部門からの撤退を発表した。同社はその年一年間で、家庭用コンピュータに関連して五億ドルの損失を被っていた。もちろん、ある部門から撤退することで一時的には大きな損の計上がなされるわけだが、そのことで同社の得意とする半導体および防衛電子機器部門への集中化が実現できたのである。発表の翌日、株価は一〇一ドルから一二四ドルへと急騰し、四カ月後には一七六ドルになっていた。

タイムも幾つかの部門を売却し、劇的なコスト削減を実現した。同社は私の好きな業績回復株の一つであると同時に、実際には含み資産株でもあった。ケーブルテレビ部門は潜在的価値が一株当たり六〇ドルあり、もし株価を一〇〇ドルとするならば、同社の残りの部分は四〇ドルで買えることになる。

- そのビジネスが活気を取り戻しつつあるかどうか（これは、新たなブームとなったフィルムの売上げ増によって潤ったイーストマン・コダックに当てはまる）。
- 経費の削減は行なわれているかどうか。もしそうならばその効果の程度はどうか（クライスラーは工場閉鎖によって思い切った経費削減を行なった。また同社は、以前は自社生産していた多くの部品の製造を下請けに出すことで、何億ドルという節約をした。これらの施策により、同社は最も経費率の高い自動車会社から、最も経費がかからない会社になったのである。アップル・コンピュータにおける業績回復は予想が非常に困難だったが、もし内部事情に詳しかったならば、売上げの増大、経費削減、魅力的な新製品の登場、などが同時に起こっていたことに気づいていたかもしれない)。

資産株

- 資産の価値はどれくらいか。含み資産は存在するか。
- 資産から差し引かれる負債はどの程度あるか。債権者のことは最初に考慮しなければならない。
- 会社が新しい負債を抱え込んで資産価値を小さくしていないかどうか。
- 資産の含み益を株主に獲得させるきっかけをつくるような乗っ取り屋が関係していないかどうか。

第2部のポイント

- あなたが株を保有している会社の特質と、その株をとくに保有する理由についての理解を深める。
- 保有する株を分類することで、その株に何が期待できるのかが、よりよく認識できる。
- 大きな会社の株価の動きは小さく、小さな会社のそれは大きい。
- ある会社が特定の商品から利益を受けると期待するならば、その会社の規模が重要な要素になる。
- すでに利益があがっており、その着想で事業拡大が可能だとわかっている小さな会社を探す。
- 成長率が年率五〇～一〇〇%もある会社は、疑ってかかったほうがよい。
- 絶好調の業界の人気株は避けたほうがよい。

- 多角化は多悪化に終わることが多いので、疑ってかかる必要がある。
- 大当たりをねらった投資が報われることはほとんどない。
- 株価の最初の動きに乗り遅れたときは、会社の計画がうまく運ぶかどうかがわかるまで見送ったほうがよい。
- アマチュアでも、専門家でさえも何カ月も何年も手に入れられないような信じられないほど貴重な情報を、自分の仕事のなかから得ることができる。
- いかに才能に恵まれ、金持ちで、前回の推奨銘柄が上がったという人からの情報であっても、株に関する助言は、助言者と切り離して客観的に受けとめなければならない。
- 株に関する助言、とくにその分野の専門家からの助言のなかには非常に価値のあるものもある。しかし、紙業界の人が薬品株に関する情報を言い振らし、一方、健康産業の人から紙業界における進行中の買収に関する情報が絶え間なく出てくることが多い。
- 沈滞していて、ウォール街で人気になったことのないような平凡で目立たない株こそねらい目だ。
- 停滞している産業のなかで、適切なスピードで急成長（二〇～二五%）している会社は、理想的な投資対象だろう。
- 他とは違う何かに優れた会社を探す。
- 問題があって下げている株を買う場合は、財務状況の優れた会社にすること。銀行借入れの多い会社は絶対に避けるべし。
- 負債のない会社が倒産するようなことはありえない。
- 経営陣の能力も重要だが、それを評価するのは非常に難しい。社長の経歴とか演説の能力ではなく、会社の将来の展望に基づいて株を買う。

- 問題を抱えた会社が業績回復に転じたときが大いに稼げるチャンスだ。
- PERを注意深く考えてみる。もし、株価が全体として買われ過ぎのレベルにあるならば、その他の要素がうまくいっているとしても、決して金儲けはできないだろう。
- 会社の進展を観察する方法として、ストーリーの筋書きを見つける。
- 自社株の買い戻しを継続的に行なっている会社を探す。
- 何年かにわたっての配当記録を研究するとともに、過去の不況期に収益はどうであったのかも調べてみる。
- 機関投資家の持ち株比率が低いか、あるいはゼロの会社を探す。
- その他の条件が全く同じならば、会社から給料だけを得ている人によって経営されている会社よりも、経営陣が自社株を相当額所有している会社のほうを選ぶ。
- 内部者《インサイダー》が買っていることはよい兆候である。とくに、複数の人たちが同時に買っていたらなおよい。
- 配当の勘定や、株価の評価は別として、一週間に少なくとも一時間は投資調査に没頭する。
- 忍耐強いこと。観察は必ず報われる。
- 表面上の簿価だけに基づいて株を買うのは危険で、欺かれる。実体価値のほうが重要である。
- 迷っているときは、もう一度、後悔しないように納得のいくまで検討してみる。
- 少なくとも新しい冷蔵庫を選ぶのと同じ程度の時間と努力を、新しく投資する株を選ぶ際にも費やさなければならない。

第3部

長期的視野

この第3部では、以下のような重要事項について、私なりの意見を述べる。すなわち、「ポートフォリオの組み立て方」「最小のリスクで最大の利益を得る方法」「買いどき、売りどき」「暴落時にどうすべきか」「株価の動きについてのちょっと馬鹿げていて、危険な誤解」「オプション、先物といったギャンブル、カラ売りの落とし穴」「何が新しく、何が古いのか」、そして、「企業や現在の相場について、何がエキサイティングで、何が混乱をもたらすのか」。

第16章　ポートフォリオをつくる

株式市場で年率二五～三〇％の利益を得られれば満足だ、と誰かが言っているのを聞いたことがある。満足だって！　その率でいけば、彼らは、日本人やバス兄弟と一緒になってこの国の半分をたちまちのうちに所有することになるはずだ。二〇世紀におけるいかなる大立て者といえども、三〇％をいつまでも保証することなどできなかった。そしてウォール街もそれは認めている。

ある何年間かは三〇％を維持できるかもしれない。しかし、その後何年も二％しか利益をあげられない年が続いたり、もしかして二〇％失うかもしれない。つまり株式投資とはそういったもので、投資家はこの事実を受け入れなければならない。

大きな期待を抱くのがなぜいけないか。もし毎年三〇％の利益を得ようと期待すると、おそらく、あなたを裏切る株に対して欲求不満に陥るだろうし、その挙げ句、短気を起こして、一番悪いときに投げてしまうことになるかもしれないし、もっと悪いことには、不必要なリスクさえ冒しかねない。よいときも悪いときも、長期に利益を最大限にするような、一貫した戦略のみをとるべきである。

では、二五～三〇％の利益が現実的でないとするなら、いったいどれくらいなら妥当なのか。確かなことは、債券投資よりも株式投資のほうがよいということだ。つまり、長期投資で四、五、六％の株式投資の収益率というのでは、話にならない。もし、その長期の株式投資の収益率が貯金の利回りよりも劣っているのであれば、あなたの投資技術は効果なしということである。

ところで、あなたの株式投資の収益率を出すうえで忘れてならないのは、すべてのコストを含めるということ、つまり、ニュースレターや金融関係雑誌の購読料、手数料、投資セミナーの参加費用、証券会社への長距離電話料など、投資に要したすべての費用を含める、ということである。

九ないし一〇%というのが、一般的かつ歴史的にも平均的な長期株式投資の収益率である。これを前提にすると、S&P五〇〇の五〇〇銘柄すべてを買う手数料内枠の投資信託一つに投資すれば、あなたは一〇%の投資収益率を確保することができるし、平均値を自動的に手に入れることになる。この収益率は、とくに勉強することも、余分の金を使うこともなく得られるものであり、また、あなたの投資の成績を判断する場合の便利な指標にもなる。もちろん、マゼラン・ファンドのような株式投信の管理指標としても、有効である。

株を選択するために雇われた専門家が大規模にすべてを買うインデックス・ファンドを超えられないならば、私たちは、生活費を稼ぐこともできない。しかし、私たちにもチャンスを与えてもらいたい。まず、あなたが投資したファンドの種類を考えて欲しい。たとえ世界最高のファンドマネジャーであろうと、金価格が下落しているときの金関連株でうまくやっていけるはずもないだろう。わずか一年の成績だけで判断するのも、公平ではない。三年か五年たってみて、あなたの投資がS&P五〇〇への投資と同じ効率であるなら、S&P五〇〇全銘柄を買うか、あるいは、運用成績のよい株式ファンドを探せばよい。時間と努力を費やして自分で銘柄を選ぶとしたら、それ以上の成果がなければ意味がないだろう。

このように多くの便利な投資方法があるにもかかわらず、あえて自分で銘柄選びをするとしたら、複利で一二～一五%には回るようにせねばならない。もちろんこれは、すべての費用、手数料などを差し引き、配当や無償を加えて計算したものである。

株を保有し続ける人のほうが頻繁に売買を繰り返す人よりもはるかに優れているということの一つの理由は、小口投資家にとって、売買を繰り返すことはコストがかなりかかるということだ。米国では、割引手数料のおかげで以前に比べれば安くなったとはいえ、売買には一～二%の費用がかかる。

すなわち、小口投資家が一年に一度売り買いすると、自動的に四%失うことになる。費用を差し引いて一二～一五%儲けるためには、株が一六～一九%上昇しなくてはならない。売買回数が増えるほど、インデックス・ファンドや他の投資信託に勝つのはたいへんになる（米国では新しいタイプの投信がある。買い付け時に三～八・五%の手数料が引かれるが、以後は株から債券やMMFに移したり、その逆に動かしても、それ以上の手数料はかからない）。

これらの負担にもかかわらず、個人投資家が一〇年の間に市場の平均一〇%に比べて一五%も儲けられたら、すごいと言えるだろう。一万ドルが元金なら一五%の収益率では四万〇四五五ドルにもなるのに対し、一〇%だと二万五九三七ドルにしかならない。

多すぎる銘柄数とは、どれくらいか？

一二～一五%の利益を得るためのポートフォリオは、どのように組めばよいか。何銘柄を保有すればよいか。一つだけはっきり言えることは、できれば一四〇〇もの株を持つなということだ。それは私の仕事であり、あなたは五%ルール、一〇%ルール、九〇億ドルの運用などを心配する必要もない。

二つの投資アドバイザー・グループの間で、長い間、論争されてきたことがある。ジェラルド・ローブ派は、「あなたの持っている卵は全部一つのバスケットに入れなさい」と説き、そして、アンドリュー・トビアス派は、「卵を全部一つのバスケットに入れてはいけません。穴があいているかもしれないから」と説く。

もし私がウォルマートという一つのバスケットを持ったとしたら、私は喜んですべての卵をそのなかに入れる。一方、コンチネンタル・イリノイのバスケットなら、それにすべてを賭けるというのはとてもハッピーとは言えないだろう。ショウニーズ、ザ・リミテッド、ペップボーイズ、タコ・ベル、サービス・コーポレーション・インターナショナルといった五つのバスケットを渡されたら、私の卵をこれら五つに分けるというのは、悪くない考え方だと誓って言う。しかし、これにエイボンあるいはジョーンズ・マンビルも含まれるのであれば、私は、唯一確実なダンキン・ドーナツにしてくれと叫ぶ。要は、銘柄数を幾つにするかではなく、それぞれの会社がいかによいのかを調査することが大事で、ケースバイケースということになる。

私の考え方としては、以下のような銘柄をたくさん保有することがベストである。①自分の得意な分野に関係する銘柄、②あらゆる調査の結果、非常に有望な見通しを発見したとき。それはわずか一銘柄かもしれないし、一ダースあるかもしれない。業績回復とか、含み資産に注目しようと決めたり、あるいは、それらを組み合わせて考えてもよい。偶然、ある銘柄の業績回復とか含み資産を知るチャンスにぶつかることもある。ただ、ポートフォリオの多角化のためにということで知らない銘柄を組み入れるのは賢いとは言えない。おろかな多角化は、小口投資家にとっても鬼門である。

かといって、一銘柄だけを保有するのは、それほど安全ではない。あなたの最善の努力にもかかわらず、時に不測の事態の犠牲になる株かもしれないからだ。小さめのポートフォリオでは、三ないし一〇銘柄保有するのがよいと思う。複数の恩恵を受ける可能性があるからだ。

●もし、一〇倍株《テンバガー》を探し当てようとするなら、保有する銘柄が多ければ多いほど、その確率は増える。

将来有望な特徴を持つ高成長会社については、実際に最も可能性の小さいと思われるものほど大化けになることがある。

ストップ・アンド・ショップは、私にとって決して忘れられない株で、まさか三〇～四〇％以上もの利益を得るなど期待していなかった。株価は下落傾向にある平凡な会社だったが、私は一九七九年に買い始めた。配当利回りが魅力だった。スーパーマーケットとしても、またブラドリーズというディスカウントストア部門においても、内容が次第によくなっていった。四ドルで買い始めた株価は、八八年に会社が非公開化して個人会社に戻ったときには四四ドルまで上がっていた。マリオットも、私が株式市場での成功を予測できなかったもう一つの例である。この会社が成功していることは数え切れないほど宿泊したことがあるので知っていたが、株価がどの程度まで上がるのか、全く予想がつかなかった。私は、ホテルの小さな石鹸をたくさん集める代わりに、マリオットを数千株、買っておくべきだった。

ところで、昨今の新聞は買収の噂で賑わっているが、買収期待で買われた株が実際に買収されたことは、ただの一度もない。普通、基本的にしっかりしているという判断によって株を保有しているのだから、その会社で何かが起きて、しかも買収されたとしても、それは私には全くの寝耳に水だ。飛び上がるようなうれしいことが、いつ、どんなかたちで起こるかを予測する方法などあるはずもないのだから、複数の株に投資することによって、いずれそのうちのどれかの恩恵にあずかれるようにポートフォリオを組むわけだ。

- 保有する株が多ければ多いほど、それらを入れ替える柔軟性が求められる。これは、私の戦略のなかでも大事なところである。

ある人々は、私の成功は成長株に特化したことにあると言う。しかし、それは部分的に正しいにすぎない。私は、私のファンドの三〇〜四〇％を超えて成長株に投資したことはない。他は本書で述べるような他のセクターにも配分する。通常、私は、一〇〜二〇％くらいを確実な株に、一〇〜二〇％を市況関連株に、残りを業績回復株に投資する。

私のファンドは全部で一四〇〇銘柄を保有しているが、一〇〇銘柄で資金の約半分、二〇〇銘柄では約三分の二を占めている。また全額の一％は、いわば第二群の約五〇〇銘柄の株式に投資し、定期的に調べて、後の大量投資に備えている。私は常にすべての分野について投資価値のある銘柄を探している。もし、高成長会社よりも業績回復株のほうに投資の妙味があると判断すれば、そちらのほうに重点を置く。第二選択群のうち、自信を持てるようになった銘柄は、第一選択群へ昇格させるのである。

分散投資

第3章で述べたように、何種類かのカテゴリーの株に分けることも、リスクを最小にする一つの方法である。慎重に調査を重ね、妥当な水準で株を買えば、リスクはかなり減っていると言えるだろう。しかし、それ以上に、次のようなことも考慮すべきである。

低成長会社の株は、リスクも小さい代わりに、たいして儲かることもない。というのは、そう期待もされていないということで、その株価は、たいていそれなりに評価されているものである。優良株はリスクも小さく、そこそこに儲かるだろう。コカ・コーラを持ったとして、すべてうまくいけば五〇％は利益を得るだろうが、もしすべて悪くいったときは、二〇％失うかもしれない。もし、あなたが資産の価値を正確に見極める自信があるなら、資産株は〝ローリスク・ハイリターン〟が期待できる。仮に資産の計算が間違っていたとしても、それほど損をすることはないだろうし、もしあなたの見込みどおりだったとしたら、株価は、二倍、三倍、あるいは五倍にだってなるかもしれない。

市況関連株は、あなたがどれくらい市況の見通しに明るいかによって、ローリスク・ハイリターンにも、ハイリスク・ローリターンにもなる。あなたの見通しが正しければ、一〇倍株を捕まえられるし、間違っていたら、八〇～九〇％も損するだろう。

ところで、その他に一〇倍株が得られるとしたら、たぶん高成長か業績回復のカテゴリーだが、どちらもハイリスク・ハイリターンの分野である。株価の上がる可能性が高ければ高いほど、下がる可能性もまた大きい。もし、高成長にひずみが生じたり、あるいはかつての業績不振から立ち直りかけて再建途上にあったものが再び悪化するような場合には、全額を失うこともあるだろう。私がクライスラーを買ったときがよい例である。再建がうまくいけば利益は四〇〇％にもなるだろうが、それが思うようにいかないと、一〇〇％失うことさえ考えられた。これは、株式投資をする際には避けることができない条件とも言えよう。クライスラーは結果的にうまくいって、一五倍の利益を得た。

こういったリスクとリターンを計るよい方法などないが、高成長株を四社、業績回復株で四社保有し、スリルを緩和させる意味で、ポートフォリオのなかに安定株を二社組み入れるというのもよいだろう。繰り返しになるが、分別のある買い方を心掛けるべきである。いくら優良株でも大幅に買い上げられたものは誰でも欲しくはないだろうし、そんなことをしたら、緩和しようとしているリスクを逆に押し上げることになってしまう。

一九七〇年代の何年間を思い出してみよう。あの素晴らしいブリストルマイヤーズでさえ、リスクを伴う株だった。一五％の成長率に対し、ＰＥＲは三〇倍にも買い上げられたのだから、株価はそれ以上に上がるはずもない。実体が株価に追いつくには、常に業績向上を続けて、一〇年かかった。もし、あの時点で株を買っていたなら、成長率の二倍の株価なのだから、高値をつかんだということである。高値づかみは本当の悲劇である。会社が大きな成功を収めたとしても、いくらも儲かるはずがない。

エレクトロニック・データ・システムズは、一九六九年に何とPERが五〇〇倍の株だったが、まさしくこの好例である。業績はその後一五年間飛躍的に伸び続け、二〇倍になったが、分割修正後の株価は四〇ドルから七四年には三ドルまで下がり、その後、反発した。そして八四年、ゼネラル・モーターズに四四ドルで買収された。つまり、株価は約一〇年も先行していたということである。

あなたのポートフォリオも、年を重ねるにつれて変化していく。この先まだ何年も働き続ける若い投資家には、投資収益で暮らす老いた投資家よりも、一〇倍株をつかむ機会がある。若い投資家ならミスを犯してもそれが経験となり、投資キャリアを充実させるためになる時間が何年もあるからだ。投資環境は、人によってさまざまな幅があり、あなたもやがて自らの状況を分析する必要に迫られるだろう。

雑草に水をやるのは致命的戦略ミスだ

次の章では、株の売りどきについて述べようと思うが、ここでは、ポートフォリオ管理に関係した売り方に限定して、触れておきたい。私は、常に銘柄やストーリーをチェックして、事情の変化に応じて保有株を買い増したり、減らしたりしている。しかし、そのときどきに予想される投信の解約に応じるための売りを除いては、現金化することはない。現金化というのは、株式市場から降りるということだ。状況に応じて株の入れ替えを行ない、常に株式市場にとどまるというのが、私の考え方である。もしあなたが、ある金額を株式投資に向けようと決めたのなら、常に株に投資し続けること。これがタイミングの悪い行動や、もたつきから、あなた自身を救うことになろう。

ある人々は、自動的に〝勝者――株価が上がっているもの――〟を売り、〝敗者――株価が下がっているもの――〟を保有し続けている。これは、咲いている花をむしりとり、雑草に水をやるのと同じことである。またある人々は、自動的に〝敗者〟を売り、〝勝者〟を保有しているが、これもあまりうまくいくとは思えない。どちらの戦略も、現実の株価の動きと会社のファンダメンタルズの価値を結びつけているからである（一九七二年にタコ・ベルの株価が大きく下がったとき、会社自体には全く問題はなかった。株価だけがひとり歩きしていたのである）。私たちが見てきたように、現実の株価は、会社の将来の見通しについて何も語ってはいないし、ときには、ファンダメンタルズの方向とは逆に動くことさえある。

よりよい戦略とは、ストーリーとの関連で株価がどう動いていくかによって、株の組み入れを増やしたり減らしたりして循環させることだと、私は思う。仮に、優良株の一つが四〇％上がったとする――私が期待していた以上の水準になったとして――、その先、うれしい驚きとなるような素晴らしい出来事が何もないと思えるなら、私はこの株を売って、まだ上がってはいないけれど、魅力的と思われる他の優良株と入れ替える。同じ状態で持ち株全部を売りたくないのなら、部分的に利食いをすればよいだろう。

ほどほどの利益を得ながら、幾つかの優良株を上手に出し入れすれば一つの株を大きく当てることと同じ結果を手に入れることができる。三〇％ずつとれる株で六回転すれば四倍株を超えるし、二五％とれる六つの株では四倍株に近い成果になろう。

私なら、業績も伸び続け、ビジネスも拡大し続けていて、障害になるものがない限り、高成長会社の株は持続する。そして、数カ月ごとに、初めに聞いたストーリーがまだ生きているかどうかをチェックし、また二つの成長株を保有していれば、一方の株価が五〇％上昇し、そのストーリーの基盤が疑わしいと思えばそれを利食って、株価が下がり気味か、あるいは変わらずとも、ストーリーがよくなってきた第二の成長株への投資を増やすだろう。

市況関連株、業績回復株についても同じである。ファンダメンタルズが悪くなりそうで、株価が上がっているものは利食い、ファンダメンタルズがよくなり、株価が低いものに乗り換えるべきだろう。よい株であるのに株価が下がっているものを、その価格でナンピン買いせずに逆に売ってしまうのでは、ただの悲劇にしかすぎない。私にとって、相場の下げは、ポートフォリオのなかで将来有望だがまだパフォーマンスの悪いものを買い増しする絶好のチャンスに思える。

もし、あなたが「株価が二五％下がったら押し目買いする」という決心ができずに、「二五％押したら売ってしまおう」という致命的に誤った考えを捨てることができないようなら、あなたは株式相場で正当な利益を得ることなど、決してないだろう。

これまではっきりしていたことは、私は常に〝ストップ・ロス〟を嫌ってきたということであろう。ストップ・ロスとは、あらかじめ決められた価格で、たいていは購入価格より一〇％押したところであるが、自動的に反対売買することである（訳注・この方法は日本では禁じられている）。実際、ストップ・ロスをすれば損失は一〇％に抑えられるが、今日のような変動の大きい市場では、株価はしょっちゅうストップ価格をつけるだろう。ストップ・ロスの注文というものは、不思議なことに、損失を防ぐというよりは、株が一〇％下がって投げることによって損を確定してしまうことを保証するもののように感じられる。とにかくストップ・ロスによって、あなたはタコ・ベルを一〇回以上も失うことになっただろう。

一〇%ストップ・ロスつきのポートフォリオということは、正確に一〇%損失することを宿命づけられたポートフォリオということにほかならない。もし、ストップを導入するのであれば、今日の価値以下で株を売ることになるのを認めることになる。

株価がストップ高をつけたあとさらに上昇を続ける、そのときには慎重な投資家は全部売ってしまっている、こうした事態は不思議なほどよく起こるものだ。下値のリスク回避のためにストップに頼るべきではないし、上値のメドとして設定するのも間違っている。もし「倍になったら売り」というやり方を正しいと信じていたとしたら、私は決して大当たりの株に出会うこともなかっただろうし、こうして本を書く立場になってはいなかっただろう。何が起こっているかを常に注意深く見守ることである。――最初のストーリーはまだ納得のいくものか、もっとよい状況になっているのか――をチェックすること。そうすれば、何年か後には、驚くほどの成果を手に入れていることだろう。

第17章 売り買いのベスト・タイミング

ここまでに述べたことで、相場にはタイマーがあって、あなたに株を購入する絶好のタイミングを教えてくれる、などと言っているのではない。絶好の買いのタイミングとは、常に、よい価格のしっかりした品物だ――デパートでの買い物と同じだ――とあなたが確信したその日であろう。ただ、よいバーゲンのタイミングとなる時期が二つほどあることは事実だ。

一つは年末の、恒例の税金対策のための売りが出る時期（訳注・米国はすべてが申告制）。一〇月から一二月にかけて見られるきつい下げは、偶然ではない。この頃は休暇も多い時期なので、証券会社の社員も私たちと同じようにお金の必要に迫られる。あなたに電話しても、税額控除となる値下がり株を売るように勧める下心がある。さまざまな理由で、投資家も素晴らしい贈り物をもらったかのように、喜んでそれを手にしようとする――かつての失敗が人々をこれほど幸福にするような例は、他に思いつかない。

機関投資家も、期末には、来るべき評価に備えて損失を一掃しようとする。これらはすべて相場の下げ要因になるが、とくに低位株の場合にはっきりしている。というのは、ひとたび株価が六ドルに達してしまうと、信用取引の担保にならないからである。ということで信用取引をする投資家は安い株を売る。また機関投資家も規則に触れるケースが多くなる可能性があるので、やはり低位株を売る。

こうして売りが売りを呼ぶので、いかによい株でも、とんでもない水準まで下げてしまう。もし、株価が下がったらぜひ保有したいという銘柄をリストしてあるなら、年末は待ちに待った買いの絶好の時期だろう。

もう一つは、数年に一度株式市場に起こる、暴落や反落、言うなれば、相場がくしゃみや咳をするときだ。もし、あなたの痛む胃が売りと言ったとしても勇気を出して、理性を保って買いと思い直すことができれば、考えたこともなかったような絶好の機会になることだろう。専門家は、忙しすぎたりしがらみが多かったりで相場の動きにすばやく対応できないことが多いが、あなたは最近の下げ相場で、素晴らしい成長を遂げている堅調な会社の株を安く買える機会があったはずである。

一九八七年の暴落の場合

あなたにとって一九八七年一〇月の暴落は、私が本書で述べているような多くの銘柄を買うよい機会であった。上げをすべて失うような、夏から秋にかけての一〇〇〇ポイントの下げだったが、実社会では、好調で収益もよい会社は、決して痛手を受けてはいなかった。それらの会社の多くはすばやく反発する。それによって私はいつでも利益をあげることができた。以前にドレイファスを取り逃がしたが、今回は違った（一度馬鹿にされるのはかまわないが、二度馬鹿にされるのでは私の恥だ）。一六ドルまで下がったが、借金を除いた一株当たりのキャッシュは一五ドルもあった。これのいったいどこにリスクがあるのだろうか。その金融資産に加えて、ドレイファスは、多くの投資家が自分の株式投資をドレイファスの管理するＭＭＦに乗り換えたのだから、実際には暴落によって収益を得ていたのである。

いつ売るか

たとえどんなに思慮深く、堅実な投資家であっても、売るべきときがまだ来ないうちに、「売り」と叫ぶ懐疑論者の影響は受けるだろう。私自身、幾つかの一〇倍株についても売れと言われ続けてきたのでよくわかる。

一九七七年五月にマゼラン・ファンドを運用し始めて間もなく、私はワーナー・コミュニケーションズに夢中になった。同社も業績が悪化していたコングロマリットの一つだったが、転換点を迎えていた。ファンダメンタルズのよさを確信した私は、二六ドルで、ファンドの三%の額まで、ワーナー株を買い入れた。

数カ月たって、ワーナーを担当しているテクニカル・アナリストが電話をかけてきた。私は、株価分析はさほど重視していないが、一応、ワーナーをどう考えているのか聞いてみた。すると彼は即座に、この株は「高くなりすぎている」と言った。私はこういう言葉は全く忘れていた。株式についてのアドバイスについて厄介なことの一つは、よきにつけ悪しきにつけ、そのアドバイスがあなたの頭に叩き込まれることである。一度聞くともう逃れることはできない。いつかどこかで、あなた自身がその言葉を繰り返しているだろう。

半年ほどたって、ワーナーは二六ドルから三二ドルまで値上がりした。私はすでに心配し始めていた。「もしワーナーが二六ドルで高くなりすぎていたとしたら……」、こう自問自答した。「そうなら三二ドルでは行き過ぎだ」。ファンダメンタルズをチェックしたが、私の思い入れを打ち消すような変化は何も見受けられなかったので、持ち続けた。そして株価は三八ドルをつけた。私は確固とした理由もないまま、株を売りのリストに回した。二六ドルで高くなり過ぎ、三二ドルで行き過ぎであったものが、三八ドルまできたのではもうこれまで、とでも決めつけたのに違いない。

もちろん、私が売った後でも株価は上がり続け、五〇ドル、六〇ドル、七〇ドルとアクセントをつけながら一八〇ドルを超えた。アタリ社買収の失敗の影響で伸び悩んだ後、一九八三〜八四年に六〇%下落したが、それでも私が売った三八ドルの二倍の価格だった。

私はこれをよい教訓とすべきだったのに、トイザラスの場合も完結する前に早く降りてしまった。この会社のことはすでに本書で自慢したが、小気味よく高成長を遂げていた。一九七八年にトイザラスが破産処理に入ったインターステート・デパートメント（ひどい会社だ）から離れたとき（債権者はトイザラスの新株を引き受けた）、この会社が収益をあげられることは、次から次へと商店街に店を展開していくうちにすでに証明されていた。一カ所で試験的に成功してから、倍々と出店を増やしていったのである。私も自分でそれらの店を訪ねて調べてみた。そして、修正済みで一ドルの価格で、かなりの株数を手に入れた。一九八五年には二五ドル、つまり二五倍株になったのである。ところが不幸なことに、私は二五倍株の恩恵に浴していない。売り急いでしまったのだ。そのわけは、小売業の大御所の一人でたいへん優秀な投資家であるミルトン・ペトリ氏がトイザラスの二〇%の株を買っているという話を、どこかで読んだからだった。私は、論理的な結論として、彼が買うのをやめてしまえば株価は下がるに違いない、と考えた。ペトリは、五ドルで買うのをやめていた。

私は一ドルで手に入れて五ドルで手放したのだから、五倍株だ。不満を言える筋合いではない。

私たちは皆、同じ格言を教えられてきた。「利食い千人力」とか、「確実な利益は失う可能性よりよい」など。しかし、あなたが確かな株を見つけて買ったときに、さらに値上がりするという証拠があり、すべて考えている方向になっているにもかかわらず、それでも売ったりするのは恥ずべきことだろう。一万ドルが五倍になれば五万ドルだが、その次の五倍は、一万ドルから二五万ドルになるということだ。二五倍株になる株に投資する機会は、ファンドマネジャーでも滅多にあることではない。まして、個人投資家であれば、一生に一度か二度出会えばよいほうだろう。もし、それを手に入れたのであれば、十分にその恩恵を受けることだ。私に最初にトイザラスのことを教えてくれたピーター・デロース氏の顧客は、まさにこの恩恵を十分に享受した。彼は、ずっとトイザラスをファンドに入れておいたのである。

言いにくいが、パン会社のフラワーズと、クラッカー会社のランスでの失敗をもう一度繰り返して言おう。誰かがこの二社は被買収会社の候補だと教えてくれたので、私はずっと持ち続けて待っていたが、とうとう待ちくたびれて手放してしまった。私が売ったあとでどうなったかは、ご想像に任せよう。ここで勉強になったことは、この儲かっているパン会社が買収されるかどうかなどということに注意を払うべきではなかった、ということである。事実、それが独立して存在していたことを喜ぶべきであった。

ラ・キンタのケースで、ある重要人物のインサイダーが自社株を売っていたために、あやうくラ・キンタの買いをやめるところであったことはすでに書いた。インサイダーが売り始めたから買わないというのは、アウトサイダー（ペトリのケース）が買うのをやめたので売るというのと同じように、大きな失敗になる。ラ・キンタの場合は、私はナンセンスと無視したので、間違わなかったと喜んでいる。

私は都合よく忘れてしまっているが、他にも売り急いだケースがたくさんある。株価が上がってなおそれを持ち続けるのは、得てして下がった株を信じ続けるよりも難しいことだ。この頃私は、売り急ぎそうに感じたら、なぜこの株を買ったのかという初めの理由を思い起こすように努めている。

雑音効果

これは、アマチュア投資家もプロと同様、馬鹿げたことに影響されやすいことの好例である。私たちには何かと耳にささやくプロの仲間がいるし、あなたにも、友人、親族、証券会社の社員、そしてマスコミを通じて、ありとあらゆる種類の金融関係評論家がまわりにいるだろう。

たいてい、「おめでとうございます。でも、あまり欲張らないでくださいよ」と言われることだろう。証券会社のセールスマンが電話してきて「おめでとうございます。あなたのトグルスイッチは二倍になりましたよ。ここは欲張らないでいきましょう。トグルスイッチを売ってキンダーマインドなど、いかがですか」。そこであなたは、上がり続けているトグルスイッチを手放し、倒産するキンダーマインドを手に入れ、それまで得た利益をすってしまう。一方、証券会社のほうは、両方の取引から手数料が入るのだから、おめでとうございますのメッセージは、二倍の手数料収入を意味するということになる。証券会社でなくとも、株についての馬鹿げた話は「ワーナーは高くなりすぎている」などと聞いてしまった私と同じように、あなたの脳に刻みつけられてしまうのである。今日では、馬鹿げた話はそこらじゅうに溢れている。

テレビを見れば、いつでも誰かが、銀行株はこれからだが航空株はもう終わりだとか、公共株は最高だがS&Lは駄目だろうなどと断言している。偶然スイッチをひねったラジオの番組で、過熱気味の日本経済は世界を破滅させるであろう、などと聞いてしまえば、次に市場が一〇%も下がるとこの断片的な知識を思い出し、あなたは怖くなって、ソニーやホンダを売りに出すだろう。コルゲート・パーモリーブでさえ売るかもしれない。市況関連株でもないし、日本にも関係ないのだが。

占星術師がメリル・リンチのエコノミストとともにインタビューを受けていて、相反したことを言っても、そのどちらももっともらしいということになると、誰であろうと混乱して当たり前だろう。最近の私たちは、この種の雑音と戦わなければならない。とくに不吉なメッセージは、もうそれを忘れることができなくなるくらい、何度も何度も繰り返されるのである。二年前には、マネーサプライのM1が雑音と言えるだろう。軍隊にいた頃、M1といえばライフル銃のことであり、当然私はM1とはライフルだと思っていた。それが突然、M1はウォール街の将来すべてを決めるべき重要な指標になったのであるが、あれが何であったのか、私はうまく説明できない。とにかく、何カ月間か、異常に伸びていくM1の数字についてのニュースが重要なものとなり、人々はすべてそのせいで経済が沈滞し、世界を脅かすのではないかと心配していた。M1が上昇している、ということ以上の売り材料はなかった。――たとえマネーサプライが何であるのか、人々にはわかっていなかったとしても。

それから突然、私たちは、M1の恐ろしい上昇について何も聞かなくなった。私たちの関心は、FRBがメンバー銀行に課すディスカウント・レートへと移った。いったい、どれだけの人がこのレートについて知っているだろうか。そもそもFRBが何をしているのかをどれだけの人が知っているだろう。かつてFRBの議長であったウィリアム・ミラーは、米国の人口の二三％の人がFRBはインディアン居留地であると思い、二六％は野生動物保護区だと思い、五一％は、ウイスキーのブランド名だと思っている、と言っていた。

にもかかわらず、金曜日の午後には（かつては多くの人が、金曜の相場が開く前に発表数字を得ようと、木曜日の午後に駆けつけたものだが）、投資の専門家の半分は最新のマネーサプライの数字についてのニュースに動かされるようで、株価はそれによって上下した。マネーサプライの高い伸び率が相場を崩すという理由で、どれだけの投資家がよい株を手放してしまったことだろう。

つい最近でも私たちはいろいろな警告を受けている。（必ずしもこの順序ではないが）石油価格の上昇はたいへんなことで、石油価格の下落も恐ろしい。ドル高は悪い前兆だ。マネーサプライの減少は何かの警告で、マネーサプライの上昇も警告だ、などなど。マネーサプライなる数字への先入観は、財政赤字・貿易赤字への恐怖に取って代わられた。そして、双子の赤字それぞれのために、株に対する警告が何千回も打ち鳴らされているのである。

本当の売りどきはいつか

市場がいつ売ったらよいのか教えてくれないとしたら、どうすべきだろう。おそらくそれに答えられる唯一の公式などというものはない。「金利が上昇する前に売れ」とか「次の不況の前に売れ」などというのは、従う価値のあるアドバイスである。ただし、それらがいつ起こるのか、私たちが知っている場合の話だ。もちろん、誰にもわからない。したがって、こういったモットーも、平凡な文句になってしまう。何年もの間、私は、いつ買ったらよいのかと同じように、いつ売ったらよいのかについて考えてきた。私は、ある特定の業種の場合の明らかに影響を受ける幾つかの例を除いて、経済以外の要因にはあまり注意を払わない。原油価格が下がれば石油サービス会社に影響を与えるのは明らかだが、薬品会社との関連はないということだ。

一九八六年から八七年にかけて、私は、保有していたジャガー、ホンダ、スバル、ボルボを売った。ドル安は、米国の自動車市場で高いシェアを持つ外資系自動車メーカーの業績を悪化させるだろうと確信したからである。しかし私は、十中八、九の確率で、三八〇番目の会社が二一二番目の会社よりもよいストーリーを持っていれば後者を売るし、とくに後者のストーリーが現実的でなさそうに見えてきたら、完全に売りである。

つまるところ、もし、なぜこの株を買い始めたかを知っていれば、いつ手放したらよいかも自動的にわかるだろう。さて次にカテゴリー別に売りのサインを検討してみよう。

低成長株を売るとき

これについては、実際にはあまり手助けできない。そもそも、私は低成長株をあまり持っていない。たとえ買った場合でも、株価が三〇～五〇％値上がりするか、たとえ株価が下がってもファンダメンタルズが悪化すれば、売ることにしている。次に、その他の売りサインを挙げてみよう。

- 二年連続でマーケットシェアを落とし、新たに一つ広告会社を雇い入れた。
- 新製品の開発がなく、研究開発費を切り詰め、過去の栄光にしがみついている。
- 最近、業種の違う会社を二社ほど買収したものの、ますます業績を悪化させている。ところがさらに〝技術力のある〟会社の買収に意欲を見せている。
- 買収のために多額の出費をしたために、無借金で何百万ドルもの現金を保有していた状態から、現金なし、何百万ドルもの借金へと財務状況を悪化させてしまった会社。株価が急落しても、自社株を買い戻す余剰金さえない。
- 低株価にもかかわらず、投資家を惹きつけるだけの配当利回りさえない。

優良株を売るとき

このカテゴリーでは、私はよく株から株へと乗り換える。安定株には急速に一〇倍の値上がりを期待できる要因はないし、もし株価が利益ラインを超えたり、ＰＥＲが通常の範囲をはるかに上回るときにはそれを売って、また株価が下がったときに買い戻すか、あるいは他の安定株を買うとよいだろう。

さらに売りのサインをつけ加えれば、

- 直近二年間に投入された商品の評価がよし悪しまちまちで、折から試作段階の新商品が市場に出るまでにはなお一年以上も間がある。
- 同業他社のPERが一一～一二倍であるのに、その株のPERが一五倍になった。
- 前年、役員が自社株を購入していない。
- 利益の二五％を占める主力部門がマクロの経済指標によって影響を受ける会社（住宅着工件数、石油採掘量など）。
- 成長率が鈍化しているが合理化によって利益は維持している。しかし、将来の合理化効果にはもうそれほど期待できない会社。

市況関連株を売るとき

市況関連株の売却の最良のタイミングは、そのサイクル（景気循環）の終了時であるが、いったい誰がそのときを予測できるだろうか。どのサイクルについて話しているのかさえ、誰にもわからないだろう。時には〝情報通〟の先駆者が、下落を示すサインが一つも出ていないのに、一年も先立って市況関連株を売り始める。株価は明らかに確たる理由もなく反落を始める。

このゲームで成功しようとするなら、ちょっと変わったルールを理解していなければならない。それが市況関連株をわかりにくくしているのである。市況関連産業と同じような動きをする防衛産業、そこに属するゼネラル・ダイナミクスが、増益なのに半値になるまで売られたことがあった。先を読みすぎるサイクル研究者が、人々が売る前に、前もって売っていたのである。

サイクルの終了時以外の売りの最良のタイミングは、実際に何かが狂い始めたときに売るということになろう。コストが急増し始めたとき、既存の工場がフル生産でさらに生産能力を高めるための投資を始めるとき、などである。前回の不況から今回の活況の間に株を買うに至った理由・背景が、今回の活況の終わりを告げる手がかりになるだろう。

明らかな売りのサインは、在庫が積み増しされていて、会社がそれをさばけないときである。これは、値下げと収益圧迫を意味する。私は常に、在庫の増加には注意を払う。駐車場が在庫の鉄塊でいっぱいになったときは、明らかに市況関連株を売る時期である。実際には、それでも少し遅いかもしれないが。

市況の悪化もまた前触れである。普通、石油や鉄鋼などの市況は、収益悪化が現われる数カ月前に悪化しているものだ。他に使えるサインとしては、先物価格が現物あるいはスポット価格より低いときである。そもそも最初に、あなたが市況株の買いどきが十分にわかる立場にあったのであれば、価格の動きもよくわかっているはずだ。

競争の激化も、市況関連株にとっては悪いサインである。新規参入者は価格を切り詰めても顧客を得なければならないし、ひいては他の業者にとっても価格引き下げの圧力になり、全業者の収益を悪化させることになる。ニッケルへの需要が強く、またインコ社に挑戦する会社がない限りは、インコ社は安泰である。しかし、需要に陰りが見えるか、または競合企業がニッケル販売を始めると、問題を抱えることになるだろう。

その他のサイン。

• 今後一二カ月の間に労組との協約の重要な二項目が期限切れになるが、労組のリーダーは、前回の協約時に譲歩していた賃金と福利厚生費の全面的復活を要求している。

- 製品の最終需要が減退している。
- 旧工場を低コストで近代化することをせずに、設備投資予算を倍増して、立派な新工場を建てようとしている。
- コスト削減の努力はしているものの、まだ外国製品との価格競争に太刀打ちできない。

急成長株の売りどき

ここで肝心なことは、一〇倍株の候補を失わないようにすることである。一方、もし会社がおかしくなり、減益になると、投資家が株価につけていたPERも悪化する。忠実な株主にとっては非常に高くつくダブルパンチである。

主に注意することは、前にも説明したように、急成長の第二段階の終了を見極めることである。もしGapが新規出店をやめ、既存店がみすぼらしくなり、あなたの子どもたちが洗いざらしにしたジーンズ製品が店先に並べられていないと文句を言い始めたら（今、大流行しているが）、そろそろ売りどきを考え始めるべきだろう。もし、ウォール街のアナリスト四〇人が強力な買い推奨を出したとすれば、その株の六〇%はすでに機関投資家が所有しているはずで、加えて経済誌三誌が特集を組んでその経営者を誉めていたら、明らかに売りを考えるときである。

避けるべき株（第9章参照）のすべての特徴は、売りたい株の特徴と同じである。サイクルの終わりにはPERが低くなる市況関連株と違って、成長企業の場合、PERはたいてい高くなるが、行き過ぎると不合理で非論理的な次元になってしまう。ポラロイドやエイボンを思い出して欲しい。あの規模の会社でPER五〇倍とは！　いたずら坊主の小学校四年生でさえ、あれは売りどきだったと言うだろう。エイボンは一〇億本の香水を売るつもりなのだろうか。それは無理だろう。米国中の主婦がエイボン・レディになるのだろうか。

ホリデイ・インが四〇倍まで買われた時点であの株は売るべきだったし、「パーティーは終わった」との自信があった。あなたの判断は正しかったのだ。米国中のハイウェイで二〇マイルごとにホリデイ・インを見かけたり、ジブラルタルを旅行して、かの有名な岩の麓にホリデイ・インを見つけた場合にすでに心配すべきであった。いったい彼らはどこまで拡張できるのだろう。火星まで？

その他のサイン。

- 最近の四半期業績で店の売上げが三％落ちた。
- 新店舗の売上げがはかばかしくなかった。
- 役員が二人、何人かの優秀な社員とともにライバル企業に移った。
- 二週間に一二の都市で説明会を開き、機関投資家相手に非常に強気な説明をしてきた。
- 今後二年間、最も楽観的な予測でもＰＥＲが一五〜二〇倍のところ、三〇倍まで買われている。

業績回復株の売りどき

業績回復で買った株は、業績が転換点を越えた時点で売るのが一番である。すべて困難な問題は過去のものとなり、以前の成長会社、市況関連会社などに戻っており、もう株主をまごつかせることもない。いったん業績回復に成功すれば、その株は業績回復株ではなくなるので、改めて新しい分類が必要になろう。

クライスラーは、株価が二ドル、五ドル、そして一〇ドル（新株落修正後）のときにさえ業績回復株であったが、一九八七年半ばの四八ドルはもうそうとは言えなかった。それまでに同社は借金を返済し、悪いところを一掃し、もとの健全な自動車会社として市況関連株に区分される会社になっていた。株価はさらに上がったが、一〇倍になることはなかった。つまり、GMやフォードなどの同業他社と同じように評価すべき会社になったということである。もし自動車が好きなら、クライスラーは保有し続けるべきだ。全部門好調だし、短期的な問題を抱えているにしても、長期的にはアメリカン・モーターズの買収によって潜在力の高い企業になっている。しかし、もしあなたが業績回復株に力を入れたいのなら、クライスラーは売って、他の株を探すべきである。

ゼネラル・パブリック・ユーティリティーズ（GPU）は、株価が四ドル、八ドル、一二ドルのときに転換点を迎えたが、第二の原子力発電所を再開し、他の電力会社がスリーマイル島の後始末のコストを援助することに同意した後には、再び良質の電力会社になっていた。誰ももうGPUが破産するとは思わない。株価は現在三八ドルだが、四五ドルにはすぐ行くだろう。だが四〇〇ドルまでに上がることはない。

その他のサインは次のとおりである。

- 借入金が過去五回の四半期の間連続して減少していたのに、直近の四半期レポートを見ると二五〇〇万ドルも増えている。
- 在庫の増加率が売上げの伸び率の二倍にも達した。
- 収益予想に対してPERが高すぎる。
- 主要部門の生産高の五〇％がある特定の顧客向けで、その顧客自身が売上げ減少に悩まされている。

資産株を売るとき

最近では資産株を売る最良の方法は、乗っ取り屋を待つ、ということに尽きる。もし、実際に含み資産が存在するなら、ソウル・スタインバーグやハフツ、ライヒマンズのような人たちが嗅ぎつけるだろう。その会社が資産価値を減少させる借入金で泥沼にでも入らない限り、持ち続けるべきだ。

アレクサンダー・アンド・ボールドウィンは、ハワイに九万六〇〇〇エーカーの土地を所有し、かつ各島への海運権も独占、その他の不動産も保有している。多くの投資家が、この株は（新株落修正後）五ドル以上の価値があると計算していた。

彼らは忍耐強く待ち続けたが、数年間は何も起こらなかった。ところが、ハリー・ワインバーグ氏が登場し、発行済株式の五％、九％と株を買い上げ、ついに一五％を保有するに至った。これに続いて、他の投資家もワインバーグが買っているのだからという理由で買い始めた。そして株価は、一九八七年一〇月の大暴落で一六ドルまで売られる直前には、三二ドルの高値をつけていた。暴落の七カ月後には三〇ドルまで戻している。

同様なことは、ストーラー・ブロードキャスティング、そしてディズニーでも起こった。ディズニーは、スタインバーグ氏が首脳陣に対して「株主優遇策を強める」ようにと進言するまでは、その価値が知られることのない眠れる会社だった。とにかく、この会社は進歩を続けていた。アニメ映画からもっと幅広く、大人の視聴者にもアピールするような素晴らしい仕事をしていた。ディズニーのネットワークは成功を収め、東京ディズニーランド、そしてユーロディズニーランドも有望である。他には見られない充実した映画の在庫《フィルム・ライブラリー》、フロリダとカリフォルニアの不動産と、ディズニーは一躍含み資産株、業績回復株、成長株に位置づけられたのである。

資産株の価値が実現されるには、もはやあなたの子どもが孫を産むまで待つ必要はない。かつては、あなたの青壮年時代を通じてそれらの株価はてこでも動かず安値で放っておかれた、などということもあったものだ。今日では、株式価値の見直しは、もっと早い機会に行なわれることが多い。安値に放っておかれている資産株の最後の一つまで探し出そうと歩き回っている一団があるおかげだ（数年前、ブーン・ピケンズ氏が私のオフィスを訪ねてきて、仮にガルフ石油のような会社を買収するとしたらどのように行なうかを、克明に話していったことがある。私は、彼の非常に論理的な説明に耳を傾けたが、即座にそれは実際的ではないと結論した。私は、ガルフ石油は買収するには巨大すぎると確信していた――シェブロンがやってのける日までは。今では私は、大陸も含めて、どんな大物でも買収されうると信じるにやぶさかではない）。

最近では多勢の乗っ取り屋がいるから、アマチュアの投資家がよい含み資産を持つ資産株を見つけるのは難しくなった。だが確かなことは、売りどきだけははっきりしているのである。バス兄弟が現われるまでは売らない。バス兄弟でなければスタインバーグ、アイカーン、ベルツバーグ兄弟、プリツカーズ、アーウィン・ジェイコブズ、サー・ジェームズ・ゴールドスミス、ドナルド・トランプ、ブーン・ピケンズ、そしてマーブ・グリフィン。彼らが現われた後、買収、入札合戦、ＬＢＯ（レバレッジド・バイアウト）が行なわれ、株価は二倍、三倍、四倍になるのである。

他の売りサインは次のとおりである。

- 株価が実体よりも低いが、多角化プログラムのための資金調達の目的で一〇％の増資を行なうと発表した。
- 二〇〇〇万ドルで売却されると期待した部門が、実際には一二〇〇万ドルでしか売れなかった。
- 法人税率の低減のため、繰越税額控除の価値が減った。
- 機関投資家の持ち株比率が、五年前の二五％から六〇％にまで上がった（ボストンのファンドマネジャー・グループが主たる買い手）。

第18章 株価についてよく聞く多くの馬鹿げた（そして危険な）話

私はいつも、株の動きを説明するおなじみの格言には驚かされる。これらは、アマチュアはむろん、専門家によっても進んで使われるからだ。私たちは、医学や天気予報についての迷信や無知を取り除くことについてはずいぶん進歩してきたと思う。とうもろこしの凶作を神様のせいにした先祖たちを笑っているし、「どうしてピタゴラスのような知識人が、悪魔の魂はベッドのしわくちゃのシーツのなかにいるなんて考えたのだろう」と不思議がる。ところが私たちは、スーパーボウルでどこのチームが勝つかによって株価がどうなるかなどということは、喜んで信じようとするのである。

夏休みにアルバイト先のフィデリティと学校との間を行き来するうちに、私は、学問については優秀な教授さえ、株価についてはピタゴラスのベッドと同じような間違いをするものだということに気づいた。以来私は、どれもこれも大衆を誤らせるような理論を、絶え間なく聞いてきた。神話や誤解はたくさんあり、そのうちの幾つかについてはこれまでにも指摘してきた。ここでは、株価について代表的な馬鹿げた話を紹介し、皆さんがこれらの話に惑わされないための参考に供したい。おそらく、その幾つかはなじみのものだろう。

(1)もうこんなに下がったのだから、これより下がりようがない

これはなかなかよい言葉である。ピークの一四三・五ドルから三分の一も下げたポラロイドの株主たちは、何度もこの言葉を繰り返したものだった。ポラロイドは優良株と評判の高い会社だったから、収益が悪化し、売上げが不振になったときに、実はポラロイドがとんでもない高い評価を与えられていたのだということに気がついていた人は少なかった。その代わりに「もうこんなに下がったのだから、これ以上は下がらない」とか「よい銘柄は必ず戻る」とか、「株式投資は忍耐強くなければならない」「よい物から逃げようとするのは馬鹿げている」などと言って自分を安心させたのだった。

これらの言葉は、ポラロイドが一〇〇ドル、九〇ドル、八〇ドルと下落するなかで、個人投資家の家庭、あるいは銀行の資産運用部門で何度も語られたに違いない。株価が七五ドルを割ったとき、「これ以上は下がらない」派は、少数派になった。そして五〇ドルになったときでも、それでも放さない人たちによって、これらの言葉は言い続けられたのである。

「これ以上は下がらない」という理論を根拠に、新しい投資家がポラロイド株を買い、下がっていった。そして、彼らの多くはそれを後悔することになったはずだ。事実、この株はさらに落ち込んだのだから。この偉大な株は、一年もしないうちに一四三・五ドルから一四・一二五ドルまで下落し、ようやくその時点で「もうこれ以下にはならない」が本当になった。これが、「もう下はない」理論の結末である。

原則として、株価がどこまで下がるかということに、ルールなど一つもない。私自身もフィデリティに入社して、熱心ではあったがまだ経験未熟なアナリストであった一九七一年に、このことを学ん

だ。カイザー・インダストリーズの株価は、すでに二五ドルから一三ドルに下落していた。私の推奨で、フィデリティは一一ドルで五〇〇万株買った——米国の証券取引所の歴史に残るほどの大きな取引の一つである。一〇ドルを割ることは絶対にありえないと、私は自信を持っていた。

八ドルになったとき、母に電話して、すぐにこれを買うように勧めた。七・五ドル以下になることなど、あるはずがないと思っていた。幸運にも母は、私の言うことを聞かなかった。カイザーが一九七三年に、七ドル、六ドル、四ドルと落ちていくのを、私は恐怖心を持って見ていた——ここでついに、それ以下になることはなくなった。

フィデリティのポートフォリオ・マネジャーは五〇〇万株を保有しており、一一ドルでも買える株ということであれば、四ドルはまぎれもないバーゲン株ということになる。私がその株を推奨したアナリストだったので、この会社のバランスシートが良好であることは、随時確認していた。事実、カイザーの発行済株式の総数が二五〇〇万株しかないとわかったときには、私たちは皆、喜んだのである。株価四ドルということは、この会社は全体で一億ドルの値打ちということだ。一億ドルなら、当時ボーイング747の四機分だった。今日ではエンジンなしの機体一機というところか。

不動産、アルミ、鉄鋼、セメント、造船、混合材、ガラス繊維、土木建設、放送——ジープは言うまでもなく——と多様なビジネスに取り組んでいるこの強力な大企業カイザーを、なんと航空機四機分の値段にまで下げてしまったのである。この会社には、借金はほとんどなかった。計算では資産をすべて売却したとすれば四〇ドルの価値があった。今日なら乗っ取り屋が買収してしまうだろう。

まもなくカイザー・インダストリーズは三〇ドルまで値を戻したが、四ドルまで落ち込んだときには、とても「もうこれ以下には下がらないよ」などと言う元気はなかった。

(2)株価が底値にきたら、それとわかるものだ

底値で株を買うという試みは、一般の投資家がよくやる手だが、たいていは逆にひっかかってしまうものだ。下落している株を底値で拾おうというのは、落ちてくるナイフを素手でつかむようなものである。ナイフが地面に突きささり、しばらく揺れ動いた後、しっかり止まってからつかむのが、正しいやり方である。下落している株を急いでつかめばみじめな結果になる。間違った価格でつかんでしまうのは避けられないことなのだから。

もし業績回復株に興味があるのなら、株価はずいぶん下がってしまっていると思うだけでなく、もっと確かな理由づけが必要である。たとえば業績が上向いていると確認できるとか、バランスシートを見て、現金だけで一一ドルの価値はあるのに株価は一四ドルしかしていないとか。

それでも、株を底値で買えると思ってはならない。株価は、上昇基調に乗る前には必ず揺れ動くものだからだ。これが落ち着くまでには通常二〜三年はかかるが、もっと時間がかかることもある。

(3)こんなに株価が上がってしまって、これ以上の上値などあるはずがない

これは正しい。ただし、フィリップモリスやスバルの場合には、当てはまらなかった。フィリップモリスは、チャートを見ればわかるが、最高の株の一つである。スバルについては、車を買わずにもし株を買っていたとしたら百万長者になっていただろうという話は、すでに紹介した。

もし一九五〇年代に七五セントでフィリップモリスを買っていたとしたら、もうこれ以上の上値は

ないとする理論に従えば、一九六一年に二・五ドルをつけたときに利食いたい誘惑にかられたことだろう。それから一一年たって、六一年比では七倍、五〇年代に比べると二三倍の値がついていた。そこであなたは、もうこれ以上は上がらないと考えたかもしれない。しかし、もしそのとき売ってしまっていたら、次の七倍になるチャンスを取り逃がしたことになる。

フィリップモリスをずっと保有し続けていれば、誰でも七五セントが一二四・五ドルにまでなるという幸運を手にしたことになる。一〇〇〇ドルの投資が一六万六〇〇〇ドルになるという結果が得られたのだった。しかもこれには、その間の配当金二万三〇〇〇ドルは含まれていない。

もし、「この株はこれ以上に上がる可能性がまだ残っているだろうか?」と自問自答したりしていたら、私は、二〇倍になったスバルを保有し続けることなど決してなかっただろう。しかし、ファンダメンタルズをチェックして、スバルはまだ割安だと確信したから、逆に買い増ししたのである。その後株価は七倍になった。

ポイントは、株価がどこまで上がるかということについては、はっきりした限界などない、ということである。ストーリーが正しければ収益は改善し続けるし、ファンダメンタルズに変化がないのなら「これ以上上がらない」などというのは、知ったかぶりの恐ろしい言い訳である。二倍になると自動的に顧客に売りを勧めたりするのはプロとして恥ずべきことだ。それでは決して一〇倍株《テンバガー》になる楽しみを味わうなどありえないではないか。

フィリップモリス、ショウニーズ、マスコ、マクドナルド、ストップ・アンド・ショップといった株は、毎年、「これ以上は上がらない」という壁を破ってきたのである。率直に言って私は、どの株が一〇倍になるとか、五倍になるとか、予測することはできない。ストーリーが生きている限りはうれしい驚きとなることを望みながら、それらの株を持続しようと努めている。

業績自体は驚くほどの成功を収めていなくても、株価はときにはびっくりするほど上昇することがある。ストップ・アンド・ショップは、保守的で配当利回りのよさで買ったのだが、ファンダメンタルズはその後改善し続け、私は高成長会社を手にしていたのだと後で気づいたことを思い出す。

(4)わずか三ドル。何を失うというのだろう

これを言う人は多い。もしかしたら、あなたも口にするかもしれない。三ドルの値がついている株に出会えば、「これなら五〇ドルの株を買うよりは安全だろう」とあなたは思うかもしれない。五〇ドルの株も一ドルの株も、ゼロになってしまえばすべてを失うのだ、ということがわかるまでに、私は二〇年もこの仕事をしてきた。もし五〇セントで止まるなら、結果に多少の違いはあるだろう。つまり、ある株を五〇ドルで買った投資家は九九%を失い、同じ株を三ドルで買った人は八三%を失うわけだが、それがどれほどのなぐさめになるのだろう。

ポイントは、くだらない安い株は、くだらないが高い株と同じように、下がればとても危険だということだ。一〇〇〇ドルを四三ドルの株、あるいは三ドルの株に投資したら、どちらもゼロになってしまえば、同じ金額を失ったことになる。どの値段で買ったにしても、間違った株に投資することの下値のリスクは一〇〇%だ。それでも、三ドルのバーゲン株を求めて、「何を失うっていうのかい」と言う投資家がまだいることは、間違いないだろう。

値が下がる株で儲けるためにカラ売りするプロは、天井でなくて、むしろ底値近くで売ることのほうが多いのは興味深いことだ。彼らは会社の破産が確実となるまで待つ。彼らは六〇ドルで売る代わりに、六ドルや八ドルでカラ売りする。株価がゼロになった場合は、六〇ドルで売った場合と儲けは

全く同じだからだ。

八ドルとか六ドルとかの値段で、いったい彼らが誰に売っているのか、考えてもみて欲しい。「これ以上失うものはなかったはずだが」などとつぶやいている不幸な投資家たちにである。

(5)結局、株価は戻る

ゴート人、ピクト人、ジンギスカンも、かつてこう言ってそのまま戻ってこなかった。人々は、RCAは必ず戻ると言っていたが、六五年たっても戻ってきていない。RCAは、世界的にも有名な成功した会社だった。ジョーンズ・マンビルも株価の戻らなかった世界的に有名な会社の一つである。アスベスト訴訟の申請によって、その可能性はますます遠のいている。ナビスターのように、何百万もの新株を発行することによって収益を希釈化させている会社もある。

もし名前を挙げるだけなら、クオートロン（株価表示器）の画面から永久に消えてしまった小さい無名の企業のリストを並べることができる。あなたも、おそらくこういった株に投資した経験があるのではないだろうか――私一人だけだなどとは思いたくもない。何千もの破産してしまった会社、以前ほどの支払い能力を有していない会社、以前のピーク時に比べるとはるかに低い値のついた会社、これらを考えてみれば、「必ず値は戻る」という議論の弱点に思い当たるだろう。

ヘルス・メインテナンス・オーガニゼーション社や、フロッピーディスクやダブルニット、デジタル時計、モービルホームなどの関連業種の株はまだまだ戻ってきてはくれない。

(6) 夜明け前はいつも一番暗い

物事が少し悪くなり始めたときに、これ以上悪くならないさ、と信じたいのは人間の常である。一九八一年に、米国には稼働中の石油掘削リグが四五二〇基もあったが、八四年には二二〇〇基にまで落ち込んでいた。その時点で、多くの投資家が最悪期は脱したと見て石油株を買った。しかしその二年後には、リグはわずか六八六基となり、今日でもまだ一〇〇〇基を割っている状態である。

宅配便が有望だと関連会社に投資していた者は、一九七九年に九万五六五〇あった拠点が八一年には四万四八〇〇になってしまったことに驚いた。これは一七年間で最低の拠点数なのだが、誰もそれ以上さらに落ち込むとは見ていなかった。ところが八二年には一万七五八二、八三年には五七〇〇になってしまった。ひとたび波乱が起これば九〇%も落ち込んでしまう業界だったのである。

「夜明け前はいつも一番暗い」というのはときには本当だろうが、その他のときには「真っ暗になる前がいつも一番暗い」のである。

(7) 一〇ドルに戻ったら売る

私の経験では、落ち込んだ株は、戻ったら売ろうと決めている線まで戻ることはない。事実「一〇ドルに戻ったら売る」と決めることは、数年間も九・七五ドルあたりまできては下がってとうとう四ドルになり、ついには一ドルになってしまう運命を受け入れたことになる。この痛ましい経過は一〇年にもなることがあろう。その間ずっと、必ずしも好きでもない株を持ち続けるわけだ。「一〇ドルになったら」という思い込みがあるために。私はこういうケースになりそうなとき、その株は買い増しするほどよいと思うか？　と自問自答し、答えがノーだったらただちに売り払うことにしている。

⑻何を心配することがあろう。保守的な株はあまり値が動くことはないのに

二代にわたって保守的な株に投資し続けた人たちは、公共株なら間違いないと思い込んでいる。心配のない株なら安全な貯金箱だし、配当を受け取ればいいだけだと。そして突然、原子力問題とか料金引き下げ論などが沸き起こり、コンソリデイテッド・エジソンは八〇％も下落したのである。そしてまた突然、八〇％以上も値を上げた。設備投資額の大きい原子力プラントのおかげで、経済性や安全性の問題が起き、いわゆる安定した公共株セクターも、S&L株やコンピュータ株と同様に、波瀾含みの危ないものになったのである。今や電力株も、一〇倍になれば一〇分の一にもなる。運がよかったとか選別が適切だったとかによって、大きく儲けることもあるし、逆に大きく損することもあるということになったのである。

新しい状況についていけない投資家は、経済的にも心理的にも悩まされることだろう。インディアナ・パブリック・サービス、ガルフ・ステーツ電力、ニュー・ハンプシャー・パブリック・サービスなどを保有していた、いわゆる慎重な投資家たちは、新しくできた、わけのわからないバイオの会社にでも巻き込まれたかのように、危険な状況に陥ったと言える。――実際、危険を自覚していなければいないほど、危ないのである。

企業はダイナミックに動き、見通しも変わる。内容を知らなくて持っていてよい株など一つもない。

⑼何かが起こるには、もう時間がたちすぎている

これもしばしば実際によく起こることである。何か素晴らしいことが起こるのを待ちくたびれて、その株を手放したとたん、翌日、その素晴らしいことが起こったりする。私はこれを、捨て去った後の繁栄と呼んでいる。

メルクは、人々の忍耐強さをテストしていたようなものだ（チャート参照）。同社は年平均一四％の率で着実に収益を伸ばしているにもかかわらず、一九七二年から八一年まで、株価は全く動くことがなかった。そしてそれから何が起こったか。次の五年間で四倍になったのである。待ちくたびれ、あるいはもっと動く株のほうがよいということで手放してしまった不運な投資家が多勢いたに違いない。彼らがストーリーをチェックし直していれば、決して売ることはなかったと思うのだが。

スーツのメーカーであるアンゼリカ・コーポレーションの株は、一九七四年から七九年まで、頑として動かなかった。アメリカン・グリーティングスは八年間死に体であった。GAFコーポレーションは一一年間、ブランズウィックは一九七〇年代中、スミスクライン（タガメット以前）は一九六〇年代の後半と七〇年代の前半、ハーコート・ブレイスはニクソン、カーター、そしてレーガン政権の初期まで、ルケンスは一四年間も動きがなかった。

価格が上がりも下がりもせず止まっているのには慣れていたので、私はメルクを保有し続けた。通常、私が利益を得るのは、おおむね保有して三年目から四年目のことであるが、メルクについてはちょっと時間がかかりすぎた気もする。もし会社の業績が良好で、初めに魅力を感じた点に変化がないなら、遅かれ早かれ、私の我慢は報われるものと自信を持っている。

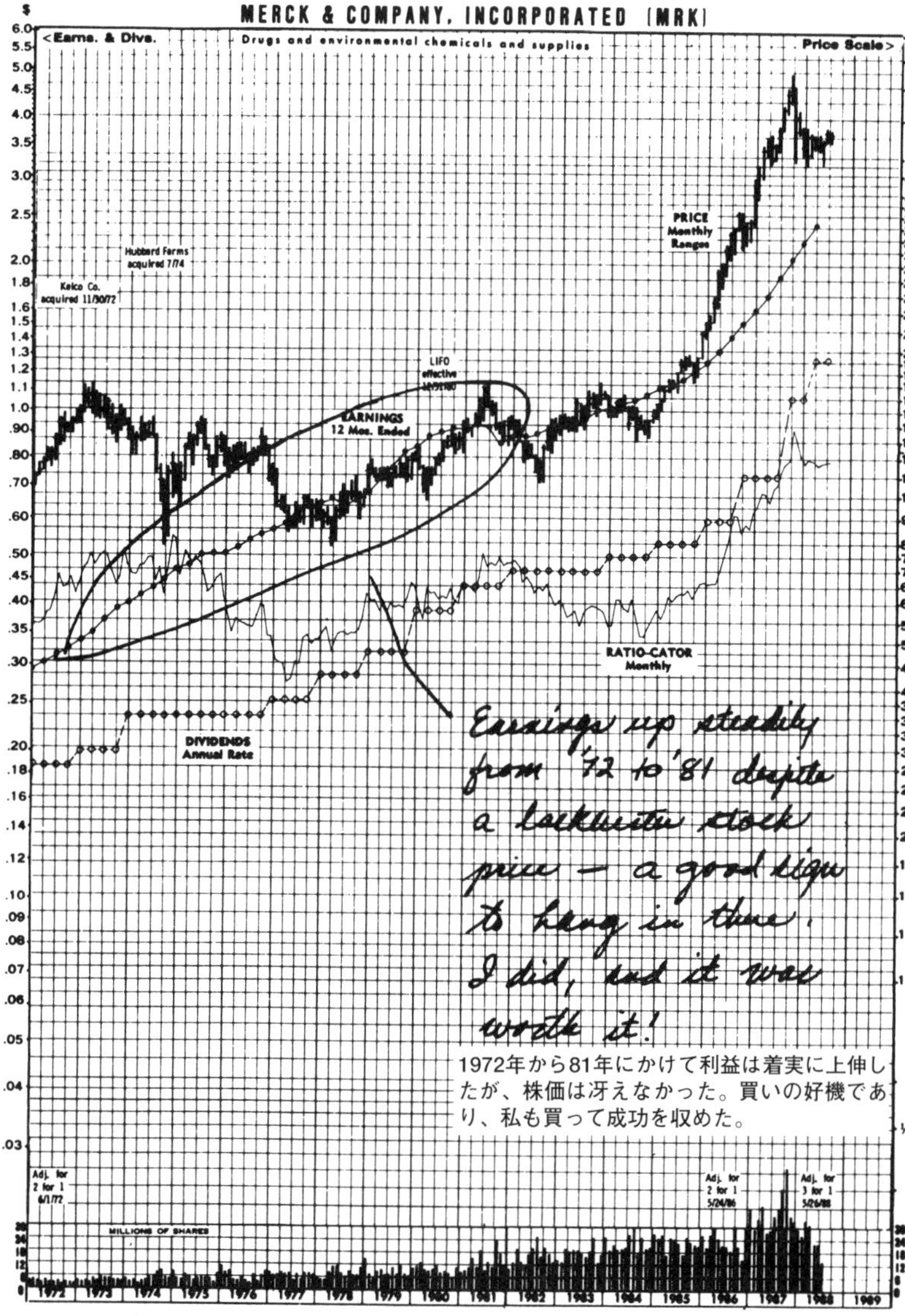

1972年から81年にかけて利益は着実に上伸したが、株価は冴えなかった。買いの好機であり、私も買って成功を収めた。

これは私が〝岩の心電図〟と呼んでいる現象で、実はよい兆候である。この〝岩の心電図〟が私が目をつけた株のチャートに現われたら、大きな動きがあるという強いヒントと考える。

あなたが夢中になっているのに他の人は無視しているような株を保有し続けるには、たいへんな忍耐を要する。他の人々が正しくて、自分が間違っているのではと思い始めるだろう。しかし、ファンダメンタルズさえ約束されているなら、我慢は必ず報われる。――ルーケンスは一五年かかって六倍になった。アメリカン・グリーティングスは六年間で六倍株に、アンゼリカは四年で七倍株に、ブランズウィックは五年で六倍株に、スミスクラインは二年で三倍株にと成果をあげている。

⑽得べかりし利益、なぜ買わなかったのだろう

クラウン・コルク・アンド・シールが五〇セント（新株落修正後）のときに全財産を注ぎ込んでいたとしたら、私たちはもっと金持ちになっていたはずだ。だが、今財布を開けて銀行預金残高をチェックしてみたらわかる。まだあなたの財産はそこにある。事実、クラウン・コルク・アンド・シールで取り損なった宝の山を思い浮かべた一秒前に比べて、一セントも損をしてはいないのだ。

話すことすら馬鹿馬鹿しく思えるのだが、私の仲間の投資家で、毎日〝ニューヨーク市場で一〇倍になった株〟を探し出しては、持っていなかったために儲け損なった金額を計算して、悩んでいる人がいる。同様のことは、プロ野球カード、宝石、家具、家についても見られる。

誰かが利益を得たということは自分の損失だという考え方は、株式投資では健全な態度とは言えない。事実、そういう考え方は多勢のノイローゼ患者を生むだけだ。株式投資について経験を積めば積むほど、また、儲けそこなった経験が増えるほどに、その額はすぐ何千億ドル、何兆ドルにもなって

しまうだろう。もしあなたが株式投資から全く手を引いたとして、市場が一日で一〇〇ポイントも上昇したとする。あなたは、眠りから覚めてつぶやく。「一一〇〇億ドル儲け損なった」。こういった考えがよくないことは、それまで儲け損なったのを取り返そうとばかり、買うべきでない株を買ってしまうことである。それこそ本当に損をするもとになろう。

⑾これは逃がしてしまったが次は捕まえよう

すでに見てきたように、〝次〟というのは滅多に起こらないのである。上昇し続ける会社のトイザラスを逃がしてしまったからといって、下降気味の平凡な会社グリーンマン・ブラザースを買ったとしたら、間違いの上塗りをしてしまうことになる。実際には何も損をしていないのに（トイザラスを買わなかったのだが、何も損をしたわけでもないことを思い出してもらいたい）ミスを犯したと思い込めば、本当に多額のお金を失うミスを犯すはめになるだろう。

もし、ホーム・デポを低価格で買い損なったので、次のホーム・デポとしてスコッティーズを買ったとする。おそらく、またミスをすることになる。ホーム・デポは上場以来二五倍にもなったが、スコッティーズは二五〜三〇％上がっただけで、同時期の市場平均と比べても見劣りしている。

同様のことは、ピードモントを買い損なってピープル・エクスプレスを買うとき、またプライス・クラブではなくウェアハウス・クラブを選んだときにも起こる。多くの場合、割安の〝次のもの〟に飛びつくよりは、高くても本命の、よい会社を買うほうがはるかによいのである。

⑿株価は上がったのだから正しかったのだ。下がってしまったから間違っていたのだろう

もし、投資に関連して間違った考え方を一つだけ選ぶとするなら、私は、株価が上がったからよい投資をした、と信じられていることを挙げる。最近五ドルで買った株が六ドルになると、買いが正しいと証明されたかのようにほっとすることが多い。事実はちょっと違う。もちろん、高値ですぐ売ってしまうのであればかなりの利益を得られるだろうが、たいていの人は上向いた状況で売るようなことはしない。その代わりに、高い株価は投資価値のあることを示しているのだと思い込み、株価が下がって投資価値がないとわかるまでそれを保有し続けるのである。彼らが選ぶのは一〇ドルから八ドルに下がった株ではなく、一〇ドルから一二ドルに値上がりした株であり、勝った株を残し、負けた株は売り払ったのだと自分に言い聞かせるのである。

絶好の例は、一九八一年のことだが、エネルギーブームの真っ只中、石油株のザパタは、エチル・コープに比べればはるかに魅力的に見えた。エチル・コープは、主要生産物であるガソリンの鉛添加剤の使用がEPA（連邦環境保護局）に禁止されたため、それこそ〝轢き殺された犬〟のようになった化学会社だった。しかし、〝魅力的〟と見えたザパタのほうは三五ドルから二ドルへ下降し、超強気株でさえ保証の限りではないことを示したのである。一方、エチルのほうは、特殊化成品部門が好調で、海外での業績が改善し、保険業務も急速に確実に成長したので、二ドルから三二ドルにまで上がった。

人々が、「ほらみろ、一カ月で二〇％も上がった。本当の勝者をつかんだのだ」とか、「ひどい。二

カ月で二〇％も下がってしまった。負け犬をつかんでしまったなあ」などと言うとき、彼らは株価を将来性と混同しているのである。二〇％の利益で満足する短期売買のトレーダーでもない限り、短期で騒ぎまくるのは全くのナンセンスである。あなたが買った後で株価が上がったり下がったりするのは、同じ商品に対して他の人たちがもっと高値を払うか、それとも少なく払うかを表わしているにすぎない。

第19章 オプション、先物、カラ売り

投資の術というものが一般に知られてきて、古くは「米国株を買え」だったものが、「米国のオプションを買え」というように変わってきている。「米国の将来に投資する」ということは今では「ニューヨーク先物取引所で投機を行なう」ことを意味するようになった。

私は今までの生涯を通じて投資関連の仕事をしてきたが、先物もオプションも一度も買ったことはないし、今から買おうという気にもならない。専門のトレーダーでもない限り勝つのは不可能だと言われるオプションや先物に惑わされることなく、株式市場の普通株で儲けるだけでもたいへんなことである。

穀物市場では、先物が便利な方便であると言われている。農民は収穫期の小麦やとうもろこしの価格を確保できるし、収穫物を出荷するときには、どれくらいの量を売ればよいのかを知ることもできる。もちろん、小麦やとうもろこしを買い付けるほうにとっても便利である。しかし、株式は商品とは違う。商品の生産者と購買者の間で価格を保証し合うと同じような関係は、株式市場の機能にとって必要なものではない。

先物とオプションの二大拠点であるシカゴとニューヨークからのレポートによれば、アマチュア投資家の八〇~九五％は損をしているようだ。これらの勝率は、カジノや競馬競輪の最低の賭け率より

も悪いのに、先物やオプションは「資金運用の手段」という空想が信じられているのである。もしこれが確実な投資法と言うなら、タイタニック号は不沈船であったと言えるだろう。

先物やオプションが実際にどんなものか、述べる必要などないだろう。なぜなら、①説明するとなれば長く退屈だろうし、説明してもわけがわからないだろうし、②両市場についてもっと知りたいのなら実際にやってみる他はない。また③私自身、先物もオプションも理解していないのである。

実際には、私はオプションについてなら、少しはわかる。早く儲けたい多くの小口投資家にとっては、オプションの潜在的利益は大きくて魅力的に見えるだろう。ところが実際には思いどおりにはならず、あっという間に損をしてしまいがちなのだ。オプション契約は株式と違い、一～二カ月の勝負である。つまり、期限がくると無価値になるからである。そしてまた別のオプションを買い、一〇〇％の損をするというような結果になってしまう。こういった一連の動きは、あなたをさらに泥沼へと落とし込むことになるだろう。

仮にあなたが〝絶対確実株式会社〟で素晴らしい何かが必ず起こる、と確信を持った場合について考えてみよう。そのよいニュースは、株価が押し上げられることだろう。たとえば、タガメットや制癌剤が収益を伸ばすだろうとか、ファンダメンタルズへの強力なインパクトになるようなことを発見したり、今まで出会ったこともないような、ポーカーならロイヤルフラッシュ並みの、完璧な会社を見つけたとしよう。

さて、ここであなたは、自分の資産を調べてみると、預金残高は三〇〇〇ドルしかない。残りはあなたにはとても理解できないような、難解な金融ビジネスに通じている人々が管理している投資信託へ投資している。あなたは、質屋へ持っていけるような家宝がないかと、家中くまなく探し回るが、ミンクのコートには虫食い穴がある。銀食器なら大丈夫と思っても、週末にはディナーパーティーをしなければならないし、配偶者はきっとなくなったと気づくだろう。猫を売ってみたら、とも考えるが、血統書つきというわけでもない。ウッドのゴルフクラブはグリップがすり切れ、錆びていて、誰も買いたがらないだろう。

絶対確実株式会社に投資できる金額は三〇〇〇ドルしかない。二〇ドルの株だから一五〇株しか買えない。投資をあきらめようかと思ったとき、オプション取引の効率のよさについて聞いたことがあるのを思い出す。早速、なじみの証券会社に電話すると、絶対確実株式会社の四月のコール・オプション二〇ドルは、今一ドルで買えると教えてくれる。もし、株価が三五ドルに値上がりすればそれが一五ドルになり、三〇〇〇ドルをオプションで投資すれば四万五〇〇〇ドルの儲けになる。

当然あなたは、オプションを買うだろう。そして毎日、新聞を広げては株価が上がり始める瞬間を心配げに待つのである。三月中旬までは、何の動きもなかった。三〇〇〇ドルで買ったオプションはすでに半分になってしまっている。全部売ってしまって、半分だけでも現金にしようという誘惑にかられるが、ゼロになってしまうまでにはまだ一カ月あるのだから、と思い直す。そして一カ月後、本当にゼロになってしまうのである。

さて、あなたがオプション取引を降りてから数週間後、屈辱的なことが起こる。絶対確実株式会社の株が動き出したのだ。あなたはオプションで投資資金の全額を失ったが、株式に投資していれば、それこそ絶対確実の儲けだったはずだ――まことの悲劇である。勉強した結果、それが報われるどころか全く無駄になってしまった。全く、時間、金、そして才能の無駄づかいである。

オプションのもう一つの難点は、たいへん費用がかかることだ。一見すると高そうには見えないが、一年を通じて投資を続けるためには四回か五回も買わなければならないことに気づくだろう。文字通り、オプションとは時間を買うことである。時間を買えば買うほど、払わなければならないプレミアムは高くつくことになる。ご親切なことに、証券会社の手数料は買うごとについて回る。オプション取引は、証券会社にとって儲かる仕事なのである。オプションに熱心な顧客を一〇〇人ほど持っていれば、担当者には素晴らしい生活が保証されることだろう。

オプションの最悪な点は、買ったとしても、その会社の株式を保有したことにはならない点だ。その会社が成長し、繁栄すれば、株主はその恩恵を受けるが、オプションはゼロサム・ゲームである。誰かが一ドル勝つごとに誰かが負けているわけで、勝者になるのはほんのひと握りの人たちだろう。

たとえ危険な株であっても、株式を買うということは、その会社に何らかの貢献をしているのである。ひと世代前、小さい会社の株に投資することは危険だと考えられていた頃でも、少数の投機家はＩＢＭ、マクドナルドそしてウォルマートに資金を提供し、起業に貢献したのである。先物、オプションの巨大市場では、一ドルたりとも建設的に使われることはない。手数料の入る証券マンや少数の勝者の車、飛行機、家以外には、誰の資金調達の役にも立っていない。ここで演じられるのは、不用意な者から抜け目のない者への大規模な資金移動である。

今日、先物やオプションは、株式投資のヘッジのためのポートフォリオ保険として役に立つとよく言われる。私の多勢の仲間もこれを信じて、たいてい坂道をころげ落ちていく。ポートフォリオ保険として、金融機関は何十億ドルもの大金を掛けてきた。先のブラックマンデーのとき、彼らが保険になっていると信じてきたものがかえって逆に作用したことは、周知のとおりである。プログラムの一部として先物を新たに買うと、自動的に現物を売るという動きがあり、それが大量の先物を買って現物を売る動きになり、それによってさらに先物買いの現物売りを助長する。こうして、巨大なプログラム売りが市場を歯止めなく下降させたのだった。一〇月の暴落についての妥当と思われる理由の一つが、ポートフォリオ保険（プログラム）であることは疑いもない。にもかかわらず、多くの金融機関が、ポートフォリオ保険をまだ掛け続けているのである。

個人投資家のなかにも、この好ましくない方法を取り入れている者がいる(専門家の真似をしてうまくいった試しがあるだろうか?)彼らは暴落に備えて〝プット〟オプションを買っている(プットは株価が下がれば下がるほど価値を増す)。しかし、プットオプションも期限がくれば無価値になってしまうので、ずっと保険を掛けたいなら、プットを買い続けなければならない。五~一〇%の下げを防ぐために、毎年全投資額の五~一〇%を無駄にすることになりかねない。アル中の男がビールを試飲し、それが誘い水になって再びジンの瓶を抱え込むように、保険のつもりでオプションに投資している人は、自らを破滅させてしまうだろう。まもなく、オプション取引のためにオプションを買うようになり、そこからヘッジ、コンビネーション、ストラッドルなどのテクニックを使うようなところまで進むのである。初めに株式に興味を持ったことを忘れている。会社を調査することはせず、すべての時間を、刻々と変わる市場の場況を読むことに費やすようになり、ケイ線の動きに一喜一憂するのである。そしてさらに悪いことには、すべての金を失う結果に終わるだろう。

ウォーレン・バフェットは、株式の先物やオプションは違法にすべきだと言っているが、私も賛成である。

カラ売り

旧式でおかしな制度であるカラ売りについて聞いたことがあると思う。これは、株が下がれば儲けられる方法である(自分の資産運用について振り返ってみて、長年買いから入ってきたけれど、先に売っていたら儲かっているのになあ、と思う人々には興味があるだろう)。

カラ売りは、隣人から株を拝借して、それを売り、儲けてしまうのと同じことである（この場合、隣人の名前はあなたにはわからない）。遅かれ早かれ、同じものを買って隣人に返すのだから、誰が賢いかということでもない。これは、盗みとは全く違うが、隣人に対して親切とも言えないだろう。もっと意図的に借りるのだから。

カラ売りをする人はなるべく高値で売ろうとするが、返すときは、その差額が大きくなるようになるべく低い値を希望する。こういったやり方は、草刈り機や庭園用のホースにでもあるが、株式の場合は最もやり甲斐があるとは言えるだろう——とくに、株価が火がついたように上昇したものには有効である。たとえば、ポラロイドの一四〇ドルは高くなりすぎだと思えば、すぐ一〇〇〇株を信用口座でカラ売りをし、総額一四万ドルの売り建てとする。株価が一四ドルになるのを待って一万四〇〇ドルで一〇〇〇株分を買い戻せば、一二万六〇〇〇ドルの儲けとなる。

あなたに株を貸してくれた人は、この差額のことは知らない。この取引は、証券会社によって書類上で取り行なわれる。カラ買いよりもカラ売りのほうがやさしいだろう。

これをうまい方法と喜ぶ前に、カラ売りには欠点もあることを心得ていなければならない。あなたが株を借りている間、正規の株主はすべての配当や特典の恩恵を受けるが、あなたにはない。また、株を買い戻してその取引を終えてしまうまで、その過程では実際に金を使うことはできない。ポラロイドの例なら、一四万ドルを引き出してフランスへと長期休暇に出発することは不可能である。さらに、証券会社のあなたの口座に、カラ売りした株を保証するために規定の保証金を置かなければならない。ポラロイド株が下がればいくらかお金を引き出せるが、もし上がってしまえばどうなるか？そのときは、保証金の不足分を埋めるために、さらに〝追い証〟を入れなければならない。カラ売りの恐ろしいところは、たとえあなたがその会社の弱体を確信したとしても、他の投資家がそれに気がつかず、さらに株価が上がってしまうことである。ポラロイドは、すでに馬鹿馬鹿しいほどの値段になっていたが、さらにそこから倍の三〇〇ドルなどというとんでもない値段になったりしたら、どうなるだろうか。もし一四〇ドルでカラ売りをしていたとしたら、さぞかし気掛かりなことだろう。しかも、手元に一〇万ドル程度の資金がなければ追い証が払えず、手仕舞いせざるを得なくなり、莫大な損失が現実のものになってしまう。一四万ドルで売った株の決済に当たって、三〇万ドルで株を手当てしなければならないとなるとたいへんである。

誰であろうと普通の株が暴落すればパニックになるが、パニックといっても株式はゼロ以下にはならないと思えば、多少、腹の虫もおさまる。もし、株価が上昇していく株をカラ売りすれば、果てしなく損失は膨らんでいくことは理解できるだろう。株価には天井がないのだから、カラ売りの場合、この青天井は常に頭に入れておくべきことであろう。

カラ売りで成功した話の陰には、どう考えてもまさにボロ株と言えるような、彼ら好みのひどい株がどんどん値を上げていき、破産してしまうという怖い話が潜んでいる。その不幸な話の好例は、聡明で腕きき投資家ロバート・ウィルソンが一〇年ほど前にカラ売りしたリゾート・インターナショナルである。実際に彼は正しかった――たいてい、カラ売りをする人は正しいのである。ジョン・メイナード・ケインズは、「長期的には私たちは、皆死んでいる」と言っているが。とにかく、その間、株価は七〇セントから七〇ドルへと一〇〇倍にもなり、ウィルソンは、控えめに見ても二〇〇〇万ドルから三〇〇〇万ドルの損をしたのである。

この話は、カラ売りをしてみようと思っているのなら覚えておいたほうがよいと思う。カラ売りをする前に、その会社が破滅するということについて確信以上のものを持たなければならない。それに加えて、忍耐、勇気、そして、株価が下がらない――悪くすると上がる――ときに備えての資金である。下がると思ったのに下がらない株は、断崖絶壁の縁を踏みはずして空中を歩く漫画の主人公を思い起こさせる。彼らは自分たちが宙に浮いていることを自覚しない限りは、いつまでもそこに浮いているのである。

第20章 五万人のフランス人も間違えることはある

株式投資の専門家として株を選んできた過去を振り返ると、一九六〇年のケネディ大統領の選挙以来幾つかの、株式市場に影響を与えたニュースを思い出す。まだ何も知らない一六歳のときでさえ、民主党の大統領になると株は下がると聞いていたから、この年の一一月九日、選挙の翌日、相場が少し上がったのにはびっくりした。

キューバ・ミサイル危機のとき、米国の艦隊がソ連艦艇を取り囲んでいる間——米国が核戦争勃発の危機に直面した唯一の出来事——私は、自分自身、家族、私の国を思って恐怖を感じた。だが、その日、株式市場は三％も下がらなかった。七カ月後、ケネディ大統領がUSスチールを叱責し、価格引き下げを迫ったとき、私は何も恐怖など感じなかったが、市場は歴史に残るほど——七％も——下げた。私には核の恐ろしさよりも、大統領の実業界への干渉を怖がるウォール街が本当に不思議だった。

一九六三年一一月二二日、ケネディ大統領が撃たれたというニュースがキャンパス中に広がったとき、私はボストン・カレッジで試験を受けていた。私はクラスメートと一緒にセントメリー教会に行って祈った。翌日、株式市場は暗殺が公式に発表されたニュースで一時的に取引が止まったものの、三％も下がっていないのを新聞で見た。三日後、市場は一一月二二日の下げを埋めて、幾らかそれを上回った。

一九六八年四月、ジョンソン大統領が二期目に出馬しないことを明らかにし、東南アジアでの北爆をやめ、平和宣言を行なったとき、市場は二・五％上昇した。

一九七〇年代の間、私は、フィデリティ社で株の世界にいた。その間、市場が反応した大きな出来事は以下のとおりである。ニクソン大統領の物価統制（三％上昇）、ニクソン大統領の引退（一％下落。ニクソンはかつて、もし自分が大統領でなかったら株を手掛けていたかもしれないと言ったことがあるが、ウォール街のひょうきん者が言い返した。もしニクソンが大統領でなかったら、自分はきっと株を買っていたと）、フォード大統領がインフレ対策を導入したとき（四・六％上昇）、ＩＢＭが独禁法訴訟に勝訴したとき（三・三％上昇）、ヨム・キプル戦争（訳注・第四次中東戦争。一九七三年一〇月のヨム・キプル＝ユダヤ教の贖罪日に始まったのでこう呼ばれている）が勃発したとき（わずかに上昇）。一九七〇年代の一〇年間は、一九三〇年代以来の五〇年間のうちでは株の上昇率が最低だったが、今挙げた大きな事件の起こった日の大きな変化はいつも上昇を記録した。

そのなかで変化が比較的長く続いた例として、ＯＰＥＣが石油禁輸の措置を決めたときが挙げられる。一九七三年一〇月一九日の会議の結果（また一〇月一九日だ！）、株式市場は二カ月で一六％、一二カ月で三九％下げた。面白いことに、この禁輸という重大事に市場は反応を見せず、その当日の相場は四ポイント上昇し、続く五日間では一四ポイントも上がった。そしてその後、ドラマチックな下げを演じたのである。**市場の動きも個別の株と同様に、短期ではファンダメンタルズと反対に反応しうることを示した出来事であった。**石油禁輸の措置によってガソリン価格は上がり、ガソリンスタンドには長蛇の列ができ、インフレは高まり、急激な金利の上昇を招いた。

一九八〇年代は、他のどの時代を併せたよりも多い例外的な上昇と下落の日々を記録している。しかし大勢から見ると、そのほとんどはあまり意味のないものであった。一九八七年一〇月の五〇八ポイントの暴落が持つ意味は、重要性からいって八五年九月二二日のプラザ会議のそれに及ばないだろう。G7と呼ばれるあのプラザ会議は、長期投資をする者にとってたいへん重要なものであった。あの会議で、先進七カ国は、経済政策の協調、ドル安政策に同意したのである。決定が宣言された後六カ月にわたって、相場は三八％上がった。ドル安の恩恵を受ける会社にとっての影響は大きく、続く二年間で、それらの株は二倍、三倍になった。八七年一〇月一九日には、ヨム・キプル戦争やG7会議のときと同じように私はヨーロッパにいたが、そのときは、ゴルフボールをなくす代わりに、まじめに会社訪問をしていた。

トレンドと、少しずつ進む変化に私はこだわるが、一九六〇年代の中盤から後半はコングロマリットの時代で、その結果多くの大会社が多悪化を行ない、崩壊し、一五年間も回復しなかったのである。多くは、決して戻ることはなかったが、ガルフ・アンド・ウェスタン、ITT、オグデンといった会社は業績回復株として再登場した。

一九七〇年代は質の高い優良株の好まれた時代だった。これらは〝ニフティ・フィフティ（素晴らしい五〇銘柄）〟として知られ、無条件で買い永久に持ち続けてよい株とされていた。こうして買われ過ぎた株は、一九七三〜七四年の暴落につながり、優良株は五〇〜九〇％も下がった（一九七三年にダウは一〇五〇ドルを付けたが、その後下落し、七四年一二月には五七八ドルまで落ちた）。

一九八二年半ばから八三年半ばにかけて、小型のテクノロジー銘柄が好まれたこともあったが、ファンダメンタルズは変わらないのに株価は六〇〜九八％も下落した。スモール・イズ・ビューティフルかもしれないが、必ずしも儲かるわけではない。

一九六六年から八八年までに、ダウ平均は二倍にしか上げなかったのに、なんと日経平均は一七倍になった。日本株の時価総額は八七年四月に米国株を上回り、その差はさらに広がっている。日本人は独特の相場観を持っており、私はいまだに理解できない。私は状況を把握するため何度も日本を訪れたが、そのたびにどの株も高すぎると思うが、それでもさらに高くなるのだった。

今日のように取引時間が変わると、ファンダメンタルズをマークするのはだんだん難しくなり、クォートロンから目を離せなくなる。一九五二年までの八〇年間、ニューヨーク証券取引所は午前一〇時に開き、午後三時まで取引された。新聞は後場の結果を印刷してくれたので、投資家は帰宅途中に株をチェックできたものだ。五二年から土曜日の取引がなくなった代わりに、毎日の取引終了時刻が三時半になり、八五年からは、開始時刻が午前九時半、終了時刻は午後四時になった。個人的には、市場の取引時間は短いほうがよいと思う。その分会社分析に時間をかけられるし、訪問することもできる。どちらも、株価が上がったり下がったりするのを眺めているよりはよほど有用である。

一九六〇年代には、機関投資家の役割は大きなものではなかったが、一九八〇年代には株式市場を支配するようになった。

主要な証券会社の法的地位は、個人の資産に基づいたパートナーシップ制から、個人の責任を有限とする会社組織へと変わってきた。理論的には、企業は株を公開することで資本を充実させられるので、証券会社の体質は強化されたはずであるが、私は逆になるのではと確信している。

店頭取引市場の台頭は、かつては曖昧な〝ピンクシート〟によって取引されていた株の流通性を大幅に高めた。かつては公正な価格なのかどうかを知ることもできなかったのだが、現在は信頼のできる、コンピュータ化された市場（ＮＡＳＤＡＱ）となった。

今や国中に最新の金融ニュースが溢れている。二〇年前には、ＴＶでそういったニュースが流されることなどほとんどなかった。ルイス・ルーカイザーの「ウォールストリート・ウィーク」は、一九七〇年一一月二〇日の開始以来大成功を収め、金融ニュースショーが広く受け入れられることを証明した。通常のニュース番組でも金融ニュースのコーナーが広がったのは、ルーカイザーの成功のおかげだろう。また、「ファイナンシャル・ニュース・ネットワーク」局も出現して、何百万もの米国の家庭に株価ニュースがもたらされるようになった。アマチュア投資家も、手持ち株の株価を毎日チェックできるし、アマでもプロのトレーダーよりわずか一五分遅れでそのニュースを知ることができるのである。

タックスシェルター（節税対策物）がブームになった。農地、石油井、石油掘削、遊覧船、低価格貸家システム、墓地、映画製作、ショッピングセンター、スポーツチーム、コンピュータ・リースなど、ほとんど何でも手あたり次第に買ったり、ファイナンスしたり、借りたりできる。

M＆Aグループや他の乗っ取り屋グループの出現は、二〇〇億ドルもの資金による買収をも容易にした。国内の乗っ取り屋グループ（コールバーグ・クラビス・ロバーツ、ケルソ、コニストン・パートナーズ、オデッセイ・パートナーズ、ウェズレイ）、ヨーロッパの企業および乗っ取り屋グループ（ハンソン・トラスト、インペリアル・ケミカル、エレクトロラックス、ユニリーバ、ネスレなど）、巨額の資産を持った個人の乗っ取り屋（デビッド・マードック、ドナルド・トランプ、サム・ハイマン、ポール・ビルゼリアン、バス兄弟、ライヒマン、ハフト、ルパート・マードック、ブーン・ピケンズ、カール・アイカーン、アッシャー・エーデルマンなど）――このような人々は、規模の大小、企業の態様の如何を問わず、手を出す。

ＬＢＯが広まるにつれ、全企業かその一部門が〝非公開化〟されていく。つまり、銀行やジャンク・ボンドで調達した資金をもとに、外部の者に買われたり、現役員に買い占められたりするからである。

こういったジャンク・ボンドによる資金調達はドレクセル・バーナム・ランバートによって初めて行なわれたが、今ではどこでも真似されるようになった。

先物やオプション取引、とくに株式インデックスの出現は〝プログラム取引〟を可能にした。現物市場で大量の株の売買を行ない、先物市場でその反対売買をするということで、何十億ドルものお金が、わずかな利益のために動くようになった。

こうした大きな流れのなかで、破綻寸前だった〝ダラーショップ〟のSSクレスゲは、Kマート方式をあみ出し、株価は一〇年間で四〇倍になった。マスコはハンドルが一つのレバー式蛇口を発明し、株価は一〇〇〇倍にもなり、この四〇〇年間でも素晴らしい出世株の一つになった――誰が水栓の会社が出世株になると思ったことだろう。成功した高成長企業の株は一〇倍《テンバガー》株になる一方、冴えない株の会社は破産に追い込まれた。また投資家は、ATTの分割により新規公開されたベビー・ベル株が四年間で二倍になる経験をした。

株式市場で最も重要な進展は何であったかと尋ねられたら、ATTの分割はかなり上位に入るだろう（これは、二九六万人の株主に影響を与えた）が、一〇月の大暴落は、私のトップ・スリーには入らない。

最近よく聞くこと

●小口の投資家は現在の危険な投資環境のもとでは全くチャンスがなく、やめたほうがよい、ということをよく聞く。「地震の震源地の上に家を建てようとするかい？」と、慎重な忠告者はこう言うことだろう。しかし、地震は家の下で起こるのではなく、不動産会社の下に起こるのである。

小口の投資家は、よい銘柄を保有する限り、どんな市場にも対処することができる。心配する人がいるのなら、それは余計な老婆心だろう。結局、一〇月の損失は、損切りをした人にとってのみ損失だったのである。彼らは長期投資家とは言えない。信用取引、リスク・アービトラージ、オプション取引などをしていた人、そして「売れ」と命じるコンピュータを抱え込んでいるファンドマネジャー、こういう人々が損をしたのである。猫が鏡に映る己の姿に脅えるように、売った人は自分の影に脅えた。

●専門家の時代になると、新しくて洗練され、慎重で知的な手法が株式市場にもたらされる、と聞いている。この流れを支配する五万人ほどのプロは、五万人のフランス人のたとえ（訳註・全員が勝手気ままな振る舞いに及ぶこと。〝船頭多くして船山にのぼる〟に似ている）と同様、間違えるはずはないのである。

私の立場から言うと、五万人の専門家はたいてい正しいが、それは典型的な株の動きの最後の二〇%の部分に対してのみである。ウォール街はその二〇%の部分を研究し、騒ぎ立て、買うために並び、出口へ鋭い目を向ける。すぐに儲けて出口へどっと押し寄せようという魂胆なのである。

小口投資家は、この多勢の連中と争う必要などない。出口が混んでいるときにゆっくりと入り口から入り、入り口が混み合っているときに出口から出ていけばいいのである。ここに、一九八七年の中頃、大手機関投資家に大いにもてはやされたものの一カ月後にはひどく売られた株のリストがある。これらの株は、収益も高く、予想数字も素晴らしく、キャッシュフローも素晴らしいものばかりである。会社自体は、何の変化もしていないが、投資家たちが興味を失ってしまったのである。オートマチック・データ・プロセシング、コカ・コーラ、ダンキン・ドーナツ、GE、ジェヌイン・パーツ、フィリップモリス、プリメリカ、ライトエイド、スクイブ、ウェイスト・マネジメント。

●一日の出来高が二億株というのは、一億株の頃に比べるとはるかに進歩し、流動性の高い市場は大いに利点があると言われている。

しかし、仮にこの流れに巻き込まれれば利点とは言えないだろうし、実は現にそうなっているのである。昨年、ニューヨーク市場に上場している株式の八七％は、少なくとも一度、持ち主が変わっている。一九六〇年代、一日六〇〇万～七〇〇万株の出来高が普通だった頃、回転率は一年で一二％であった。七〇年代になって、一日の出来高は四〇〇〇万～六〇〇〇万株となり、八〇年代では一億～二億株になっている。今では、出来高が一億五〇〇〇万株程度しかないと、人々は何か変だぞと考える。私自身、こういう現象にひと役買っていることは認める。毎日売買しているのだから。しかし、私の最も成功した株は、三年から四年保有しているものである。

この速く大きい回転率は、有名になったインデックス・ファンドによって加速された。インデックス・ファンドは、個別の会社の特徴など問題にすることなく、何十億株と売買する。また、スイッチ・ファンドでは、株から現金へ、現金から株へと手数料なしでただちに換えることが可能である。まもなく株式の回転率は一〇〇％になるだろう。今日は火曜日だから、GMを買わなければならない、などということになりかねない。気の毒な会社は、どこへ年次報告書を送るのだろう。『ウォール街の何が悪いのか』というタイトルの新刊書では、私たちは、為替、株、先物、オプションの手数料を、年間二五〇億～三〇〇億ドルも払っていると報告している。つまり、新しく株を買うのではなく、古い株を買ったり売ったりするのにそれだけの金を使っているのである。本来、株の持つ第一の意味は、新しいビジネスのための資金を集めることにある。ところが、毎年、株の取引が終わる一二月がやってきて、五万人のプロが運営しているポートフォリオは、その年の一月と同じようで変わり映えしないのである。

こういう取引で売り買いが習慣になった大手投資家は短期売買をするようになり、証券会社は大喜びである。これを「レンタ株相場」と呼ぶ人もいる。今では、慎重なのはアマチュア投資家で、腰の軽いのがプロである。一般の投資家は市場の安定要因と言えるだろう。

腰の軽い信託部門、ウォール街の老舗、ボストンの金融グループなどの現状を見ると、これは一般投資家にとってはチャンスであろう。クレイジーな値段まで売られ、人気のなくなった株を待って、買えばよいのである。

●一〇月一九日月曜日の暴落は、歴史上、月曜日に起こった数度の暴落の一つにすぎない、という説を聞いている。月曜効果というのをずっと研究している人もいる。私がかつてウォートン校で学んでいたときも月曜効果についての話はあった。

振り返ってみると、確かに、何かがある。――一九五三年から八四年まで、株式市場は九一九・六ポイント上昇したが、月曜日には一五六五ポイントを失っている。七三年、市場は一六九ポイント値上がりしたが、月曜日には一四九ポイント下げている。七四年は、全体で二三五ポイント下げたうちの一四九ポイントは月曜日である。八四年は一四九ポイント上昇の半面、月曜日に四七ポイント下げ。八七年は月曜に四八三ポイント下げ、全体では四二ポイント上げであった。

もし月曜効果があるのなら、理由は想像がつく。投資家は週末の間、会社と話ができないからである。通常のファンダメンタルズ・ニュースが、すべて閉ざされる六〇時間、円が売られたり買われたり、ナイル川が氾濫したり、ブラジルのコーヒー園が壊滅、殺人蜂が繁殖する、などと日曜の新聞に載った恐ろしいことを心配する。週末はまた、新聞のコラムに書いている経済評論家の憂鬱な長期予想をじっくり読む時間もある。

朝寝坊して一般ビジネス・ニュースは無視するように努力しない限り、数多の懸念材料が週末に頭に詰め込まれ、月曜の朝にはすべての株を売りにしてしまうのである。これが月曜効果の原因だと私は思う（月曜の午後に会社に電話して、その会社が事業から撤退するつもりのないことがわかり、週の後半には株は反発する）。

●一九八七〜八八年の市場は一九二九〜三〇年相場の再来で、再び大不況に突入する、という説を聞いたことがある。これまでのところ、確かに一九八七〜八八年の市場は一九二九〜三〇年相場と非常によく似た動きをしているが、だからどうだと言うのだろう。もし、私たちが再び不況を経験するとしても、前の不況が株式市場の暴落が原因ではなかったと同様に、暴落のために起きるのではない。なにしろ当時米国で株を保有していたのは、人口のわずか一％だったのだから。

前回の不況は経済の減速が原因だったが、当時、労働力の六六％は製造業に従事し、二二％は農業であった。社会保険、失業手当、年金、福祉、医療補助、学生ローンの保証、政府保証の銀行預金もなかった。今は、製造業の労働力はわずか二七％、農業は三％を占めるにすぎない。一方、サービス部門は一九五〇年の一二％から着実に増え続け、現在は米国の労働力の七〇％を占めている。

一九三〇年代とは異なり、今では家を保有している人々が大きな割合を占めている。その多くはローンを完済しているし、不動産価格の上昇によって大いに資産額を増やしている。現在、平均的家計では、働き手はかつての一人から二人になり、六〇年前にはありえなかった経済的クッションになっている。もし不況になったとしても、それは前回のようなものではないだろう。

週末にも平日にも、この国はめちゃくちゃになると聞かされ続ける。私たちの通貨は、かつて金《ゴールド》のように貴重なものだったが今はゴミのように安っぽいとか、私たちはもう戦争に勝つことはできないとか。アイススケートで金メダルをとることさえできない。頭脳は海外へ流出してしまった。韓国に仕事をとられてしまい、車では日本に負けた。バスケットボールではロシアに勝てない。石油ではサウジに負けた。イランには大恥をかかされた……。

●毎日のように、大会社の事業撤退を聞く。確かにそういう企業もあることは事実だが、しかし、新たにビジネスに加わり、新しい雇用機会を与える小さな何千もの企業についてはどうだろう。私はいつも、さまざまな会社を訪ねるが、多くの企業がいまだに活気に溢れているのを発見して驚く。大いに稼いでいるところもある。もし、私たちすべてが企業センスを失い、働かないというのであれば、ラッシュアワーの時間帯にすし詰めになっている人々は誰なのだろう。

何百もの会社がコストを削減し、効率よく会社運営を行なおうと努めている事実を、私は目にしている。投資家が楽観的だった一九六〇年代の後半よりも、これらの会社はずっとよくなっているように見える。会社のトップは、より聡明で、改革に意欲を燃やしている。経営陣も労働者も、競争しなければならないことを理解している。

●エイズに冒される、干魃に襲われる、不況になる、財政赤字が、貿易赤字が、ドル安が……。私たちは毎日のようにこんなことを耳にしている。やれやれ。ドル高になったら不動産価格が崩壊するというのだろう、先月、人々はそのことを心配し始めた。今月はオゾン層の心配をしている。古い投資の諺に、「相場は心配の壁をよじ登る」というのがあるが、心配の壁は今では結構な規模となり、毎日高くなっている。

●私は、貿易赤字が私たちの生活をひどくするという通常の議論には、反対してきた。英国は七〇年間も多額の貿易赤字を抱えてきたが、繁栄を続けてきたではないか。しかし、これを今問題にすることもないだろう。私がそれを考える頃には世間の人々は貿易赤字については忘れてしまい、来るべき貿易黒字についての心配をし始めていたのである。

●なぜウォール街の王様は、いつも裸の王様でなければならないのだろうか。王様が盛装でパレードを繰り広げるたびに、私たちはその動きを一所懸命に追うのだが、どうしても裸を見ているようだ。

●投資している会社の株が、企業乗っ取り（M&A）に遭ったり、役員によって私企業化（MBO）されると、ひと晩で株価が二倍になることもあるので、投資家としては喜ぶべきだ、という説を聞く。

健全に繁栄している企業を、乗っ取り屋がやってきて買収する場合、泥棒に遭っているのは株主なのである。当面、株主にとってはかなりの額の儲けのように見えるだろうが、彼らは将来の成長性を託した株を奪っているのだ。ペプシ・コーラが、一株四〇ドルでタコ・ベルを買収したとき、投資家は大いに喜んで公開買い付けに応じた。しかしタコ・ベルは高成長を続け、もしこの会社だけの収益力なら、今では一五〇ドルはしていることだろう。

落ち込んでいた企業が立ち直って、株価も底値の一〇ドルから上昇気配にあるとしよう。そこに金持ちがやってきて二〇ドルで株を集め、非公開化してしまう。一見、もとの株主にとって素晴らしいことが起こったと思われそうだが、その後一〇〇ドルまで値打ちを高めた分はその金持ちに独占されることになるのである。最近のM&Aによって買収された企業のなかにも、一〇倍株になる可能性のあるところが数多くある。

●私たちの国は、急速に不要な借金を抱え込み、国民はカプチーノを飲み、休暇をとり、クロワッサンを食べるようになった、という話を聞く。悲しいことに、米国は先進国中で最も貯蓄率の低い国の一つである。非難の一部は、キャピタルゲインや配当に課税することによって貯蓄を妨げ続ける政府に向けられ、一方、借金は金利の免税措置によって報われる――ついに米国人は免税で貯蓄を奨励されたのである。個人の退職年金口座はこの一〇年間で最も有用な案の一つだったが、政府はいったいどうしたというのだろう、零細なサラリーマンだけを除いてその適用をやめたのである。

よく繰り返される馬鹿げたことにもかかわらず、私は、米国、米国人、そして投資一般に対してずっと楽観的であった。株式投資をする場合、少なくとも、人間性、資本主義、国家、将来の一般的繁栄に対して、基本的信念を持たなければならない。これまで、どの一つも揺らいだものはなかった。

日本人が小さなパーティー用雑貨をつくり、ハワイアン・カクテル用の紙の笠をつくり始めたとき、米国人は、車やテレビをつくり始めたと言われた。そして今、日本人は車やテレビをつくり、私たちがパーティー用雑貨やハワイアン・カクテル用の小さな笠をつくっている。もしそうであるとしても、米国のどこかで、注目されるべきパーティー用雑貨をつくって高成長を遂げている会社があるはずだ。それこそ、次のストップ・アンド・ショップだろう。

第3部のポイント

- 来月、来年、三年後のいつか、相場は急落する。
- 暴落は、目をつけた会社の株を買う絶好の機会である。調整——暴落のウォール街流呼び名——は素晴らしい会社の株をバーゲン価格まで下げてくれる。
- 一年あるいは二年先の相場の方向を予測するなど、不可能である。
- 人より抜きん出るためには「いつも」正しくなければならないという必要はないし、「ほとんどの場合」正しいという必要さえない。

- 大きく儲けるのは驚きだし、買収にはさらにびっくりさせられる。大きな結果を得るには一年はかかる。数カ月ではない。
- カテゴリーの違う株は、リスクも、報われ方も、異なる。
- 二〇～三〇％上がる安定株を複数持てば、かなり儲かる。
- 株価は、しばしばファンダメンタルズとは逆の方向に動くが、長期では株価の方向と収益の持続性は同じ流れである。
- 冴えない会社だからといって、さらに悪くはならない。
- 買った株が上がったというだけで、あなたが正しいということにはならない。
- 買った株が下がったというだけで、あなたが間違っていたということにもならない。
- 金融機関が大量に保有し、ウォール街で人気化して相場をリードしてきた仕手株は、高くなり過ぎで、後は沈滞か下落しかない。
- 株価が安いというだけで平凡な見通しの会社の株を買うことは、お金を失うもとである。
- 株価が少し高くなり過ぎたからという理由で成長性の抜きん出た会社の株を売ることは、お金を失うもとである。
- 企業は理由がなくて成長するものではないし、高成長会社だからといって永遠にその位置にあるわけでもない。
- たとえ上がった株を持たなかったからといって、何も失ったことにはならない。
- 株は、あなたがそれを持っていることは知らない。
- ストーリーをチェックするのをやめ、自己満足するような勝者にはならないでもらいたい。
- 株価がゼロになったとき、買った時点の株価が五〇ドル、二五ドル、五ドル、二ドルのいずれであろうと、投資金額分だけ失うのに変わりはない。

- ファンダメンタルズに基づいてポートフォリオを注意深く刈り取ったり循環させたりすることが、投資結果の改善につながる。その株が現実には路線を外れていて他によいものがあるときは売って、そちらに乗り換える。
- 好みのカードが出るときは賭け金を増やすし、反対のときは減らす。
- 花を摘み取ったり、雑草に水をやったりでは、よい結果は得られない。
- 市場平均以上の成果をあげられないと思うなら、投資信託を買って、余分な精力やお金は使わないことである。
- 心配事はいつもあるものだ。
- 新しいアイデアには常に目を開いておくべきだ。
- 「女の子すべてにキスをする」必要はない。私も一〇倍株《テンバガー》を結構たくさん逃がしているが、そうかといって市場平均を上回る成果をあげられないということはないのである。

エピローグ／備えあれば憂いなし

本書は休暇の話から始めたので、終わりもそのようにしよう。一九八二年八月のある日、キャロラインや子どもたちと一緒に車に乗り込んだ。キャロラインの妹マダリン・コーウィルの結婚式に出席するため、メリーランドまでドライブし、その途中の、ボストンから式場までのルートから一〇〇マイルの範囲にある上場会社八～九社に立ち寄った。

キャロラインと私は、直近に、新しい家を買うための契約にサインしていた。八月一七日は一〇％の頭金で契約を完了する最終日である。私は、この金額がフィデリティでの初めの三年間のサラリー分と同じであることを思い起こす。

家を買うには、私の今後の収入にかなりの自信がなくてはできないし、その大前提は米国株式会社の将来如何である。

最近、市場の雰囲気は沈滞気味だ。金利は上昇して二ケタとなり、ブラジルのようになってしまうのではないかと懸念を抱く人もいる。他の人は、一九三〇年代のように悪化するのではないかと心配している。有能な官僚たちは、まもなく森へ押し寄せる何百万人もの失業者たちの先頭を切って、魚釣り、狩り、いちご摘みを練習しようかと思ったほどである。ダウ平均は七〇〇ドル台で、一〇年ほど前には九〇〇ドル台であった。たいていの人が、事態はさらに悪化すると見ている。

一九八七年の夏が楽観的なら、一九八二年の夏は全く正反対であった。私たちは、歯を食いしばり、家の契約をキャンセルしない決心をした。コネチカット州のどこかで、新しい家が私たちのものになるのである。困難なことは、そのローンをどうやって長期間払うか、ということだ。

すべてを忘れて、私は、コネチカット州のメリディアンにあるインシルコ社を訪ねた。キャロラインたちは三時間ほどビデオアーケードで時間をつぶし、アタリのゲームをリサーチしていた。私は会合を終えてオフィスに電話する。彼らは市場が三八・八ポイント上昇と答える。当時七七六ドルの水準だったから、八八年の夏の水準ではちょうど一二〇ポイント上昇に匹敵する。俄然、皆、興奮する。八月二〇日、三〇・七ポイント上がった日はもっと喜んだ。

ほとんど一夜にして、すべてが変わった。森のそばでキャンプをしていた人々は、手に入る株をすべて買おうと押し寄せた。彼らは、互いに先を争って強気派に転じた。一週間前までは死に体とあきらめられていたすべてのカテゴリーの〝景気のよい〟会社に投資するため、狂ったように押し寄せたのである。

私には、通常の仕事をする以外、どうということもなかった。この異常事態が起こる前後とも、十分に投資していた。私は、いつも全額を投資する。皆に追われるというのは、快感である。また私は、株を買うために急いで帰るわけにもいかない。コネチカット州ミドルベリーにあるユニロイヤル社とニュー・ヘイブンにあるアームストロング・ラバー社を訪ねなければならないし、また翌日は、ニューヨーク州ミネオラにあるロング・アイランド・ライティング社とコンマックにあるヘイゼルタイン社に立ち寄ることになっている。そしてその次の日は、フィラデルフィア州のフィラデルフィア電気とフィデルコ社である。会社訪問をして十分に質問をすれば、私の知らなかった何かを学べるだろう。そして、義妹の結婚式には出なければならない。株と上手に付き合いたいなら、何よりも自分のしたいことを優先することだ。

訳者あとがき

この本の原書『ONE UP ON WALL STREET』が最初に出版されたのは一九八九年、著者のピーター・リンチ氏がマゼラン・ファンドのマネジャーの座を降りた直後のことである。

一九七七年にマネジャーとなってマゼラン・ファンドの運用を始めて以来、七〇年代後半から八〇年代前半の「株式の死」とすら呼ばれた不振をきわめた相場のなかで、氏の運用はまさに驚異的な成果をあげた。在任中の一三年間でダウ平均はやっと二倍にしかなっていなかったにもかかわらず、マゼラン・ファンドは二〇倍を超える値上がりをみせ、つれてファンドの規模も、評判が評判を呼んでなんと七〇〇倍にも膨れ上がり、全米最大の一五兆円ファンドとなった。

全米の投資家にとって最も尊敬すべき投資家とされているのも当然であろう。

幸いにも一九九〇年に日本語版が出版されることとなり、その翻訳を行なうというまことに得難いチャンスを与えられ、以来、生身のピーター・リンチ氏にぜひ会いたいという願望を持つようになった。夢とはやはり持っておくものである。その夢が正夢となって、二〇〇〇年一〇月、日経CNBCテレビのインタビューアーとして、ボストンの氏のオフィスで直接会って話を聞くことができた。なかなかマスコミなどには出てはくれない人だと言われていただけに、自分自身の喜びもさることながら、アメリカ人の友人たちも大いに驚きかつ喜んでくれたものだ。氏はこれほどの成功を収めているにもかかわらずきわめて気さくなサッパリした人柄で、おまけに身なりにも無頓着で、改めて本当の人物というものを感じさせられた。

読者の方々ももう十分に感じ取られただろうが、氏の株式投資の方法は全くオーソドックスであり、とくに奇をてらうものでもなく、秘法があるわけでもない。ただひたすら自分の信じるに足る会社を念入りに発掘し、じっくり保有しているのである。お話をうかがっていても、「イーティング・アンド・ショッピング」とか「ピック・アンド・ショベル」といったごくありきたりの言葉で、アマチュアにとって実に大切な投資の基本を教えてくれるのに感じ入ること再三であった。「自分で理解できないものには手を出さない」という考え方も、ネット株バブルの騒ぎに目を奪われがちの投資家心理に対するありがたい警告となるだろうし、「一二歳の子どもに一分で説明できる」ところまで投資する株について絞り込む考え方も、大いに参考になった。

ちなみに原題の「ワンアップ・オン・ウォールストリート」の意味は、ゴルフのマッチプレーで最終ホールで勝つということであり、勝つためには相手の心理状態も読む必要があるなど、マッチプレーを株式投資にたとえた意味の深いタイトルである。日本語版が出版された頃の日本の市場は不振極であり、株式投資に対しての興味が大きく失われたときだったこともあって、原題の意味を忖度《そんたく》してあえて『株で勝つ』としたのは、氏のそういう願いも込めてのことである。

原著が最初に出版されて以来すでに一〇年以上を経過しているにもかかわらず、西暦二〇〇〇年を期して新たに「ミレニアム版への序章」を書き加えて再出版された本書は、その内容がほとんど変わっていないのに、いささかも新鮮さを失っていない。それどころか、まさに現在の日本の投資家のために書き下ろされたかのように思えて、投資の基本が依然として変わっていないことに改めて驚かされている。

改訂版の刊行にあたり、ピーター・リンチ氏との直接インタビューという長年の夢を実現する機会をつくっていただいた日経ＣＮＢＣの増田浩志氏、津田真一氏、そしてわれわれ同様に投資の基本に関する本の出版に尽力されているダイヤモンド社の黒木栄一氏に、改めて感謝の念を捧げたい。

二〇〇一年二月

三原　淳雄
土屋　安衛

著者紹介

ピーター・リンチ（Peter Lynch） 1944年生まれ。ボストン大学を経て、ペンシルバニア大学ウォートン校でMBA（経営学修士）を取得。1969年フィデリティ社に入社。２年間の兵役義務の後、1977年から90年までマゼラン・ファンドの運用を担当。この間に同ファンドの資産を2000万ドルから140億ドルへ世界最大規模に育て上げ、全米No.1と称される伝説のファンドマネジャー。現在、フィデリティ・マネジメント・アンド・リサーチ社副会長。

ジョン・ロスチャイルド（John Rothchild） 金融コラムニスト。

訳者紹介

三原　淳雄（みはら　あつお） 1937年生まれ。九州大学経済学部卒業。日興證券入社。米ノースウェスタン大学経営大学院留学。ニューヨーク勤務、ロサンゼルス支店長などを経て、同社退社。現在、経済評論家として活躍中。著訳書多数。東海東京調査センター理事。大阪経済大学大学院客員教授。

土屋　安衛（つちや　やすえ） 1933年生まれ。東京大学経済学部卒業。山一證券入社。ペンシルバニア大学ウォートン校留学。ロサンゼルス、香港、アムステルダムに勤務。海外金融業務室長などを経て、同社退社。現在、翻訳家。

ピーター・リンチの株で勝つ〔新版〕

アマの知恵でプロを出し抜け

2001年３月８日　第１刷発行
2024年４月３日　第33刷発行

著者／ピーター・リンチ、ジョン・ロスチャイルド
訳者／三原　淳雄・土屋　安衛

装丁／勝木　雄二
製作・進行／ダイヤモンド・グラフィック社
印刷／亨有堂印刷所（本文）・新藤慶昌堂（カバー）
製本／ブックアート

発行所／ダイヤモンド社
〒150-8409　東京都渋谷区神宮前6-12-17
https://www.diamond.co.jp/
電話／03·5778·7233（編集）　03·5778·7240（販売）

ISBN 4-478-63070-4